DE NACHT VAN DE KRAAI

Stefaan Van Bossele

De nacht van de kraai

Misdaadroman

Boekenplan

Eerste druk 2007
© 2007, Stefaan Van Bossele

ISBN 978 90 8666 026 1
NUR 332

Uitgeverij: www.boekenplan.be

Ergens, lang geleden, was er een legende die zei:

dat,

als je sterft,

een kraai je ziel naar het hiernamaals brengt.

Maar soms gebeurt er iets dat zo vreselijk is,

dat de ziel immens bedroefd is en geen rust vindt.

En soms, heel soms, kan die kraai de ziel weer tot leven brengen

om alles weer recht te zetten.

"De duivel leeft in elk van ons"

Voorwoord

De nacht voor Halloween wordt soms ook 'Devil's night' genoemd. Die nacht worden de poorten van de Hel geopend, komt het Kwade als een stortvloed over ons heen. In vele steden en gemeenten in Amerika, vooral in de achterstands wijken, de getto's, de Bronx kan dit gepaard gaan met een uitbarsting van geweld, plunderingen, verkrachting en moord. Die nacht verandert de mens in een dier en lijkt het of Satan de eeuwige strijd heeft gewonnen. Maar die uitbarsting bestaat niet alleen in het verre Amerika. In onze steden en gemeenten, zelfs in de lieflijke polderdorpjes die we allemaal zo goed kennen en koesteren, lijkt het of de Eeuwige Strijd soms in het voordeel van het Kwade wordt beslecht. Velen werden het slachtoffer van een 'Devil's Night' en laten ontroostbare familieleden en vrienden na. Een motief wordt altijd gezocht, maar is er wel een reden die ons het recht geeft het leven van een ander te ontnemen? Hebben wij het recht ons boven onze Opperste Schepper te stellen, op zoek naar zelfgenoegen, in de ban van ons eigen egoïsme, blind voor de mooie dingen in het leven?

In elk van ons schuilt de Duivel, is het Kwade aanwezig. Sommigen worden na een misdaad berecht, anderen blijven op vrije voeten rondlopen. Dat heet 'democratie'. Voor de nabestaanden is het altijd weer bang afwachten wat Vrouwe Justitia zal beslissen, maar het is zeker dat geen enkele straf ooit de pijn van het verlies van een dierbare kan goedmaken. Soms is er geen oplossing, blijft iedereen in het ongewisse van wat er gebeurd kan zijn. Vele vragen blijven onbeantwoord. Maar een oud spreekwoord zegt dat de kraaien het ooit zullen uitbrengen. Hoop op gerechtigheid, hoop op een nieuwe start is de voeding die velen van ons recht houdt na een immens verlies.

Dit boek is fictie en geen fictie tegelijk. Het lieflijke polderdorpje aan de Schelde, kon een Ardennendorpje zijn, of een gehucht aan de Vlaamse kust. Misschien was het een wijk in de Bronx in New York, of een grote stad als Parijs. Het verhaal is er gewoon één van de duizenden, die zich

7

jammer genoeg elke dag afspelen op onze mooie aarde. We zijn allemaal vol van liefde en schreeuwen om rechtvaardigheid en geluk, maar soms vergeten we één ding:

de duivel is tussen ons.

Als een gebouw uitbrandt, dan blijft er alleen as over

mensen denken dat dit voor alles zo is,

familie

vriendschap

gevoelens.

Maar bij ware liefde kan niets of niemand

tussen twee mensen komen

zelfs de dood niet.

November 1998

Het was een winderige, regenachtige herfstavond in de polders in de nabijheid van de metropool Antwerpen. Het gure weer zorgde ervoor dat niemand nog op straat kwam, in het kleine dorpje aan de overkant van de kerncentrale van Doel, gelegen naast de keizerlijke rivier de Schelde. Duizendvijfhonderd zielen telde de kleine gemeenschap, voor het grootste deel werkeloze jongeren of bejaarde inwoners die genoten van hun laatste jaren in hun grijze leven. De weinige lieden die werk hadden gevonden, gingen aan de slag in de grootste autofabriek van het land, of in één van de chemiebedrijven die altijd zorgden voor overlast en geurhinder. Maar de meesten waren gelukkig in hun eigen kleine reservaat en in het weekend werd de kommer en kwel van de week vergeten. Honderden jaren ervoor moet het er prachtig zijn geweest, wanneer landerijen en bossen elkaar afwisselden of wanneer een rivier, zonder industrie aan zijn boorden, lag te schitteren in de zon. Vissers waren verdwenen, boeren waren onteigend, allen hadden plaats gemaakt voor de harde realiteit. Alleen dit kleine dorpje was gespaard gebleven van eeuwige verdoemenis, van verdwijning van de wereldkaart.

De stormachtige wind blies tegen de kramakkelige rolluiken, waar de verf vanaf bladderde. De vrijstaande lage bungalow had een grote tuin, maar in dit spookachtige weer toonde hij een desolate indruk. Het was alsof de wereld zou vergaan. De plensbuien roffelden onregelmatig op de gitzwarte dakpannen, een tak kraakte van een boom en sloeg met geweld tegen de staldeur, verder in de hof. Plots werd Shana wakker van een krakend geluid. Ze was dertien jaar geleden geboren in het kleine dorpje en iedereen kende haar omwille van haar mooie blauwe ogen en haar gulle lach, die haar blonde haren accentueerden. Het kleine meisje van vroeger werd een jonge zwaan en verlegen zag ze hoe haar lichaam vrouwelijker werd. De puber wist zich soms geen raad met haar houding toen ze borstjes kreeg, maar dit was al bij al haar grootste zorg niet. De jonge meid was soms nog een kind dat zich graag vleide tegen de schouder van moeder, als ze naar de televisie keken. Ze was lief en had een zacht karakter, maar als een kleine feeks was ze er altijd als eerste bij om haar zusje te pesten.

Shana hoorde opnieuw het geluid, alsof iemand de trap kwam opgeslopen. Het verwonderde haar, want moeder was naar Antwerpen en stiefvader zou nooit zoiets doen. Hij was altijd zo stil als een olifant in een porseleinwinkel en het schriele mannetje zou nooit sluipen maar eerder de trap opstormen en zo iedereen wakker maken. Hij was de nieuwe vriend van haar moeder en soms maakte hij de meisjes benauwd met zijn doordringende en toch soms nietszeggende blik. Het werd weer stil in de woning en het getik van de druppels op het lage dak zorgden er al vlug voor dat Shana weer in dromenland was. Ze was blij dat ze een eigen kamer had en die niet hoefde te delen met haar oudere zus. Nu kon ze muziek door de luidsprekers laten schallen zoveel ze wou, de posters ophangen die zij graag zag en tot na twaalven stripverhalen lezen als ze dit wenste.

De slaapkamer was pikdonker. Rechts aan de muur stond een oude kleerkast die uitpuilde van de kleren en schoenen die moeder steeds weer meebracht voor haar beide oogappels. Aan de overkant, tegen het raam, stond het eiken éénpersoonsbed. De jonge prinses lag ver verwijderd van de realiteit van deze wereld te slapen onder de warme donsdeken. Ze hoorde niet hoe de slaapkamerdeur stil werd geopend. Een gestalte, niet meer dan een gitzwarte schaduw, sloop de kamer binnen en luisterde gespannen naar de rustige ademhaling van het jonge meisje. Het gezicht kon je niet zien, alleen een enkele schittering wees erop dat de indringer iets metaalachtig in de hand hield. De lucht werd vermengd met een waarneembare geur van alcohol en de ademhaling van de insluiper klonk stil, maar gejaagd. Zijn borstkas ging gejaagd op en neer, het hart bonkte als wilde het zijn lichaam verlaten, een tegenstelling tot het frisse, onschuldige van de jonge meid die zich van niets bewust was. Rustig ging een hand zacht strelend over het voorhoofd van Shana, die niet reageerde. Hij tastte lager en voelde de rondingen van de kleine borstjes onder het slaapkleed. De ademhaling van het meisje bleef rustig, wat er op wees dat ze vast sliep. De indringer voelde weer die drang, maar ging dit keer niet weg. Hij voelde de macht over het wezen dat hij in de slaap betastte, als was hij de koning en zij de slavin. Hij rechtte zijn hoofd en kneep heel zachtjes in de borsten, zonder pijn te doen, maar als een teken van overheersing. Voor hem was ze nu niet meer dan een pop, een ding dat hij bezat. Het meisje verroerde niet en was zich niet bewust van wat er gebeurde rondom haar. Langzaam hief hij het voorwerp op dat hij al die tijd in zijn hand had gehouden. Een verre bliksemflits verlichtte het en de omtrek van een schaar werd zichtbaar. Langzaam bracht hij de schaar ter hoogte van de slapende fee, hij wilde niet, maar die drang verplichtte hem zijn werk te voltooien.

's Ochtends werd Shana wakker van een koude wind die haar rillingen bezorgde. Het was vijf uur in de morgen. Plots slaakte ze een kreet. Ze voelde dat ze naakt in haar bed lag. Haar slaapkleed was doormidden gesneden en was niet meer dan een lapje stof dat alleen nog ter hoogte van de armen was bijeen gebleven. Ze bedekte haar borsten met de donsdeken die ze om zich wikkelde en voelde zich verward. Wat was er gebeurd vannacht? Had ze gedroomd? Was er een indringer geweest? Haar zus kwam de kamer ingelopen en vroeg wat er gebeurde. Ook Guido kwam binnen. Shana keek in zijn bloeddoorlopen ogen en merkte dat hij de avond ervoor weer gedronken had. Niemand had iets gehoord of gezien. De lege fles cognac en de verschillende omgevallen bierblikjes in het salon, toonden dat haar stiefvader waarschijnlijk nog niet door een pistoolschot zou zijn gewekt. Shana overschouwde, gehuld in haar blauwe kamerjas, het slagveld dat hij weer eens had achtergelaten. Ze zou het vlug opruimen voor moeder straks thuiskwam.

Het was een raadsel. Ze merkten dat de achterdeur niet op slot was, maar dat gebeurde wel meer in het anders zo rustige dorp. Verder was er niets verdwenen, geen wanorde te bespeuren, alle kasten en schuiven waren dicht. Tegen de ochtend verdween, samen met de wolken, de angst van een nachtmerrie die er was geweest. Mireille kwam thuis, goedgezind en met een brieventas vol geld. Niemand stelde vragen, iedereen was blij haar terug te zien. Shana werd tegen de middag weer de speelse puber zonder zorgen en 's avonds was ze het hele voorval bijna vergeten. Samen hadden ze alles doorgenomen en ze wisten dat het een mysterie was en zou blijven. Toch kondigde die nacht het begin aan van wat een nachtmerrie zou worden, daar in de buurt van Antwerpen, in een klein rustig dorpje. Shana was ongewild het slachtoffer geweest van wat later omschreven zou worden als de Duivel zelf, een volgeling van de hel. Honderden jaren lang was het vissersdorpje een oord van rust geweest, een oase van geloof waar de Kerk de dorpelingen beschermde tegen de kwade dingen van het leven. Nu zou het gebouw op de kleine markt van het dorp niet in staat zijn de stroom van verderf, de duivel zelf, tegen te houden. Die nacht hadden het onweer en de regen, als het ware met tromgeroffel geholpen om de poorten van het voorgeborchte van de Hel te openen. Satan was weer onder ons en dit keer zou niets of niemand in staat zijn hem te stoppen.

Februari 1999

Samantha was alleen thuis en ze genoot van één van die vrije dagen in de krokusvakantie. Mireille en Shana waren 's morgens rond negen uur al vertrokken om in Antwerpen de omgeving van de Meir onveilig te maken en straks, bij het vallen van de avond, beladen met pakjes thuis te komen. Guido was, zoals gewoonlijk wanneer hij niet aan het werk was, naar het dichtstbijzijnde café vertrokken, om daar te staan opscheppen en vervolgens rond drie uur in de namiddag dronken thuis te komen. Samantha keek op de klokradio in de badkamer en zag dat het zeven minuten over tien was. Ze had nog uren de tijd en was van plan er eens goed van te genieten. De jonge prinses koesterde die vrije momenten zonder ouderlijk gezag, zonder verplichtingen. Ze had zonet een verkwikkende douche genomen en, terwijl ze haar donkere halflange haren droogde, monsterde ze haar eigen lichaam, waarop nog enkele druppels water weerspiegelden op haar naakte huid. Ze glimlachte en wist van zichzelf dat ze er goed uitzag. Ze mat één meter zeventig en haar ranke, lange benen gaven haar de uitstraling van een fotomodel. Hagelwitte tanden deden haar glimlach altijd breder worden dan bij anderen en de sensuele blik die soms uit haar guitige ogen kwam, had al menig mannenhart harder doen kloppen. Ze bekeek zichzelf in de oude, versleten en aangedampte spiegel die zijn beste tijd had gehad en ze droomde ondertussen over een verre neef van haar, meer een beste vriend eigenlijk, die met zijn blikken al menigmaal had laten verstaan dat hij haar beter wilde leren kennen. Samantha wist dat dit in feite niet kon, maar ergens in haar onderbuik voelde ze toch de drang éénmaal toe te geven aan de verboden vrucht en zich te laten verwennen door die man die enkele jaren ouder was dan zij.

Haar dagdromerij was de oorzaak dat de levenslustige meid niet hoorde hoe iemand voorzichtig over de met steentjes bezaaide oprit liep en met oneindig veel geduld de achterdeur opende, er heel goed voor zorgend geen enkel lawaai te maken. De duistere figuur, de demon, de vertegenwoordiger van het Kwaad was goed ingelicht en hij kende de gewoontes van Samantha. Hij begreep dat ze nu onbevangen onder de douche zou staan en dat de kust veilig was.

Waarom wist hij niet, maar de drang was weer opgekomen en meer en meer had hij moeite er aan te weerstaan. Hij sloop de houten trap op, die bij de derde trede lichtjes kraakte, maar hij verdeelde zijn gewicht en het enige dat hij hoorde was zijn eigen ademhaling. Zijn hart ging wild tekeer, hij sloop naar zijn prooi als was hij een meedogenloos roofdier, op zoek naar voedsel om te overleven. Plotseling stopte hij halverwege de trap en hij maakte zich zo klein als mogelijk, als een geslagen kind tegen de muur ineengehurkt. Gelukkig waren de rolluiken nog naar beneden, zodat niemand zijn schaduw zou opmerken, tenzij men expliciet in zijn richting keek.

Wat hij plotseling ontwaarde, verbaasde hem. Hij zag de mooie Samantha gracieus als een hinde, maar poedelnaakt op een drafje naar haar slaapkamer lopen. Ze zag er uit als een oosterse prinses. Haar ogen waren wijdopen en ze hijgde een beetje. Ze wist dat ze alleen was in huis, maar toch deed ze de slaapkamerdeur op een kier, vooraleer ze zich op haar bed neervlijde. Hij lachte geluidloos, want het zou gemakkelijker worden dan hij dacht. Zij mijmerde ondertussen nietsvermoedend over haar neef en beeldde zich in hoe hij haar zachtjes aan de schouders zou masseren. Gedreven door haar eigen erotische droom, raakte ze zelf met de duim en de wijsvinger haar tepels aan, die hardop gingen staan en ze voelde zich warmer worden. Ze zag zichzelf genieten door de zachte aanrakingen van haar prins, wetend dat dit een verboden relatie zou zijn, maar haar hart ging wild tekeer.

Ze besefte niet dat, toen ze hijgend en badend in het zweet, haar hoogtepunt bereikte, op twee meter van haar, de Duivel zelf loerde door het oog van de digitale camera die hij had meegebracht. Hij genoot van het spektakel en wist dat hij later nog veel naar die beelden zou kijken, vooraleer het ultieme offer zou worden gebracht. De Hel had nog veel plannen die ze ten uitvoer wilde brengen en de jonge maagd die zichzelf in vervoering bracht, speelde ongewild een rol in het gebeuren.

April 1999

De Schrans was een klein, ouderwets café, gelegen onder de kerktoren van het rustige dorpje in de buurt van de Kerncentrale van Doel. Het was exact vier bij vier meter groot. De zes tafeltjes waren alle bedekt met een groezelige lap stof, die ooit een tafelkleed moest voorstellen. De tand des tijds en het feit dat de waardin het soms niet zo nauw nam met de hygiëne, hadden ervoor gezorgd dat het oorspronkelijke olijfgroen veranderd was in een grauw bruin. Overal waren kleine brandgaten te zien van de sigaretten die per ongeluk van de asbak waren gerold. Rond de tafels stonden telkens vier stoelen, van alle kleuren en maten, allen versleten en gekocht op de Vrijdagse markt te Antwerpen. De drie meter lange toog was altijd bevolkt door de stamgasten van de herberg, die elkaar in geuren en kleuren telkens opnieuw hun mening verkondigden over de grote en kleine problemen in deze wereld.

De vreemdeling kwam er binnen, op voor hem onbekend terrein. Hij bezocht af en toe wel eens andere instellingen in de buurt, maar hier was hij nog nooit geweest. Hij had een adem die stonk naar de look en zijn verfomfaaide kledij en ongeschoren gezicht zorgden ervoor dat hij een vies uiterlijk had. Zijn donkere ogen waren leeg en toonden geen enkele emotie. Hij ging op een kruk zitten en monsterde met een blik de enkele stamgasten die er al zaten toen hij binnenkwam. Hij wist niet of hij het zich verbeeldde, maar de gesprekken waren verstomd op het ogenblik dat hij bijna geluidloos binnenschreed. Niet dat men gewoon was om hier zakenmensen in kostuum te ontvangen, maar de haveloze zwerver zag er niet uit. Eventjes twijfelde de waardin of ze hem al dan niet de toegang zou ontzeggen. Ze keek om zich heen, maar zag toch enkele vaste klanten die niet van plan waren de eerste uren haar etablissement te verlaten. In elk geval zou ze veilig zijn en wanneer ze de man onmiddellijk liet betalen, dan hoefde ze zelfs niet bevreesd te zijn dat hij gratis zou consumeren. Bij die gedachte vermande ze zich en stevende zowaar met een glimlach af op de hoek van de toog.

Zijn blik bleef rusten op haar welgevormde boezem, die nauwelijks was verhuld door de kraaknette bloes die ze aanhad. Onbewust moest hij glimlachen. Voor hem stond alweer een vrouw van achteraan de veertig, welke dacht er goed uit te zien wanneer ze zich hoerig kleedde. Haar veel te nauwe broek paste niet bij haar figuur en de ouderwetse schoenen met hoge hakken hadden zeker hun beste tijd gehad. Waarschijnlijk was ze hier jaren geleden aangeland in de hoop fortuin te maken in het kleine café, maar elke avond opnieuw moest ze verbitterd constateren, dat ze haar tijd had doorgebracht bij sociale gevallen en dronkaards zonder dromen. Hij kende zulke vrouwen genoeg, had ze overal ter wereld gezien, en walgde er van. Neen, hij had een voorkeur voor jonge maagden, liefst rond de veertien à vijftien jaar oud, maar hij probeerde die drang te onderdrukken. Wanneer het hem moeilijk leek, dan liet hij zich in een taxi wegbrengen naar de Metropool, waar hij door prostituees werd bediend. Het was de enige manier om te weerstaan, maar hij wist dat ooit de dag zou komen dat....

In het café liet hij zich enkele biertjes en twee cognacs welgevallen. Iedereen liet hem met rust en het gesprek dat de waardin had geprobeerd met hem aan te knopen, had hij bars beëindigd. Het was duidelijk dat de eenzaat in zijn eigen droomwereld wilde blijven, geen contact wilde met de mensen om hem heen. Al vlug werd hij genegeerd en had iemand later gevraagd hoe hij er had uitgezien, dan hadden ze hem nooit kunnen beschrijven. Hij was onzichtbaar geworden, één met de kruk waarop hij zat, zomaar een zonderling, één van de velen die soms het dorpje in de schaduw van de koeltorens van Doel aandeden.

Lynn was een Aziatische schoonheid van 22 jaar, 1 meter 68 charme en vreugde, een prinses in de keuken, altijd klaar voor iedereen. Ze had haar werk in het naburige dorp beëindigd en profiteerde van de schaarse zonnestralen van de ondergaande zon, om goed ingepakt toch een fietstocht te maken langs de boorden van de Schelde. Ondanks haar leeftijd, zag ze er als slechts zestien jaar uit, wat misschien te maken had met haar herkomst, waar alle meisjes er lang heel jong uitzien. Ze woonde hier bij haar pleegouders, die haar geadopteerd hadden toen ze slechts vier jaar oud was. In feite herinnerde ze zich niets meer van haar vaderland, ze was een op en top levenslustige Vlaamse meid geworden. Lynn was levenslustig en altijd in voor een kwinkslag. Haar lach was beroemd en ondanks de vele bewonderaars, had ze tot op heden geen echte minnaars gehad. Enkele vluchtige kalverliefdes waren wel al haar deel geweest, maar in feite wachtte ze nog altijd op die ene man, haar prins op het witte paard. Aan hem zou ze zich volledig geven, aan hem zou ze haar leven wijden. Maar ze wist dat ze nog tijd had.

In de verte zag ze op het brede fietspad op de dijk, een haveloze figuur staan die blijkbaar aan zijn fiets stond te sleutelen. Ze voelde de gure wind en dacht aan het feit dat het ook geen pretje was om, op dit verlaten deel van de dijk, een lekke band te krijgen. Ze zou stoppen en haar diensten aanbieden, misschien kon die man iets doen met de plakkers of de lijm die zich in haar fietstas bevonden. Ze naderde de man en op een meter van hem vandaan stopte ze. Wat ze zag deed haar adem stokken in haar keel. Gitzwarte ogen, zonder enige emotie keken haar op een diabolische manier aan en ze begon zowaar van angst te verstijven. De man straalde alleen maar het Kwade uit, hij was een Poorter van de Hel. Ongerust keek ze om zich heen, maar nergens was een levende ziel te bespeuren, hulp was hier niet onderweg. Toen de man haar naderde rook ze een zurige mengeling van tabak en alcohol, een ongeschoren gezicht maakte het beeld van haar kwelgeest compleet. Lynn begreep dat ze iets moest doen en ze probeerde hard weg te fietsen, maar een stalen greep omklemde haar arm en trok die zowaar uit de kom. Ze viel van haar fiets en hoorde alleen nog het gehijg van de haveloze zwerver die zich op haar wierp.

Plots legde hij zijn arm om haar middel en heel zacht, in lieve bewoordingen, legde hij haar uit dat alles toch niet zo verlopen was, zoals hij het had gewild, maar dat in de toekomst veel zou veranderen. Ze begreep niet wat de man wilde, wat hij haar vertelde. Wat had zij te maken met zijn problemen? Waarom hield hij haar vast. Ze zag een waanzin in de blik van de zwerver die enerzijds haar in gebroken Engels probeerde gerust te stellen en anderzijds haar in een ijzeren greep hield. Ze wilde hem dolgraag geloven, toen hij haar vertelde dat ze samen een oplossing zouden vinden, als ze elkaar maar begrepen. Toen gleden zijn handen onder haar trui en voelde ze hoe zijn kille vingers zich sloten rond haar kleine borstjes. Haar tepels verstijfden van de kou en ze voelde de lust die opkwam in de vreemde man. Ze duwde hem weg, terwijl hij probeerde haar een kus op de mond te geven. Ze riep, krabde en probeerde zich te verweren.

Het mocht niet baten, die dag stierf het meisje in haar. Na zijn vertrek huilde ze bittere tranen. Ze bleef meer dan een half uur op de koude grond liggen, haar fiets naast zich, haar broek op de enkels. Lynn voelde nog urenlang elke beweging van zijn gore lijf, dat misbruik had gemaakt van haar vertrouwen, haar geloof in de goedheid van de mensen. Ze wist dat ze nooit meer zou zijn als vroeger en gebroken verliet ze de plek des onheils. Ze was ongewild getuige geworden van het opengaan van de Poorten van de Hel en had kennis gemaakt met het leed dat over het dorp aan de boorden van de Schelde zou worden uitgestrooid. Ze leefde nog, maar in haar binnenste was ze vele malen gestorven.

Niemand in taverne de Schrans, even verderop, had in de haveloze zwerver de demon herkend, die langzaam maar zeker de streek in een greep van angst hield en het Kwade deed herleven.

Mei 1999

Shana en Samantha genoten van de eerste zonnestralen in deze lente-
maand. Het was zaterdagnamiddag en beiden hadden zich comfortabel
genesteld in hun tuin, voorzien van ligstoelen, limonade en de obligate
stapel leesvoer. Mireille was een heerlijke maaltijd aan het bereiden in
de keuken, terwijl Guido weer eens werkloos in het café zijn tijd en het
huishoudgeld aan het vergooien was. De meiden begrepen het gedrag
van hun moeder niet, die er goed uitzag voor haar leeftijd, maar soms
haar leven vergooide in het gezelschap van leeglopers en luiaards,
waarvan Guido het prototype was.

Enkele jaren daarvoor was ze gescheiden van Richard, een brave man
die de noden van zijn vrouw niet zag en zich alleen maar bekommerde
om zijn werk. Die had altijd een goede band gehad met zijn schoonzus
Fanny en haar oudere man Jozef. Iedereen had hem graag en het was
duidelijk dat hij een goede vader en echtgenoot wilde zijn, maar even-
zeer bleek dat de vonken van de huwelijksnacht niet de voorbode waren
geweest van een brandend vuur vol liefde. Guido, een vriend aan huis,
had langzaam maar zeker Richard verdrongen en de passie had het bij
Mireille gewonnen van het gezonde verstand. Nog voor iemand er erg in
had, waren ze gescheiden en had Guido de plaats in het echtelijke bed
ingenomen.
Fanny, een blonde schoonheidskoningin, een fotomodel dat menig
cover had versierd, woonde met haar man in een mooie alleenstaande
en vooral kraaknette villa. Samantha en Shana waren er kinderen aan
huis en kregen daar ook de waarden van het leven mee. In tegenstelling
tot Guido die het opvoeden van jonge pubers alleen maar als een
onoverkomelijke last zag, zorgden Fanny en Jozef ervoor dat ze Mireille
konden aanvullen bij het grootbrengen van de twee, soms onstuimige
meiden. Hun stiefvader zag in hen alleen twee poppen die geknuffeld
moesten worden. Hij rekende ook op de goedheid van de familie, de
sociale zekerheden van onze maatschappij, maar vooral op de wils-
kracht van Mireille, om zelf zo weinig mogelijk te moeten doen om een

cent te verdienen. Hij was het prototype van de profiterende luiaard, alleen met zichzelf begaan, een opgeblazen kikker die in een dronken bui alleen nog zijn toehoorders vond tussen de marginalen en de asocialen in de maatschappij.

Guido kon het best omschreven worden als een kameleon. Voor zijn familie en zijn schoonouders, was hij de ideale hardwerkende echtgenoot, die alleen door afgunst, ziekte en tegenslag, af en toe zonder werk zat. Zijn enige vertier bestond erin soms een glas te gaan drinken, in het café het dichtst in de buurt, om toch maar zo vlug mogelijk thuis te zijn. Hij verkondigde luidop zijn liefde voor Mireille en haar twee dochters en beschouwde hen naar de buitenwereld toe als zijn eigen kinderen. Maar het uiten van zijn 'liefde' beperkte zich tot het aanhalen van de meisjes en het knuffelen. Het lichamelijke was voor hem belangrijk, maar zijn hart bleef een gesloten poort. Soms had Fanny moeite toen ze zag hoe hij zich met zijn stiefkinderen bezighield en meer dan eens merkte ze vluchtige aanrakingen op die minstens ongepast konden worden genoemd. Maar altijd had hij wel een uitleg klaar en steeds weer verkondigde hij zijn goede voornemens, zodat langzaam maar zeker iedereen gesust werd.

Aan niets van dat alles dachten de twee zussen die dag in mei, terwijl ze zich lieten verwennen door de eerste zonnestralen. Het gekwetter was niet van de lucht en het leek alsof zelfs de vogels zich het mooie gezelschap lieten welgevallen. Mireille kreeg bezoek van haar zus Fanny en al vlug ratelden de vier door elkaar en werd het ene verhaal na het andere opgedist. Dat het lente was had een duidelijke invloed op het gemoed en die namiddag werden grootse plannen gesmeed voor de komende zomervakantie. In gedachten reisden de vier door de bergen van de Andes, werden de tropische stranden van de Caraïben onveilig gemaakt en bleek een uitstap naar Madrid slechts een verpozing. Het dagdromen over de verschillende exotische bestemmingen, die er waarschijnlijk nooit zouden komen, maakte hen hongerig en als een roedel jonge wolven, die zijn prooi verrast, vielen ze aan op de lekkere Chinese maaltijd van keukenprinses Mireille.

Niemand miste Guido, die op dat ogenblik, tot groot jolijt van de andere aanwezigen in één van de dorpsherbergen, nog sterke toogverhalen te berde bracht. Iedereen wist immers hoe voor hem de avond zou eindigen: in de goot, zoals waarschijnlijk ooit zijn leven zou eindigen, op het ogenblik dat hij niet meer zou kunnen rekenen op de steun van Mireille en haar twee dochters. Zijn nimmer aflatende honger naar geld, zijn verlies van eigenwaarde zou hem vroeg of laat zuur opbreken. De dag dat de geldkraan werd dichtgedraaid, zag het er naar uit dat de stumperd zou moeten vechten om te overleven, in een maatschappij zonder medelijden.

Twee juni 1999

De hele wereld zal de nacht beminnen,
en zal de felle zon geen eer bewijzen.

Onrustig liep de Prins van de Duisternis rond in zijn eigen kleine kamer, zijn hok in feite, zijn paleis dat hij soms betrok op het einde van een tuin. De voormalige duiventil was zijn domein en niemand kwam er binnen zonder zijn toestemming. De Demon beval hem, dirigeerde zijn leven, nam bezit van zijn persoonlijkheid. Zijn grenzen werden verlegd en meer en meer maakte woede en geweld zich van hem meester. Een oude zwerver werd zijn zielsgenoot, zijn lotgenoot. Voor enkele centen kon hij hem gebruiken, misbruiken in feite, wanneer die drang weer opkwam. Nu had hij er al wekenlang weerstand aan kunnen bieden. Zijn perverse dromen kon hij botvieren op die haveloze man, die twee maal per week langskwam en zich niet interesseerde in het waarom van zijn daden. De demon was altijd biseksueel geweest en nu kwam die geaardheid hem van pas. Af en toe vond hij weer de bevrediging die hij zocht, maar meer en meer begreep hij dat dit alleen nog kwam door het geweld dat er aan te pas kwam en hij zag de vicieuze cirkel, de eindeloze spiraal.

Minutenlang had hij de beelden bekeken van de mooie Samantha, die in haar eigen leefwereld een hoogtepunt had bereikt, zonder te beseffen dat ze was gefilmd. Het was een machtig gevoel te weten dat hij die jonge maagden bezat, zonder dat ze het zelf wisten. Hij drong binnen in de kerkers van hun diepste geheimen en toch beseften ze niet dat ze een deelgenoot hadden. Haar hoogtepunt beroerde hem, maar meer en meer dienden die beelden nog alleen om zichzelf op te laden, steeds minder om zelf in uiterste vervoering te komen. Hij wachtte op de zwerver, vol ongeduld, wetende dat hij alleen zo nog aan zijn trekken kon komen. Hij wist dat ooit de dag zou komen dat hij nogmaals zijn grenzen zou verleggen en huiverde onbewust, wanneer hij dacht aan het beest in hem dat zou worden losgelaten.

De hellewachter besefte dat hij maar kortstondig plezier had gekregen aan het avontuur met de Aziatische prinses die per toeval zijn pad had gekruist. Ze was er op het juiste moment geweest en hij had toen bereikt wat hij wilde bereiken. Achteraf had hij gevloekt. Inwendig was een vulkaan losgebarsten, maar het risico was te groot geweest. Gelukkig kende zij hem niet en was het slachtoffer een toevallige passant geweest, maar hij wist dat hij de volgende keer beter moest oppletten.

Het was duidelijk dat hij soms zijn geest niet meer onder controle had, dat de gevoelens de bovenhand kregen op het gezonde verstand. Het werd een drang, de duivel kwam in hem los en op dat ogenblik werd hij willoos. Het ergste vond hij dat het frequenter voorkwam en dat hij na een dergelijke uitspatting in een zwart gat viel en zich niets meer van zijn daden herinnerde. Hij werd bang voor de toekomst, voor de gevolgen van zijn helletocht.

Het was exact tien voor drie toen de licht gebochelde figuur van de zwerver, zijn kleine paradijs, zoals hij het steevast noemde, betrad. Aan de bloeddoorlopen ogen was duidelijk te zien dat hij waarschijnlijk de vorige dag, goedkope of mogelijk zelf gestookte whisky had gedronken. In grote hoeveelheden wel te verstaan. Hij keek met een spottende lach naar de Wachter van de Hel, wetende dat hij in feite de overhand had door zijn diensten aan te bieden. Oraal of anaal, het kon hem niet schelen. Enkele minuten later zou hij toch weer de bezitter zijn van een briefje van vijftig euro, genoeg om weer enkele dagen te eten en te drinken. Slapen kon hij bij het Leger des Heils of als het warm was onder een brug, of desnoods in een verlaten metrostation.

De dienaar van Satan zag het monkelende lachje en werd kwaad. Inwendig kookte hij, waren zijn gevoelens als een vulkaan die op het punt stond uit te barsten. Uitwendig was hij een kalme, beleefde man, een schriel onooglijk ventje in feite, dat er te dom uitzag om een vlieg kwaad te doen. Hij voelde de Duivel in hem opkomen, de drang waaraan hij niet kon weerstaan. Hij had zich weer moed ingedronken, maar naarmate de flessen leger werden in afwachting van de komst van zijn speeltje, waren zijn gedachten demonischer geworden. Hij besefte dat hij vandaag alweer zijn grenzen zou verleggen. Hij voelde hoe de kruiperige zwerver in zijn nabijheid kwam en rook een mengeling van zweet, braaksel en alcohol. Hij werd misselijk en sloot even de ogen, maar liet hem naderen. Plots voelde hij hoe de hand van de zwerver de rits van zijn broek opendeed en zijn half opstaande lid vastnam.

Een orkaan, een wervelwind van gedachten en gevoelens overspoelde hem. Er ontstond een dijkbreuk van gewaarwordingen en hij werd meegesleurd in een spiraal van tegenstrijdigheden. Hij werd zich bewust dat zijn eigen ik uit zijn lichaam trad, dat hij de controle over het gebeuren aan het verliezen was. De hellewachter onderging verschillende gemoedsbewegingen, maar verloor elk besef van plaats en tijd. Hij onderging de storm van denkbeelden en herinneringen en liet zich meedrijven op de woeste golven van de bevelen van de schim, die hij meende te ontwaren. De Boze nam bezit van zijn lichaam en hij werd doof voor de geluiden rondom hem, immuun voor pijn en slagen. Hij voelde zijn krachten afnemen, net voor hij het hoogtepunt bereikte en met een schok in de harde realiteit belandde.

Hij huiverde bij het zien van het tafereel: zijn bedgenoot op wie hij af en toe zijn lusten kon botvieren, lag op de grond te huilen, te kronkelen van de pijn. Bloed sijpelde door zijn broek, ter hoogte van zijn rits. Tot zijn ontsteltenis zag de zwerver hoe zijn klant een mes vasthield, dat met bloed was doordrenkt. De waanzinnige blik was uit diens ogen verdwenen, het geweld was gestopt even vlug als het was opgekomen. Weer had de Hel even zijn poorten geopend en had de mensheid onbewust kunnen zien wat er gebeurde op de Plaats van de Eeuwige Straf. De gebochelde verliet bloedend, zo vlug hij kon, de duiventil, wetend dat hij was ontsnapt aan een wreed lot. Begeerte en passie hadden de afgelopen tien minuten plaats gemaakt voor waanzin en hysterie. De zwerver besloot zo vlug mogelijk de streek te verlaten. Hij had de Dood in de ogen gezien en wenste er nooit meer mee geconfronteerd te worden. Die avond ging hij niet naar de politie om aangifte te doen. Niemand zou hem toch geloven, niemand zou luisteren naar een haveloze figuur die Satan had ontmoet.

In de duiventil lag een man languit op de grond, het bebloede mes in de hand, peinzend over de gebeurtenissen die zich hadden afgespeeld. Hij had aan de afgrond gestaan van een plek waar alleen de verdoemden der aarde vertoefden. Hij wist dat het ook zijn lot was, maar wat hem vooral benauwde was het feit dat hij weer zijn grenzen had verlegd. Zijn hoogtepunt was er gekomen, maar hiervoor was bijna een hoge prijs betaald. Toen viel hij in een zwart gat. Vlak ervoor besefte hij dat hij zich de volgende dag niets van dit alles zou herinneren.

Vier juli 1999

Het was kwart voor elf in de avond en de familie had zonet een lekkere barbecue verorberd daar in de tuin van de lage bungalow, op een steenworp van de Schelde. Mireille was licht aangeschoten en Shana en Samantha moesten lachen om de grappen en grollen van hun stiefvader, die zich als een perfecte gastheer en disgenoot had gedragen. De avond was heel gezellig begonnen, met een aperitief op basis van tropische vruchten en rum. Guido had beloofd die avond te koken, zoals hij het noemde, en hij toverde zowaar een volledig braad – en grillfestijn tevoorschijn. Gegrilde zalm, kleine met honing overdekte kippenboutjes, een waaier van salades, dit alles overgoten met liters koele, verfrissende sangria, zorgden ervoor dat het een gezellige avond was. Hij liet zich die avond van zijn beste kant zien en hij werd weer even de man op wie Mireille verliefd was geworden, voor wie zij de vader van haar kinderen had verlaten. Eén voor één werden de dames ten dans gevraagd en op de tonen van één van de klassiekers van Shirley Bassey, toonde hij zich een volleerde dansmeester. Afwisselend Shana en Samantha werden op de geïmproviseerde dansvloer geleid en met een elegante buiging nam hij telkens weer afscheid van zijn zogenaamde partners, wanneer hij hen weer naar de tafel had begeleid.

De weinige passanten in de loop van de avond, die een blik over de kortgeschoren heg wierpen, zagen een volmaakt gelukkig gezinnetje, waarbij de vader en de moeder precies hun wittebroodsweken herbeleefden. Het was al na tweeën dat onder begeleiding van de manestralen, iedereen naar binnen ging. Samantha en Shana waren moe maar voldaan en spurtten naar boven voor een verkwikkende nachtrust. Ze konden weer uitslapen, want de zomervakantie was pas begonnen. Elk in haar eigen gedachten verzonken, gingen ze naar hun slaapkamer, hun eigen kleine warme nest.

De demon keek naar het raam boven, aan de voorzijde van de woning. Door het licht dat nog in de kamer scheen, zag hij, geprojecteerd op de gesloten gordijnen, de schaduw van de ranke figuur van Samantha.

Aan de bewegingen te zien, vermoedde hij dat ze bijna naakt was en hij kon volgen hoe ze langzaam haar kledij uittrok en die achteloos in de kamer wierp. Hij voelde de drang opkomen, maar kon zich niet bewegen. Hij keek weer omhoog, gefascineerd door het spel van licht en donker en wist dat hij haar kon bezitten. Het was echter nog te vroeg, te veel mensen waren in huis. Maar ooit zou zij het ultieme offer worden, de bruid van Satan. Hij moest gevoelens van wellust onderdrukken en slechts met moeite kon hij zich in bedwang houden. De Poorter van de Hel had tijd. Eens zou zij van hem zijn...

Zes juli 1999 – 18.40 uur

Als je van de Antwerpse haven naar Stabroek rijdt, dan zie je één lange dreef, vroeger gesierd door eeuwenoude populieren, nu ontsierd door het asfalt op de wegen, nodig voor Koning Auto. De bloembakken en verkeersdrempels worden er vervloekt en maken de verloedering van de oude heirbaan volledig. Van de honderden hectaren velden, waarop de ijverige boeren eeuwen geleden hun gewassen verbouwden, is niets meer te zien. De expansiedrift van de haven, volop gesteund door alle mogelijke politieke partijen, maakt vele slachtoffers, meer dan een massamoordenaar zich zou kunnen wensen. Onteigeningen zijn schering en inslag, de mooie natuur en de duizenden vogels moeten al jaren wijken voor de stalen monsters, de miljoenen containers, allemaal tekens van een westerse, ontheemde maatschappij. Kapelletjes gebouwd ter ere van de maagd Maria, hebben plaats gemaakt voor kademuren en rondrijdende ijzeren gevaartes. De kleine dorpscafé's langs de drukke weg maken overdag een desolate indruk, als wachten ze om zelf te worden opgeslokt door het meerkoppige monster dat welvaart heet.

Schuin tegenover het vroegere, barokke gemeentehuis, waar nu plaats gemaakt is voor een ultramodern politiegebouw, vind je nog altijd het plekje van Stan de Hollander, zoals hij steevast wordt genoemd. Wanneer hij hier belandde kan niemand meer zeggen, de herberg is er al eeuwenlang, net als zijn stamgasten en de uitbater. Overdag komen bij vlagen tientallen dokwerkers er tijdens hun schaft om in een recordtempo liters bier te zwelgen en vervolgens als waanzinnige racepiloten terug te keren naar de diverse naties in de buurt.

's Avonds en tijdens de eenzame weekends vind je er de zelfkant van de maatschappij, de achtergestelden, de kansarmen, elk met hun eigen verhaal, hun leven, hun tegenslagen en verhalen. Hier wordt het ontvangen geld van het OCMW verbrast in ruil voor een uurtje geluk en mensenliefde, voor een praatje en een beetje huiselijke warmte. Stan en

27

zijn veel oudere eega Luisa kennen hun pappenheimers en besturen het café als een klein koninkrijk. Hier komt geen politie aan te pas, hier is het woord van Stan de wet, de wil van Luisa een gebod. Hier ontstaan prille liefdes, one-night-stands, worden waarheden verkondigd en is elk in zijn eigen wereld gelukkig, in afwachting van de terugkeer naar de ellende, verborgen tussen vier muren verderop in de straat.

Het café van Stan was het echte thuis van Britt, een marginale achtergestelde vrouw, die drie kinderen had van drie verschillende vaders die ze niet kende. Voor vijftien euro hield ze je enkele uren gezelschap en het was wonderbaarlijk dat deze vijftigjarige loser, met haar marginale uiterlijk en vieze tanden, er elk weekend opnieuw in slaagde om enkele mannen aan de haak te slaan en zo haar bescheiden leefinkomen te vergroten. Ze was in feite de hoer van de herberg, maar wilde het zelf niet gezegd hebben. Ontelbaar waren de mannen die de nachtvlinder gezelschap hadden gehouden, in haar vuile woning, even verderop, waar de matras sporen vertoonde van braaksel en alles stonk naar de urine. Haar eigen optrekje beschouwde ze zelf als een paradijs, haar kleine paleisje waar ze een veilig onderkomen vond, ver weg van deurwaarders en flikken die het haar soms lastig maakten. Dat ze niet meer zwanger was geraakt, was op zich al een wonder. Hier was de Schepper niet blijven stilstaan en hadden woorden als naastenliefde en geloof een andere betekenis. In deze kleine hel was de voedingsbodem voor miserie en ongeluk te vinden. De rijke Antwerpenaren, de bourgeoisie werd niet graag herinnerd aan dit kleine oord, verzwolgen door de haven. Hier verdween de rijkdom, de glamour en glitter van de Metropool, in het bodemloze gat van zorgen en verdriet.

Satan voelde zich thuis in dit gehucht, de hellepoort als toegang tot zijn eigen wereld, zijn eigen dromen en paradijs. Hier vond hij zijn gehoor, werd hij heerser over deze armen van geest. Hier vond hij zijn gelijken, kwam zijn ware aard naar boven.

Britt was blij met haar nieuwe vriend, een zwerver zoals zij, die af en toe het café aandeed en in ruil voor een portie seks haar telkens goed beloonde. Ze schrok soms wel van de kracht in de armen van het schriele mannetje, het magere ventje met gevoelloze ogen. Een lief woord kreeg ze nooit van hem, maar hij betaalde goed voor haar diensten. Hij was een welkome afwisseling in haar eenzame bestaan, maar alleen de kilte in zijn ogen stoorde haar. Meermaals had ze zich

28

afgevraagd wie hij was en vlak na de daad in haar onzuivere, vieze bed, had ze al eens gewaagd om hem te vragen of hij getrouwd was, waar hij woonde. Maar alleen een barse snauw, een dodelijke blik waren zijn antwoord. Ze besefte dat hij waarschijnlijk een geheim in zijn hart droeg, dat hij met niemand wilde delen. Wat kon het haar schelen, hij betaalde goed.

Die avond was de schoonheidsprinses van één nacht vroeger dan anders bij Stan en Luisa. Ze had weer een telefoontje gekregen van één van haar minnaars en verheugde zich al op een gratis zuippartij en de enkele euro's gratis erbovenop. Ze besefte niet dat ze gewoon haar lichaam verkocht aan die marginalen, voor haar was het een zakelijke transactie.

De deur van het café ging open en in de haveloze gestalte van de zwerver, herkende ze tot haar verbazing haar weldoener zonder naam, de man zonder geschiedenis. Even raakte ze in paniek, want wat zou er gebeuren als haar minnaar voor één nacht er aan kwam. Maar toen lachte ze. Niemand zou haar bezitten en haar lichaam, haar tempel schonk ze aan wie ze zelf wilde. Misschien zou ze die nacht twee klanten hebben. Het geluk lachte haar toe. Vol moed en al een beetje licht beschonken ging ze naast de landloper zitten. Hij droeg zijn gewone plunje, een versleten jeansbroek, een hemd met een vetrand aan de kraag en witte sportsokken in zijn ouderwetse zwarte schoenen. Het was duidelijk dat hij zelf niet zo op hygiëne was gesteld, maar wat kon het haar schelen. Met een knik toonde hij op zijn manier dat hij haar had herkend, toen ze naast hem op de enige vrije kruk kwam zitten en al gauw dronken ze samen koffie en amaretto. Het werd twintig over negen in de avond en haar naamloze vriend was overgeschakeld op pils en trappist. "Ik moet nog rijden" was zijn uitleg geweest en opnieuw trakteerde hij haar op een glas.

Ergens hoopte ze nu wel dat haar afspraakje niet zou komen, want eigenlijk voelde ze meer voor de zwerver naast haar. Ze kende het ritueel. Hij zou haar vastbinden en vervolgens met geweld nemen. Na één minuut zou alles al voorbij zijn en haar minnaar zou haar dan bevrijden van de geïmproviseerde handboeien. Zonder haar nog een blik te gunnen, zou hij vertrekken, als een dief in de nacht, vijftig euro op het bed achterlatend. Eigenlijk was hij een goede klant, zonder dat ze in die termen over hem dacht. Voor Britt was hij meer een deelgenoot die haar telkens weer opnieuw hielp om rond te komen. Om negen minuten voor tien zwaaide de deur van het café open. Stan wreef in zijn handen, want het zag er naar uit dat het een goede avond zou worden. De man die binnenkwam kende hij van gezicht. Het was een van die dokwerkers die af en toe verpozing kwam zoeken in zijn café en soms al eens weg durfde te gaan met Britt of een andere nachtvlinder, om aan zijn trekken te komen. Zijn naam kende hij niet, maar voor de uitbater was hij 'Goliath', verwijzend naar zijn handen, groot als kolenschoppen en zijn onuitputtelijke kracht. De nieuwe gast monsterde de aanwezigen en zijn blik bleef rusten op Britt die net het zoveelste glas amaretto dronk.

De demon werd onrustig en voelde zich niet goed in zijn vel. Hij zag een gestalte naderen, een beer van een vent en instinctief wist hij zich bedreigd in zijn eigen territorium. Een rood waas verscheen voor zijn ogen en de stemmen rondom hem werden op de achtergrond gedrongen. Hij ademde diep in, wetend wat er komen zou en hoopte dat de extra zuurstof in zijn hersenen zou zorgen voor een rust. Het zweet druppelde in zijn nek, zijn handen waren klam. De reus kwam naast hem staan en nam bezit van de nimf die alleen van hem was. Hij zag hoe de handen haar rug streelden en hoe ze zich kromde van plezier als hij iets in haar oor fluisterde. Wat zich voor zijn ogen afspeelde, geloofde hij zelf niet. Zijn eigendom werd hem ontnomen in zijn aanwezigheid, zijn droom werd stukgeslagen in één enkel ogenblik. Als uit het niets kwam de Wraak aangereden, als een dolende ridder op een zwart paard. Hij voelde hoe de Kracht die hij bezat naar boven borrelde, hoe de Hel zijn poorten opende. Hij zag alles alleen nog in een rode gloed, waarbij het licht van de schaarse neonlampen als vlammen door het vertrek raasde en het geheel een weerzinwekkende indruk gaf.

De dokwerker fronste zijn wenkbrauwen toen hij de dierlijke schreeuw achter zijn rug hoorde. Hij draaide zich om en zag nog net uit een ooghoek, hoe de zwerver hem als een roofdier besprong, de meest waanzinnige kreten uitbrakend. Hij voelde hoe de scherpe kant van het kapotgeslagen glas zich langzaam maar zeker, dieper en dieper in zijn nek boorde. De helse pijnen schudden hem wakker en met een ijzeren greep rond diens pols, probeerde hij zijn aanvaller af te weren, maar het was verloren moeite. Langzaam maar zeker ging hij letterlijk te gronde en het magere lichaam van de Dienaar van het Kwade torende hoog boven hem uit. Met een allerlaatste kracht, kon hij de iele man weg-stampen. Door de onverwachte tegenstand, het lawaai van stoelen die werden omver gelopen, tierende mensen, kwam de Demon weer tot zichzelf. In een oogwenk, als een bliksemschicht, was hij verdwenen, een zwaargewonde Goliath achter zich latend, waarover een eenzame del stond gebogen, die in het Dier haar Geluksbrenger zonder Naam niet meer had herkend.

De Demon kende zijn weg en verliet de plaats zoals hij was gekomen, onzichtbaar, onopvallend voor de mensen rondom hem. Hij keek naar zijn linkerhand en zag dat hij bloed verloor, veroorzaakt door een snijwonde ter hoogte van zijn duim. De orkaan van gevoelens, de wervelwind van gedachten maakte weer plaats voor een eindeloze rust. Hij voelde zich wegzakken in een droom die hij al duizendmaal had gedroomd. Morgen zou anders zijn, beter. Hij besefte dat hij deze nimf voor eeuwig kwijt was en op zoek moest naar een andere gewilli-ge prooi. Het was aftellen naar de grote dag, de dag waarop hij zijn ultieme offer zou brengen. Tot dan moest hij proberen zich aan te passen aan een wereld die niet voor hem was geschapen.

Zes juli 1999 – 22.18 uur

De haastig opgeroepen dienaars van de wet kwamen nog voor de ambulance ter plaatse. Vol ontzetting zagen ze een reus van een vent in zijn oranje werkplunje van de Antwerpse haven over de vloer kronkelen, waar zich al een grote plas bloed had gevormd. Ze zagen hoe een stuk glas van vijf en een halve centimeter uit zijn nek stak en hoe naast hem een gezette, niet zo propere vrouw haar etterige handen op de wonde drukte, om toch maar het bloed zo veel mogelijk te stelpen. De ziekenbroeders namen haar taak even later over en brachten de onfortuinlijke arbeider vliegensvlug naar het dichtstbijzijnde ziekenhuis. Toen het slachtoffer was weggebracht, viel een beklemmende stilte over de groezelige herberg, enkele uren tevoren nog de ontmoetingsplaats voor een avond leut en plezier. Wat de getuigen hadden meegemaakt, zouden ze voor de rest van hun leven op het netvlies van hun herinneringen gegrift zien. Tientallen omstanders hadden de onaardse schreeuw gehoord en vol ontsteltenis hadden ze meegemaakt hoe het Beest zich als een duivel op Goliath had gestort. Uit de ogen van de onmens straalde alleen de kracht van de Antichrist en ontzet hadden de onverwachte getuigen zich klein gemaakt. De worm was een ratelslang geworden en met een dierlijke kracht had hij zijn slachtoffer weerloos gemaakt. Het was een wonder dat hier geen dode was gevallen.

Ondertussen maakten de speurders van de Federale Recherche hun opwachting, vergezeld van één van de Hoofdinspecteurs verbonden aan het Laboratorium van Wetenschappelijke Politie te Antwerpen. Een buurtonderzoek ging van start, waarbij kroongetuige Britt om wie alles was begonnen, ongewild de ster van de avond werd. Na enkele uren was het duidelijk voor de onderzoekers: de aanrander was door iedereen en niemand gekend. Zijn adres, zelfs zijn voornaam was een goedbewaard geheim gebleven. Britt had geen telefoonnummer van hem en zelfs zij kon geen details geven die konden leiden tot de arrestatie van de verdachte op korte termijn. Terwijl het labo de laatste vingersporen veilig stelde en DNA materiaal verzamelde, daalde de nacht over

Stabroek, het dorp in de omgeving van de Antwerpse haven. Weer had Satan toegeslagen, de dans van de Onderwereld was begonnen, er was nog een lange weg te gaan.

De uren werden dagen, de dagen werden weken. Onverdroten werkten de onderzoekers voort om deze lafhartige poging tot moord op een eenzame arbeider op te lossen, om gerechtigheid te doen geschieden. De aangetroffen vingerafdrukken op de glazen, hadden niets opgeleverd. De databanken in de buurlanden konden evenmin een naam uitspuwen. Het samenstellen van een robotfoto leverde geen resultaten op. Iedereen had de aanrander verschillende malen gezien, maar het enige dat men had onthouden van hem waren de vlammende ogen toen hij had toegeslagen. Hij was het voorbeeld van een persoon die er in slaagde onopgemerkt door het leven te gaan, vermoedelijk een eenzaat zonder vrienden, die leefde van dag tot dag. Duizenden foto's werden aan de getuigen getoond, een identificatie kwam er niet. Britt daarentegen vermaakte zich uitstekend op de achtste verdieping van het recherchegebouw aan de Noordersingel te Antwerpen. Ze genoot van de aandacht die ze kreeg en begreep niet dat ze de speurders tot wanhoop dreef. Haar verklaringen hadden weinig of niets opgeleverd. Van haar vriend wist ze niets, zelfs geen naam. Eenmaal had ze hem gezien met een auto, maar die hoop werd de bodem ingeslagen toen het bleek dat het om een taxi ging. Een telefoonnummer had hij nooit gegeven en onderzoek leerde dat hij alleen maar gebruik maakte van telefooncellen in de buurt van het Antwerpse Centraal Station. Het werd duidelijk dat Magere Hein zich zomaar niet zou laten oppakken.

Het onderzoeksteam werd teruggebracht tot Doc en Sloompie. De eerste was vooral gekend om zijn perverse grappen, zijn sarcastische grappen die in feite door niemand werden gewaardeerd. Hijzelf vond dat hij een superspeurder was en liet niet na dit meerdere malen te verkondigen, maar hij wist niet dat zijn vertrouwelingen tot op de dag van vandaag hem in feite achter zijn rug om uitlachten om zijn gedrag. De enige toehoorders die een vorm van respect aan de dag legden, waren net dat soort mensen dat klant was in etablissementen zoals dat van Stan de Hollander. Sloompie was een goede speurder, vol kwaliteiten, die graag een glaasje wijn dronk. Het was onbegrijpelijk dat hij zich liet meesleuren door de radde tong van Doc, maar de speurder met het gouden hart wist van zichzelf dat hij in een ander team, door zijn traagheid, geen kans zou hebben om ooit aan de bak te komen. Daarom bleek deze unieke combinatie van speurders, ondanks een gebrek aan resultaten, gedoemd om tot het einde bij elkaar te blijven.

Eind september sloeg de stemming om, van verslagenheid in verbazing. Het laboratorium had zopas de resultaten binnengekregen van het onderzoek naar het beschikbare DNA materiaal. Het gonsde van de geruchten, daar in het glazen gebouw aan de rand van Borgerhout, ook wel de Bronx genoemd. Uit het onderzoek en na vergelijking van andere resultaten in de DNA databank, kwam naar voren dat de zwerver al eerder in het jaar een slachtoffer had gemaakt. Het DNA materiaal, dat na de aanranding op Lynn was verzameld, bleek identiek te zijn aan dat van de aanrander van Goliath. Iedereen was met verstomming geslagen. Meer en meer elementen wezen in de richting van een gestoorde, perverse zwerver die op een gewelddadige manier te werk ging. Lynn werd weer verhoord. De bevestiging dat een totaal onbekende persoon blijkbaar zijn slachtoffers lukraak op een beestachtige manier overmeesterde, zorgde voor onrust bij de doorgaans doorwinterde speurders. Het meisje aanranden was zijn ene motief geweest, de reus doden het andere motief. De man kreeg geen naam, geen gezicht, want zelfs de Aziatische prinses kon hem niet beschrijven. Een nieuw buurtonderzoek leverde geen bijkomende elementen op. Het was duidelijk dat Satan zijn greep op het spel niet was verloren.

In oktober besliste het Parket van de Procureur des Konings te Antwerpen toestemming te geven om een oproep naar getuigen te doen via televisie. Honderdduizenden kijkers in Vlaanderen en Nederland zagen een reconstructie van de feiten en hoorden hoe afwisselend Doc en Sloompie het woord voerden en in goed gekozen bewoordingen de kijker probeerden te overtuigen alle informatie door te bellen naar een gratis nummer. Geheimhouding werd verzekerd, een team speurders bemande die nacht de telefooncentrale. Het resultaat was bedroevend: niemand meldde zich.

Die avond had de Demon zonder naam met argusogen het programma gevolgd. Naarmate het was gevorderd werd hij kalmer. Even had hij emotie gevoeld, toen hij een foto van Lynn had gezien. Hij had niet beseft dat ze zo mooi was en hij kreeg zowaar een steek in de onderbuik. Hij grijnsde toen hij het verhaal hoorde vertellen over de aanslag op de man die zijn nimf had willen afpakken. Maar het was vooral een gevoel van macht en triomf, dat zich van hem meester maakte, toen hij

Doc herkende als de leider van het onderzoek. Het was duidelijk dat hij gesteund werd door de Hel, want hij zag geen gevaar in de grootspra-kerige rechercheur die hij persoonlijk kende. Hij herinnerde zich diens seksuele, perverse moppen die hij regelmatig moest aanhoren in één van de vele café's waar hij kwam. Het geluk lachte hem toe. Misschien zou hij zelfs meer van het onderzoek te weten komen dan hij ooit had kunnen dromen.

31 december 1999

Iedereen ter wereld was in de ban van het nieuwe millennium. Grootse vuurwerken, wonderbaarlijke praalstoeten, juichende, bijna hysterische massa's bij de aftelling naar het nieuwe jaar, werden voorspeld. De handelaars wreven letterlijk in hun handen, wanneer ze berekenden wat hun omzet zou zijn die avond. Ook het gezinnetje van Mireille en Guido bereidde de overgang naar de eenentwintigste eeuw voor. Voor één keer zou het rustieke polderdorpje, waar de ganzenrijders nog heersten, worden omgetoverd in één groot feestpaleis. Het dorpsplein, in de vorm van een rechthoek, waar de twee belangrijkste wegen samenkwamen, was al sinds de middag afgezet voor alle verkeer. Enkele kermiskramen, waaronder een heuse ouderwetse paardenmolen zorgden al voor een uitgelaten sfeer bij de joelende kinderen. Een immense feesttent moest die avond vollopen en verwacht werd dat de bierkranen rijkelijk zouden vloeien. Op de houten dansvloer zou menig romance van start gaan. Het was duidelijk dat vele inwoners de volgende ochtend met een kater zouden opstaan. Niets was ongedaan gelaten om alles in goede banen te leiden en zelfs van naburige dorpen en uit Nederland werd veel volk verwacht. Voor één keer zouden er meer feestvierders dan inwoners zijn, daar in de buurt van de Schelde.

Het was drie uur in de namiddag en terwijl Shana en Samantha reeds de eerste voorbereidselen troffen voor de langste nacht, zat Guido in het duivenlokaal te genieten van zijn eerste pinten. Het kon hem eigenlijk allemaal niet veel schelen. Hij had andere zorgen dan het voorbereiden van een oudejaarsnacht, die toch alleen maar geld zou kosten. In gedachten overschouwde hij het voorbije jaar. Hij werkte nu als arbeider bij een grote autoconstructeur in de Antwerpse haven en omdat hij overwegend de nachtshift deed, had hij toch een tamelijk goed loon. De tweeduizend euro die hij verdiende waren echter amper voldoende om rond te komen en hij was op dat gebied blij te kunnen rekenen op Mireille. Zij werkte af en toe in Antwerpen, in één van de volkse kroegen in de Gemeentestraat. Wat hem niet zinde, was het feit dat zij in feite meer en meer onafhankelijk was geworden en hem niet meer nodig had zoals vroeger. In twee dagen tijd verdiende ze immers evenveel als wanneer hij een week de nachtshift had gewerkt. Hij zag ook wel de spot in de ogen van de buren, wanneer hij weer eens in zijn versleten tweedehandsauto de straat kwam ingereden en Mireille nog niet thuis was. Hij voelde de stekende blikken, die momenten dat hij werkloos was en net zoals duizenden anderen, zijn maandelijkse stempel moest halen in het oude gemeentehuis. Het doplokaal was gelegen niet ver van zijn stamcafé, waar de duivenmelkers drie tot vier dagen per week plachten te zitten en waardoor de anonimiteit van vlug aan de verplichtingen van het stempelen te voldoen verviel. Telkens weer werd hij geconfronteerd met de afkeuring van dorpsgenoten die niet begrepen waarom hij niet werkte.

Maar Guido had ook andere problemen, zorgen van financiële aard. Hij verborg al jaren voor zijn familie zijn goklust, zijn verslaving in feite, wanneer hij weer eens honderden euro's kwijt was gespeeld op de bingokasten. Telkens weer dacht hij zijn slag te kunnen slaan, maar de put werd dieper en dieper. Een bevriende bankdirecteur had er voor gezorgd dat hij bovenop de bestaande hypotheek nog een persoonlijke lening van tienduizend euro kreeg. Zijn leepheid zorgde er voor dat hij onder valse voorwendsels de originele papieren mee naar huis kreeg, waar hij vakkundig de handtekening van Mireille vervalste. Vier en een halve maand had hij zich een prins gevoeld, bulkend van het geld, een verborgen spaarpotje dat hem in staat stelde een status te bereiken. Hij zag niet dat hij in feite de ongekroonde koning der marginalen was geworden, daar in het dorp waar hij woonde. Guido was te zelfverwaand om in te zien dat hij geen vrienden had, maar alleen tijdelijke kennissen die door hun gevlei probeerden geld af te troggelen. De rijkaard van één dag was niet meer dan een armoedzaaier, een sociaal achtergestelde dronkaard die alleen zichzelf kon paaien met zijn dromen en steeds op niets uitdraaiende toekomstplannen.

Die ochtend, toen Mireille en de kinderen nog in bed lagen, was een zwarte Mercedes gestopt voor de deur. Een goedgeklede, iets oudere man, met grijze haren aan zijn slapen, was uitgestapt. Zijn vrees werd bewaarheid toen hij het deurwaardersexploot onder de neus gedrukt kreeg. Binnen de tien dagen moest een som van achtduizend vijfhonderd en twee euro worden betaald, zoniet zou beslag gelegd worden op de goederen van de familie. Guido kon een afbetalingsplan verkrijgen, maar hij wist dat het slechts uitstel van executie zou zijn. Toch maakten deze zijsprongen in zijn gedachtegang hem niet somber. Zijn simpele geest en beperkte bevattingsvermogen lieten niet toe de ernst van de situatie in te zien, integendeel. Weer stak de gokduivel de kop op en achtte de arbeider zichzelf in staat om, met de inzet van een kleine vijftig euro de volgende week, de nodige fondsen te verzamelen om aan zijn schulden te voldoen, overtuigd als hij was dat hij de grote lottopot zou binnenhalen. Hij grijnsde zowaar bij die laatste gedachte en om het te vieren bestelde hij bij de oude café-uitbater een koffie en een drie-sterrencognac. Zijn metgezellen aan de toog werden niet vergeten en al vlug was Guido weer omringd door een horde bloedhonden die gratis bier geroken hadden. Zijn hersenspinsels deelde hij met iedereen die het horen wilde en al vlug was hij alle kommer en kwel vergeten. Rond acht uur in de avond verliet hij aangeschoten het café, om naar zijn eigen huis te gaan waar iedereen zou zitten wachten met de fondue.

De Demon was onrustig bij het zien van al die mensen, die lichtjes en bij het horen van het veel te luide geschetter van de muziek. Hij snoof diep, als was het om zijn gedachten te ordenen, om alles onder controle te houden. Hij voelde weer de drang opkomen, bij het zien van die meisjes van dertien tot veertien jaar oud, die pronkten met hun laatste nieuwe trui, waaronder de rondingen van hun kleine borstjes te zien waren. Hij wist dat hij moest wachten en monsterde ondertussen de eenzame, dronken wandelaar die zich waarschijnlijk ook huiswaarts begaf, verlaten door iedereen, opgesloten in zijn eigen gedachten. De Demon besefte op dat moment dat hij ook een eenzaat was. Alleen de andere Wachters van de Hel waren nog zijn vrienden, zijn bondgenoten.

Mireille, Shana en Samantha hadden het huis mooi versierd en van de kleine woonkamer een waar paleisje gemaakt. Samantha zag er stralend uit. Haar natuurlijke schoonheid, geaccentueerd door de hagelwitte tanden wanneer ze lachte en een beeldschoon lichaam maakten van haar een echte prinses. Zij hoefde geen kroon te dragen, ze had die koninklijke uitstraling die alleen de allerhoogsten hebben. Ze droeg een lange zwarte broek, met daarboven een dito satijnen bloes, die de rondingen van haar borsten accentueerden. Daaronder had ze zilveren muiltjes, zoals Assepoester die droeg in het wereldberoemde sprookje. Ze was er zich van bewust dat weer menig mannenhart op hol zou slaan die avond, maar ergens hoopte ze onbewust om haar neef te zien en samen met hem een romantische wandeling te kunnen maken, kijkend over de Schelde naar de lichtjes van Doel. Shana had een donkere jeansbroek gekozen en een zwarte rolkraagtrui die haar lange blonde haren nog mooier zouden maken. Ze was de jongste van de twee, maar toch had ze ook al belangstelling voor jongens gekregen. Mireille was wel bezorgd wat de keuze van haar vriendjes betrof, maar ze waakte er over dat geen van haar dochters iets zou overkomen.

Mireille was een gescheiden vrouw, hertrouwd met een leegloper, maar ze was bovenal een goede, zorgzame moeder. Ze verafschuwde regelmatig die momenten dat ze weer naar Antwerpen trok, om als dienster te werken in één van de café's niet ver van het Centraal Station. De klanten waren hoofdzakelijk armoedzaaiers of kleine criminelen die van geen hout pijlen wisten te maken. Maar ze verdiende er goed en de fooien in de vroege ochtend, bewezen dat de rondborstige volwassen vrouw geliefd was bij jong en oud. Mireille had vaste klanten, die speciaal voor haar kwamen, omwille van haar goed humeur, haar luisterend oor, maar ook omwille van het feit dat elkeen bij haar de troost en vriendschap vond die hij zocht. Ondanks alle tegenslagen die ze in haar leven zelf had ondervonden, klaagde ze nooit. Ze leefde met één doel: haar oogappels te zien opgroeien als volwassen vrouwen, die het ver zouden schoppen in de maatschappij. Ze wilde niet dat haar dochters ooit in een café zouden moeten werken om aan de kost te komen. Mireille was een engel op aarde, door velen misbegrepen, vooral door diegenen die het gouden hart onder het harde uiterlijk niet zagen. Deze vrouw was getekend door het leven, maar was vooral een vechter.

Misprijzend keken de twee meiden hoe Guido waggelend, met een adem die stonk naar de alcohol de woning via de veranda betrad. Ze hoopten dat hij vlug in slaap zou vallen, zodat het gezellig bleef, want meer dan eens was door zijn dronkenschap alles verpest. Als hij teveel gedronken had, begon hij pietluttig te worden en door te drammen over zaken die niet van belang waren. Vooral Samantha begreep niet dat haar moeder ooit haar lichaam aan een dergelijke loser had kunnen schenken. Ze was blij dat ze niet de familienaam van haar stiefvader moest dragen en steevast weigerde ze tegenover haar vriendinnen hem te erkennen als de echtgenoot van haar moeder. Voor deze jonge vrouw was hij niet meer dan een achterbakse, schamele man die profiteerde van haar moeder. Het enige dat telde waren zijn wensen, die meestal ontsproten uit egoïstische overwegingen. Het geheel had iets onwezenlijks. Aan de ene kant van de woonkamer zaten drie vrouwen, elk met hun eigen gedachten, te wachten op iemand die ze in feite haatten, maar voor wie ze alles hadden gedaan om het gezellig te maken. Aan de andere kant stond Guido, die er in slaagde door zijn drankzucht in één klap de sfeer te verpesten, van wat een gezellige avond moest worden.

Het feestmaal verliep in mineur. Nauwelijks werden enkele woorden gewisseld. Zelfs de VJ's op de commerciëlere muziekzenders, konden er niet voor zorgen dat er van enige stemming sprake was in die lage bungalow niet ver van de Schelde. Terwijl Shana en Samantha zich te goed deden aan malse lamskoteletjes, kalfsoesters en lepels Provençaalse saus, was Guido vooral geïnteresseerd in de fles wijn die op tafel stond. Hij dronk de dure Bordeaux als was het kraantjeswater en het was duidelijk dat hij met moeite middernacht zou halen. Hij gedroeg zich als een puber, een zelfverwaand, verwend kind dat nooit moeilijkheden zag en altijd in het middelpunt van de belangstelling wilde staan. Mireille deed haar uiterste best die avond om er toch nog vaart in te brengen, maar ze wist dat de gezelligheid pas zou terugkeren als Guido in slaap viel.

Omstreeks kwart over elf had de drankduivel zijn werk gedaan. De koning der marginalen lag languit in de divan te snurken, de lege cognacfles naast hem op de grond en op zijn hemd nog enkele restanten saus die hij had gemorst tijdens het eten. Mireille, Shana en Samantha maakten zich op om naar het dorpsplein te gaan, om daar samen met de feestende massa te wachten op het grootse vuurwerk. Gearmd liepen ze gedrieën over de geplaveide voetpaden, recht naar de bron van licht en muziek. Honderden feestvierders waren al verbroederd en op de tonen van harde beatmuziek, slaagde de DJ erin om de stemming tot een hoogtepunt te krijgen. Iedereen danste uitgelaten en deed zich tegoed aan de warme glühwein of de jenever aan één van de ontelbare kraampjes. Langzaam maar zeker sloop de grote wijzer op de eeuwenoude kerktoren naar het cijfer twaalf, een symbolische beweging die een nieuwe eeuw zou inluiden.

Als uit één keel werd afgeteld naar de eenentwintigste eeuw en de eerste vuurpijl die in de lucht ging, zorgde ervoor dat de massa een oorverdovend lawaai produceerde, als hadden de Belgen zopas de wereldbeker voetbal gewonnen. Rode, groene en paarse lichtflitsen aan de hemel zorgden voor een kleurrijk evenement en het feestgedruis kwam nu pas goed op gang. De honderden vergaapten zich aan het klank– en lichtspel en de vele "ah's" en "oh's" waren voor de vuurwerkmeester het bewijs dat hij goed werk had geleverd.

Het uitspansel kleurde rood en groen en vanuit zijn denkbeeldige hol zag de Demon hoe de vuurpijlen als helse vlammen de lucht in werden geschoten. Het lawaai kwam hem voor als tromgeroffel, dat nieuw onheil aankondigde, de kleuren aan de hemel als de vlammen van het Koninkrijk van het Kwaad, die weer een ziel hadden ontvangen. Sluipend als een roofdier ging hij door het Binnenpad in de richting van de Schelde, weg van de mensenmassa waar hij toch niet thuishoorde. Hij was een Hellewachter en zijn lot was voorbestemd. Hij voelde de drang opkomen en wist dat hij het tij niet meer kon keren. Een waas trok voor zijn ogen en binnensmonds mompelde hij onverstaanbare taal. Vanuit de verte zag hij een tienermeisje alleen het duistere pad afwandelen, richting feesttent.

Lauren was blij. Ze was bijna zestien jaar en voor de eerste maal mocht ze na middernacht nog met haar vriendinnen op stap gaan. Ze had om half één afgesproken aan de ingang van de tent en ze wist dat papa haar om twee uur zou komen afhalen. In de verte zag ze een waggelende gestalte, maar de duisternis belette haar te zien wie het was. Ze zag hoe de man een goede honderd meter verder naar de deur van een woning wandelde en even later was hij opgeslorpt door de schaduw van de metershoge bomen. Blijgezind en in gedachten al dansend op de loeiharde muziek vervolgde ze haar weg. Eindelijk werd ze als een volwassen vrouw behandeld. De heldere maan die nog voor enig licht zorgde, verdween plotseling als op bevel van de Dienaren van het Kwaad achter een wolkentapijt dat vanuit het westen kwam opzetten. Het binnenpad werd onaards donker, de stilte was de voorbode van wat komen zou. Plots zag Lauren vanuit haar ooghoeken, een donkere schim opzetten vanuit de duisternis. Vooraleer ze kon bewegen werd ze van achteren beetgepakt en in de struiken getrokken. Een grote, behaarde, naar braaksel stinkende hand legde haar het zwijgen op en ze voelde zich bang. Haar wijdopengesperde ogen ontwaarden niets. Haar veel te sterke aanrander bleef achter haar staan en ze voelde tot haar ontzetting hoe zijn ene vrije hand, langzaam maar zeker, zijn weg zocht naar haar intiemste delen.

De demon grijnsde onmerkbaar toen hij het jonge lam naar de slacht-
bank voerde. Daar in de struiken voelde hij een ongekende wellust en
zijn spierkracht zorgde er voor dat het spartelende ding, zijn levende
pop, geen schijn van kans had. Op het ogenblik dat zijn vingers in het
lichaam drongen, voelde hij hoe hij de schoonheid van het maagdelijk
zijn kon waarderen. Het verstijven van zijn slachtoffer was voor hem
een beloning, een teken van Almachtigheid. Wat hem al maanden niet
meer was gelukt, gebeurde nu toch. Door de opwinding en de steken in
zijn onderbuik, slaagde hij er in zich weer eens man te voelen. Een
onschuldig leven van vijftien jaar en negen maanden werd zijn offer.
Dat het slachtoffer de rest van het leven getraumatiseerd zou zijn,
betekende niets voor hem. De Demon had zijn ware gelaat getoond.
Hij was een waardige Poorter van het Onderrijk.

Die nacht kwamen Shana, Mireille en Samantha omstreeks half vijf in
de ochtend thuis. In de verte hadden ze wel sirenes gehoord en de
blauwe lichten gezien van politiewagens die zich naar het Binnenpad
spoedden. Maar ze hadden er verder geen acht op geslagen. Het gebeurde wel meer dat iemand 's avonds ziek werd, of dat een burenruzie
was ontaard. Geen van de drie besefte welke vreselijke zaken zich
hadden afgespeeld op enkele honderden meter van hun woning. In de
bungalow brandden alle lichten. Guido vonden ze boven op het bed, zijn
kledij in een hoekje van de kamer gegooid, luid snurkend als een
houthakker die enkele bomen velde. Het was een wonder dat hij, in zijn
dronken toestand, niet op de divan was blijven slapen. Omstreeks kwart
over vijf gingen de laatste lichten uit en keerde de rust weer boven het
polderdorpje aan de Schelde.

De demon grijnsde toen hij nadacht over zijn laatste verovering.
Lauren was de perfecte bruid voor één nacht geweest. Hij trilde nog
van genot toen hij dacht aan de angst die ze had gevoeld. Het had hem
meer energie gegeven dan hij voor mogelijk had gehouden. Hij dacht
nu aan Samantha, de onbereikbare prinses die hem geen blik waardig
gunde. Ooit zou zij van hem zijn, ooit zou de dag komen dat hij zijn
levenswerk kon voltooien.

Nieuwjaarsdag 2000

Leden van de Federale Recherche bijgestaan door de lokale opsporings-dienst, reden op en aan in het kleine Polderdorpje, dat anders wel uitgestorven leek. Bij het ontbijt om elf uur werd door Mireille en Samantha druk gespeculeerd wat er nu juist gebeurd was, enkele honderden meters verder. Ze hadden wel al de geruchten opgevangen dat er weer een aanranding was geweest, maar behalve dit gegeven waren ze niet veel wijzer geworden. Guido zat eveneens aan tafel met bloeddoorlopen ogen als stille getuige van zijn zuippartij, de reden dat hij niet was meegegaan naar het feestgedruis. Stilzwijgend hoorde hij het gesprek en enigszins beschaamd moest hij toegeven dat hij niets had gehoord die nacht, waarschijnlijk te wijten aan het werk van de alcoholduivel. Zoals gewoonlijk had hij een black-out, want met moeite herinnerde hij zich dat hij thuis was gekomen van zijn herbergbezoek de vorige namiddag. Samantha wierp een blik vol verachting op het creatuur dat haar stiefvader was, een bombastisch figuur die door zijn egoïsme en drankzucht blijkbaar niet tot enig medeleven was bewogen bij wat gebeurd was met het jonge meisje. Waarschijnlijk was hij nu al zijn volgende uitstap aan het plannen. Guido zelf trok zich niets aan van die verwijtende blikken. Zijn grootste zorg was het deurwaardersex-ploot dat hij in één van de lades had verborgen en waarvoor hij de volgende dag een oplossing moest zoeken. Dat een jong meisje slachtof-fer werd van een verkrachting, was te wijten aan haar ouders die haar niet vergezeld hadden. Wie laat nu een kind alleen wandelen door verlaten buurten om middernacht?

De afdeling Agressie was, ondanks nieuwjaarsdag, op volle getalsterkte naar het dorp gekomen. Voor Doc en Sloompie was het van meet af aan duidelijk dat één van de feestvierders zich op beestachtige wijze aan het tienermeisje had vergrepen. Het slachtoffer kon zich nauwelijks iets herinneren van wat er was gebeurd, maar de sporen spraken boekdelen. De kleren waren van haar lijf gerukt, met een ongeziene kracht, waarna de dader zich met geweld van haar lichaam meester had gemaakt. Die

nacht had ze snikkend en bevend als een espenblad bij een kille lente-
wind, haar verhaal gedaan: *"ik wandelde naar de tent en werd van
achteren vastgegrepen. Een hand strekte zich bliksemsnel als een
klauw naar mijn mond. Het schaarse licht van de maan die af en toe
nog eens door de wolken piepte, toonde alleen de schaduw van een
kleine man, stinkend naar het zweet en de alcohol. Hij rukte de kleren
van het lijf en dan kwam de pijn. Geen woord werd gezegd. De
schreeuw werd gesmoord door de poten van de onmens tot de bodemloze put waar ik in viel"*.

De technische vaststellingen bevestigden de horror die het slachtoffer
had moeten doorstaan. De dader was als een wervelwind uit de bosjes
gedoken en had haar in een ommezien vastgepakt en meegesleurd naar
de bescherming van de heg, die in de schaduw van de hoge bomen lag.
Niemand had iets gehoord of gezien, want het pad was toen verlaten. De
feestvierders iets verderop in de tent hadden geen besef wat er zich
praktisch vlak onder hun neus afspeelde. In enkele minuten werd het
leven van een mooie bloem geknakt. De littekens op haar lichaam
zouden verdwijnen, die op haar ziel nooit meer. Het was duidelijk dat
hier bovenaardse krachten aan het werk waren geweest. De Hel had
inderdaad zijn poorten geopend en langzaam maar zeker werden de
inwoners opgeslokt door een deken van machteloosheid, woede, maar
vooral van angst.

Doc en Sloompie besloten dat het geen zin had om nog verdere opspo-
ringen te verrichten. Een buurtonderzoek zou toch niets uithalen.
Misschien zou een oproep in de kranten de mensen er toe kunnen
bewegen hun filmpjes en foto's van die avond vrijwillig af te staan aan
het gerecht, om dan zoveel mogelijk aanwezigen te identificeren. Doc
had er trouwens geen zin in. Hij had wel dienst gehad, maar dat had
hem er niet van weerhouden om nieuwjaarsnacht zelf duchtig te vieren,
in één van die marginale café's in het Antwerpse, waar de overjarige
dienster in feite zijn minnares was. Het was een vrouw zoals hij ze graag
had: dom, vulgair en onderdanig, opkijkend naar hem en vooral niet
jaloers als hij weer eens één van zijn uitspattingen had. Zijn ervaring
leerde hem die morgen wel dat het 'beest', de aanrander, vroeger al aan
het werk was geweest en hij dacht hierbij vooral aan de beeldschone
Lynn die nauwelijks één kilometer verder het slachtoffer werd. Maar die
feiten zou het labo wel bevestigen en de resultaten van het DNA onderzoek zouden hem op termijn gelijk geven. Wat hem betrof zat het werk

erop. Hij zou een week wachten om het meisje te verhoren in samenspraak met de dienst Slachtofferhulp. Zo kon het slachtoffer op verhaal komen, maar het belangrijkste was dat hij dan nog een week van zijn verlof kon opnemen. Sloompie begreep niet zo veel van de aanpak van zijn chef, maar hij maakte er zich geen zorgen over. Hij had niet de verantwoordelijkheid van het onderzoek en hij was ook niet van plan daar iets aan te veranderen.

Van een veilige afstand had de Demon grinnikend het terugtrekken van de politiediensten en het Parket aanschouwd en een gevoel van geruststelling kwam over hem heen, toen hij in de slobbertrui en vuile broek Doc had herkend. Hij kende hem lang genoeg om te weten dat er niet veel onderzocht zou worden.
Voor de speurder zonder ruggengraat zou alleen maar de extra premie van de weekenduren tellen en het vooruitzicht van enkele verse verhalen in het café dat hij zoveel bezocht. Het was alsof de Duivel persoonlijk zich bemoeide met het onderzoek en er zo voor zorgde dat zijn beschermeling geen gevaar liep.

Lente 2000

Het was enkele maanden rustig gebleven, daar in de polders aan de Schelde. Enkele weken na de wrede aanranding hadden krantenkoppen geschreeuwd wat iedereen al wist: DNA bevestigde het feit dat slechts één dader aan het werk was geweest bij de verschillende aanrandingen in de streek. Een onderzoeksteam, met Doc aan het hoofd, had verschillende oproepen via alle mogelijke perskanalen gelanceerd, zonder resultaat echter. Internationale rechtshulpverzoeken naar Nederland hadden geen resultaat, het leek alsof de zwerver, zoals hij steevast werd genoemd, was verzwolgen door moeder aarde.

Guido had een gelukje gehad bij het bingospel en had de kans gekregen de deurwaarder te sussen met een aanbetaling van tweeduizend euro. Doordat hij ondertussen weer tijdelijk werk had gevonden in één van de autofabrieken langs de Scheldelaan, zag hij kans zich zelfs aan het afbetalingsplan te houden. Mireille bleef de goede huismoeder die ze was, Shana en Samantha de ontluikende pubers, mijmerend over hun eerste liefjes, plagend over de eerste schoolresultaten in het nieuwe jaar. Alles leek pais en vree daar in de kleine plaats tussen de velden. Het leek alsof God zijn beschermende mantel der liefde weer over de woningen en boerderijen in de buurt van de Metropool had gespreid en de inwoners behoedde voor het Kwade.

Met het aanbreken van de lente leek de winterslaap van de Demon voorbij. Hij had zichzelf maanden onder controle kunnen houden, wetende dat de bloedhonden van het gerecht hem dicht op de hielen hadden gezeten, maar hun prooi nog niet hadden ontdekt. Niet Doc en Sloompie baarden hem zorgen, maar wel de doortastendheid en volharding van twee jongere rechercheurs die hun tanden in de zaak hadden gezet. Weken aan één stuk hadden ze alle deuren in het dorp platgelopen, om toch maar dat ene ontbrekende stukje van de puzzel te ontdekken, maar dat was hen tot nog toe niet gelukt. Hij was enkele malen bij Doc langs geweest, die in zijn gekende pocherige stijl, ongewild, hem kennis had gegeven van enkele elementen van het onderzoek. De dienst Agressie stond nergens, zoveel was duidelijk en het enige dat Doc irriteerde was het feit dat twee snotapen blijkbaar niet van plan leken zomaar op te geven. Hij zou ze onder het werk bedelven, want iets wat hij niet kon oplossen, was voor een ander ook niet weggelegd. De Dienaar van het Kwade was gerustgesteld, toen hij zoveel bewijzen van onkunde voorgeschoteld kreeg. Hij wist dat het een kwestie van tijd was voor hij weer op jacht zou gaan en het was belangrijk te weten dat men nu geen enkel spoor had. De Demon keek rond in zijn eigen kleine hol, zijn eigen koninkrijk waar hij alleen nog door de pijn van zelfkastijding het opperste genot kon bereiken. Pijn en geweld werden meer en meer de ingrediënten die hem tot een hoogtepunt konden voeren. De beelden van een zichzelf bevredigende, naakte Samantha zeiden hem al lang niets meer. Alleen de idee haar met geweld te kunnen bezitten, haar tot zijn persoonlijke slavin te maken, had nog enige uitwerking op zijn gemoed. Maar in gedachten passeerden dan ook Shana, hun vriendinnetjes, of gewoon een schoolmeisje dat hij per toeval ergens had gezien. Het was duidelijk dat De Duivel van hem meer en meer bezit had genomen, dat de grenzen voortdurend werden verlegd. Niemand zou hem nog kunnen tegenhouden bij het ten uitvoer brengen van zijn weerzinwekkende plannen. Geen moeder, vader, broer of zus, geen buur zou hem ooit kunnen stoppen het ultieme offer te brengen.

Ondertussen beleefde Guido de tijd van zijn leven. Zijn tijdelijk contract werd al vlug omgezet in een contract van onbepaalde duur en tijdens het eentonige werk aan de transportband was hij gevallen voor de charmes van de blonde Nathalie, drieëndertig jaar oud, één meter zeventig groot. Zij was een eenvoudige arbeidster, komende uit een socialistisch milieu die slechts de lagere school had voltooid en al jaren op de dool was. Ze was ontmaagd toen ze veertien jaar oud was, door een oom die regelmatig aan huis kwam. Ze behoorde tot een ontwricht gezin, waar alcohol een grote rol speelde. Haar eerste joint had ze gerookt toen ze vijftien jaar oud was en haar eerste inbraak dateerde van precies een jaar later. Na verschillende omzwervingen langs jeugdrechtbanken en instellingen was ze tenslotte op haar achttiende verjaardag gaan samenwonen met een zeeman van Filippijnse herkomst. Vele slagen en jaren later had ze in Stabroek dan een klein verkommerd huisje gevonden, dat ze huurde voor 350 euro per maand.

Een vaste vriend had ze niet meer, alleen losers als Guido deelden nog haar bed.

Guido versieren was niet moeilijk geweest. Hij dacht echt dat hij een bedkampioen was, een romanticus die elke vrouw om zijn vingers kon winden, maar hij zag niet in dat hij gewoon gebruikt werd. In het begin werden zijn vlugge, wellustige blikken niet beantwoord, maar lang bleef dat niet duren. Al gauw groeide er een romance, gesterkt door de alcohol die beiden in grote mate lusten. Doordat Mireille twee à drie dagen per week ging werken in één van die volkse café's aan de Gemeentestraat, was Guido de koning te rijk en meerdere malen had hij het excuus dat hij naar een vakbondsvergadering moest, om in feite het liefdesnest te Stabroek te bezoeken. Niemand die er trouwens een traan om liet, want Shana en Samantha waren hun stiefvader liever kwijt dan rijk.

Het deerde hem niet dat hij na elk bezoek aan Nathalie wel enkele tientallen euro's achter liet op de keukentafel. Voor hem was het haantjesgedrag veel belangrijker. Het achterlaten van geld was voor hem de gewoonste zaak van de wereld, een bijna niet herkenbaar teken dat hij met het geld macht over iemand kon hebben. De romance was echter een verheerlijking van de drankduivel die in beiden de kop opstak. Meerdere malen moest Nathalie merken hoe moeilijk het was voor haar minnaar om aan zijn trekken te komen. Haar soms niet zo subtiele terechtwijzing terzake werd echter niet altijd in dank afgenomen door de ram die in feite een stier wilde zijn. Alleen met hulpstukken of wanneer gore taal werd gebruikt, slaagde ze erin om enige beweging te ontlokken in het kleine instrument van Guido. Teleurgesteld zag ze hem dan telkens weer met de staart tussen de benen afdruipen, maar de halve fles sterke drank die hij dan achterliet maakte veel goed. Zo was er een vreemde relatie ontsproten in buurt van de Antwerpse haven, tussen twee zielsgenoten in feite, twee stumpers, aan alcohol verslaafde armoedzaaiers die elk op hun eigen manier hun problemen probeerden te vergeten.

De laatste zaterdagavond van mei kondigde zich groots aan voor Guido. Samantha en Shana waren gaan logeren bij vriendinnen in de buurt en Mireille moest werken in de Gemeentestraat te Antwerpen. Hij kende het café, 'Arizona' genaamd, heel goed. Drieëntwintig vierkante meter gelagzaal, plaats voor negen man aan de toog en bovenal hectoliters bier die elke week gedronken werden door de vele klanten die er kwamen. De meeste vaste bezoekers van de instelling waren achtergestelden, kansarmen en lokale drugsdealers, die de bewegingen van de politiediensten bespiedden vanaf het terras dat bestond uit twee tafels en vijf stoelen. Elke week was er in of vlak naast de instelling wel een zware vechtpartij of een steekpartij, maar er was de ongeschreven wet dat het personeel met rust werd gelaten. Hier was de kleine onderwereld van Antwerpen baas en hadden de flikken niets te zoeken. Nooit waren er getuigen, nog nimmer had iemand een verklaring afgelegd. Het was in dit café trouwens dat Guido 'zijn' Mireille tien jaar ervoor had leren kennen. Hij had zich, zoals altijd, voorgedaan als iemand die bulkte van het geld en rondom hem zat altijd een schare volgelingen die profiteerde van het eeuwige getrakteer. Zijn fooien waren goed en ondanks het feit dat niemand hem echt kon doorgronden, was duidelijk dat hij Mireille rond zijn vinger kon draaien. Zij was gevallen voor zijn fooien en het feit dat ze op dat ogenblik zorgen had en het liefdesleven met Richard op een laag pitje stond, hadden alles in een stroomversnelling gebracht. Zes maanden nadat zij en Guido voor het eerst de lakens hadden gedeeld in één van de gore hotelletjes in de Stationsbuurt te Antwerpen, had ze de scheiding aangevraagd. Twee jaar later was ze hertrouwd.

De eerste weken waren echte wittebroodsweken geweest. Guido, die toen een goedbetaalde betrekking had als arbeider in een petrochemisch bedrijf, had twee weken vakantie genomen en ze genoten er van. Het waren veertien dagen geweest van restaurant- en herbergbezoek, van knuffelen, vrijen en vooral van lang slapen. Ze was blij te zien hoe hij haar twee dochters koesterde, maar zag niet de blik van waanzin en ongewone liefde, als hij ze weer eens op schoot nam. Hij was een attente huisvader die zelfs bereid was mee te winkelen, maar Mireille was te verliefd om te zien dat hij alleen maar in de pashokjes van de meiden wilde helpen om kleren te passen. Langzaam maar zeker veranderde hij en de droomprins werd een bedelaar, een persoon van dertien in een dozijn, een niemendalletje in feite, zelfs te lui om te werken. Na enkele jaren huwelijk kwam er al sleet op de relatie en de brave huismoeder betrapte er zich meer en meer op dat ze de dagen begon af te tellen tot ze kon gaan werken. De plaats waar ze Guido had leren kennen, werd ook haar toevluchtsoord om een beetje begrip en vriendschap te krijgen. De laatste tijd waren ze uit elkaar gegroeid en het feit dat Guido nog slechts sporadisch zorgde voor inkomsten en regelmatig dronken thuis kwam, was daar niet vreemd aan.

Maar het kon hem die avond allemaal niet schelen. Nu hij alleen thuis was en wist dat Mireille toch pas de volgende dag heel laat zou terugkomen uit Antwerpen, gaf dit hem de gelegenheid om samen met zijn minnares eens goed op stap te gaan. Hij stapte in zijn tweedehandse wagen die niet geldig verzekerd was en vertrok naar Stabroek, enkele kilometers verderop. Omstreeks acht uur kwam hij aan in de nederige arbeiderswoning van Nathalie, een rommelige gesloten bebouwing met twee slaapkamers en een altijd smerige badkamer. De afwas van vier dagen oud, voornamelijk lege glazen, stond verspreid over het aanrecht en de salontafel en naast de overvolle vuilnisbak in de keuken lagen de bewijzen van het junkfood dat daar werd verorberd. Guido voelde zich daar echter thuis. Hij beschouwde deze marginale vrouw als zijn eigendom, haar huis als zijn veilige haven waar hij tot rust kon komen. Zoals altijd begon de avond met iets wat seks moest voorstellen en het lukte hem zowaar om klaar te komen. Dat Nathalie er niets aan had, kon hem niet schelen, daarvoor was hij te egoïstisch. Zij echter was het al lang gewoon dat ze niet echt aan haar trekken kwam bij hem. Maar haar speeltje was slaafs en volgzaam en ergens was ze blij niet altijd alleen te moeten zitten, tussen de vier muren waar de schimmel de stille getuigen waren van de vochtigheid en het gebrek aan verwarming.

Omstreeks half elf vertrokken ze naar Antwerpen voor een nachtje stappen. Guido zou er wel voor passen om in de gore stationsbuurt iets te drinken en het risico te lopen zijn Mireille tegen het lijf te lopen. Niet dat het hem iets kon schelen, want hij was toch de baas in huis, maar hij had vooral geen zin getuige te worden van een eventuele scène tussen zijn nieuwste verovering en de vrouw waar hij bij sliep. De kroegentocht begon in het Sint Jorishof te Antwerpen, een klein volks café gelegen in de schaduw van de Nationale Bank. De aangename temperatuur zorgde er voor dat het koppel zich op het terras kon vermaken, samen met enkele andere, wel jongere stellen, die hetzelfde idee hadden opgevat en daar kwamen genieten van bijna zuidelijke temperaturen.

Werner, de eeuwig goedgeluimde blonde vrijgezel, wreef in zijn handen, want dergelijke zachte lenteavonden compenseerden de kalme nachten als het vroor of regende. Hij werd geassisteerd door Alex, een ondoorgrondelijke jonge man, beste vriend van Werner, maar vooral een computerbolleboos, die af en toe een centje kwam bijverdienen om zijn studie te betalen. Verder op het terras zaten enkele vijftigers te genieten van een trappistje, een schoonheid Isabelle genaamd, de eeuwig verliefde tiener Tasch en Annie, een dronken secretaresse van een gerenommeerd advocatenkantoor uit de buurt. Dirk en Steven, beide werkzaam voor het federale voedselagentschap en bovenal boezemvrienden, voltooiden het gezelschap. Zij verdiepten zich in de problemen van de maatschappij en al gauw waren ze in een luchtige, maar soms ook pittige discussie gewikkeld.

Nathalie en haar Guido namen het er van en tegen middernacht hadden ze al de zesde Westmalle van het vat soldaat gemaakt. Werner, de blonde God, zag alles goedgemutst aan en de muziek op het terras zorgde op het verkeersvrije pleintje, bij een aangename temperatuur van nog altijd zestien graden, voor een zelfs bij wijlen exotische sfeer. De jongeren keken geamuseerd toe, hoe het koppel dat zich tegoed had gedaan aan zware bieren, nu enkele schuchtere danspasjes zette op de tonen van 'Nights in white Satin' van de Moody Blues. Het waren precies twee waggelende eenden die zich voortbewogen en Guido zong zelfs luidop mee, zij het met een schorre, valse stem. Zijn gezang was in feite zoals zijn karakter: vals en niet te genieten, maar in de ogen van Nathalie was hij op dat moment een droomprins die er alles aan deed om haar te behagen. Na een tiental minuten rondzwalpen op de geïmproviseerde dansvloer vertrok het vreemde koppel richting Mechelse Steenweg, waar een honderd meter verder het befaamde Bluescafé Road Inn gelegen was. Guido had weer dorst gekregen, maar na een half uurtje schakelde hij over op sterke koffie en een cognac. Volgens hem het beste middel om weer wakker te worden en te genieten van een zalige nacht. Ongegeneerd liet hij zijn handen onder de bloes van Nathalie zoeken naar haar al afhangende borsten, terwijl de blonde del wansmakelijk lachte. Het publiek in de instelling keek niet op van de vreemde vogels, die duidelijk niet waren gekomen om te genieten van een avondje muziek, maar het duistere lokaal gebruikten om elkaar te betasten. Iedereen zag dat het hier waarschijnlijk een koppel was dat vreemdging, maar niemand die er zich aan stoorde. Zolang ze maar verteerden en de andere klanten met rust lieten, zou de baas een oogje dichtknijpen.

Het was precies kwart voor vier in de morgen toen Wim, een boomlange ober van de instelling Karbonkel op de Groenplaats, op de zijberm van de Frankrijklei naar huis denderde richting Wilrijk, waar hij bij zijn vriendin zou genieten van een welverdiende rust. Hij had niet gedronken en voelde zich rustig. Hij reed een zestig kilometer per uur met zijn Landrover, wetende dat dit wel boven het toegestane maximum was, maar er zich toch van bewust dat dit geen kwaad kon op een dergelijk onzalig uur. De feestvierders waren al naar huis, of zaten nog in overvolle megadiscotheken in de kleine gemeentes rond Antwerpen en de politie had het te druk met het opsporen van kleine criminelen om zich bezig te houden met een snelheidscontrole. Het wegdek was droog en Wim genoot van de temperaturen die voor de tijd van het jaar heel zacht te noemen waren. Ontspannen luisterde hij naar de muziek van Metallica, zijn lievelingsgroep. Plotseling gebeurde het onverwachte, de vrees van elke bestuurder. Vanuit het niets dook op de hoek van de Mechelse Steenweg en de Britse Lei een wezen op, dat vanachter een langs de kant geparkeerde witte bestelwagen sprong. Het wezen schreeuwde met een schorre stem en liep voor de wagen, breed gesticulerend alsof de duivel ermee gemoeid was. Het onvermijdelijke gebeurde. Wim kon niet op tijd remmen en in het licht van de koplampen zag hij nog net het gezicht van een lijkbleke, blonde, onverzorgde vrouw. Er klonk een harde klap en hij voelde hoe hij over iets reed, voor hij met knarsende remmen tot stilstand kwam. Het werd onwezenlijk stil en slechts één verdwaalde mus meldde zich door het getjilp als een stille getuige van wat zich had afgespeeld.

De hulpdiensten en de politie kwamen onmiddellijk massaal ter plaatse. Wim werd meegenomen naar het kantoor voor een ademtest en om er een verklaring af te leggen. De jonge man was diep onder de indruk en probeerde zo goed mogelijk de waanzinnige seconden vlak voor het ongeluk te reconstrueren en uit te leggen. Niemand anders was in de buurt geweest, er waren geen getuigen, het was duidelijk een geval van een dronken vrouw die zelfmoord had gepleegd. Deze vermoedens werden versterkt, toen de politie enkele minuten later een man aantroffen, dicht bij de plaats van het gebeuren, met zijn hoofd op het stuur van een versleten voertuig dat niet verzekerd was. Guido vertelde dat hij samen met Nathalie het cafébezoek had beëindigd en dat ze samen terug naar de wagen waren gewandeld. Om een onverklaarbare reden was ze depressief geworden en Guido wist alleen nog dat ze uit de wagen was gestapt en was weggerend richting van de Britse Lei. De alcohol had de rest van zijn geheugen vervaagd. Het was duidelijk dat het koppel te veel had gedronken, met alle fatale gevolgen vandien.

Alcohol had hen in het verleden samengebracht, alcohol was nu hun ergste vijand geworden en had hen alle geluk ontnomen. Die morgen omstreeks zeven uur bracht een politiepatrouille een geslagen man, van wie de dromen waren ontnomen, terug naar zijn huisje in de Polder. De agenten zeiden niets, beseffend dat het hier een delicate situatie was. Guido werd achtergelaten, alleen met zijn verdriet om het heengaan van iemand vanwie hij hield. Toen Mireille enkele uren later thuiskwam zag ze haar echtgenoot zoals ze hem al veel had gezien, stinkend naar de drank, languit liggend op de stoel. Dat zijn wagen niet op de oprit stond, verbaasde haar niet. Het gebeurde wel meer dat hij die onderweg kwijt raakte of uitleende aan één van zijn marginale vrienden. Geen woord repte hij over hetgeen was gebeurd die nacht en in de vooravond haalde hij samen met een vriend zijn wagen op waar hij hem had achtergelaten. De remsporen aan het kruispunt waren de enige overblijfselen van de fatale klap.

Het parket gelastte de afdeling Agressie naar het waarom van de zelfdoding van de jonge blonde vrouw, een eenvoudige arbeidster uit Stabroek. De technische vaststellingen lieten er geen twijfel over bestaan, dat het slachtoffer zelf verantwoordelijk was voor haar dood. De jonge ober kon alleen maar verklaren wat hij had gezien. Doc en Sloompie gebruikten het dossier om enkele namiddagen de verschillende kroegen in de buurt te bezoeken en dit niet altijd om professionele redenen. Wat het parket vermoedde, werd door hun rapport bevestigd. Het slachtoffer was een marginale, jonge arbeidersvrouw die vooral bekend stond als een alcoholist die met iedereen het bed deelde. Ze liet geen familie of vrienden na en de summiere, oppervlakkige huiszoeking leverde alleen maar enkele seksblaadjes op, die door Doc gretig werden verslonden. Ze kreeg een begrafenis die werd betaald door de Sociale Dienst, waarbij niemand anders aanwezig was dan de begrafenisondernemer, de pastoor en een mus op de takken van de bomen, als een stille getuige van wat was gebeurd.

Guido bleef enkele weken thuis, ziekteverlof wel te verstaan, volgens Mireille de zoveelste uitvlucht om niet te hoeven werken. Door zijn stille, introverte karakter viel het niet op hoe zwijgzaam hij was. Niemand zou het ooit weten, behalve hijzelf of hij nu treurde of niet om het verlies van 'zijn' Nathalie. Het was een geheim dat hij met niemand kon delen, want het was een verboden relatie geweest. Het werd een opdoffer voor de arbeider, het zoveelste bewijs van het marginale leven dat hij leidde, zelfs niet in staat om de enige vrouw die in hem nog iets zag te houden. Het feit dat de dronkenschap volgens de onderzoekers had geleid tot de depressie en aansluitende zelfmoord, telde voor hem niet. Een echt schuldgevoel had hij niet, eerder een gevoel van spijt zijn speelgoed kwijt te zijn. De liefde die Nathalie soms voor hem had gevoeld, was anders dan de gevoelens die hij voor haar koesterde. Zij was voor hem een gebruiksvoorwerp geweest, een mogelijkheid om af en toe te ontsnappen aan de harde realiteit van deze wereld. Het feit dat ze teveel had gedronken was haar fout, een gegeven waarvoor hij zich niet verantwoordelijk achtte. Op dat ogenblik kwam de ware natuur van Guido weer naar boven: een egocentrische egotripper die alleen bezorgd was om zijn eigen welzijn en niet om dat van de mensen rondom hem.

Augustus 2000

"Het leven is een droom op weg naar de dood"

De duivel staat voor onze donkere kant en alles wat we niet willen toegeven; verder duidt het portret van de duivel op het toegeven aan de verleiding om tegen onze overtuiging te zondigen en ons aan onmatigheid over te geven. Het goed en het kwaad zijn met elkaar verbonden; duisternis en licht zijn twee kanten van hetzelfde; duisternis is de afwezigheid van licht. Traditioneel gezien betekent 'de duivel' de dominantie van het materiële, van instincten, van lager bewustzijn, lust en mateloosheid. In archetypische zin duidt 'de duivel' op de schaduw (Jung), het onbewuste gebied waarin allerlei ongecensureerde impulsen en ideeën leven.

De Demon voelde de drang weer komen, het bloed van de Meester had zijn aderen gevonden en bedwelmde zijn hersenen. Hij wist dat hij fout was, maar hij kon er niet aan weerstaan. Hij was een Uitverkorene, een Volgeling, een dienaar van het Kwade. De Meester van de Hel zorgde voor zijn volgelingen. De Demon wist dat hij ooit een strijd zou moeten leveren, maar dat de beloning des te groter zou zijn. Het gif van het Kwade nam langzaam aan weer bezit van hem. De dag zou nacht worden, het onheil was nabij.

Groot alarm op die vierde van de oogstmaand in het jaar 2000. De Computer Crime Unit van de Federale Politie had zopas een website ontdekt met daarop pornografische afbeeldingen van kinderen. Volwassenen misbruikten de onschuld van tieners en stuurden de beelden de wereld rond. Tegen betaling uiteraard. Weerzinwekkend fotomateriaal werd afgewisseld met beestachtige videofilms. De speurders die nochtans van geen kleintje vervaard waren, huiverden bij het zien van een meisje, nauwelijks dertien jaar oud, dat zich bevredigde met allerhande attributen, hierbij aangemoedigd door een naakte jongen van misschien negen jaar oud. Wat de rechercheurs zagen grensde aan het ongelooflijke. Bestialiteiten die het hoofd van meerdere pedofielen op hol zouden doen slaan, werden afgewisseld met beelden van een zowat veertigjarige dame, die blijkbaar in de natuur met geweld werd genomen door meerdere struisgebouwde mannen. Zweepslagen en handboeien volgden elkaar in een razendsnel tempo op. Voor de speurders was het duidelijk dat de maniak gestopt moest worden. Het was een kwestie van tijd of er zouden nog meer slachtoffers vallen. Wie kon zich lenen aan dergelijke onaardse praktijken, wie had in hemelsnaam zo weinig respect voor het leven van een kind? Het gerucht van mogelijk een tweede 'Dutroux' bereikte al vlug de andere verdiepingen in het glazen gebouw aan de Noorderlaan te Antwerpen en het was duidelijk dat een speciale taskforce diende te worden opgericht. Computerspecialisten uit de privé-sector werden er bij gehaald, een vertrouwensmagistraat werd aangesteld. Het was zonneklaar: hier dienden levens te worden gered.

Op vijf augustus 2000 te 14.29 uur klonk een triomfkreet uit het bureel van Ruud, een informaticus die er was in geslaagd de bron van het Kwaad te lokaliseren. Vanaf een adres in een polderdorpje in de omgeving van Zandvliet en Stabroek werden de pornografische beelden verstuurd. Peilingen leerden de speurders dat het adres nog altijd actief was: het monster kon op heterdaad worden betrapt. Die avond omstreeks twintig uur was er een spoedvergadering belegd. Twee vertrouwensmagistraten, een bezorgd kijkende onderzoeksrechter en leden van de afdelingen Zeden, Agressie en C.C.U. van de Federale Politie kwamen overeen: de volgende dag zouden ze toeslaan.

Langzaam maar zeker kwamen de eerste rechercheurs het glazen gebouw, gelegen aan de Noordersingel te Antwerpen, binnengesijpeld. Het was onmenselijk vroeg, kwart voor vier, wanneer de eerste wagen de ondergrondse parkeergarage binnendenderde. De weg naar Borgerhout, ook wel de *Bronx* genoemd, was eenzaam en verlaten geweest. De donkere nacht was alleen af en toe gespleten door enorme lichtflitsen aan de hemel, als waren ze een voorteken van wat gebeuren zou. De negende verdieping lichtte op als een vuurbaken aan de kust. Buren van de belendende appartementen wisten dat op dergelijke ogenblikken iets te gebeuren stond. Straks zouden zwaarbewapende mannen en vrouwen uit het gebouw gespuwd worden, op weg naar onheil, naar misschien wel het voorgeborchte van de hel. De vergaderzaal in het gebouw van de Federale Politie raakte stilaan vol. Er werd op gedempte toon gesproken. De geur van versgezette koffie was alomtegenwoordig. Drieëntwintig koppen telde de sectieleider. Het was alleen nog wachten op de leden van het Speciaal Interventie Eskadron die de actie in aanvang zouden leiden. Na een vijftal minuten gewacht te hebben, om vier uur precies, kwamen twee man de zaal binnen, de twee leiders van het eskadron. Dat waren nu eenmaal hun gewoonten. De manschappen die straks gemaskerd de arrestaties zouden doen, waren al gebriefd en lagen in stelling sinds drie uur 's morgens, wachtend als een havik die zou toeslaan. Hun chefs kwamen alleen nog luisteren naar de laatste ontwikkelingen, die ze, indien nodig wel radiofonisch zouden meegeven aan hun manschappen. De briefing zelf was kort, iedereen kende zijn taak, het redden van levens was aan de orde van de dag.

Om half vijf ging de poort van de garage open. Twintig voertuigen zetten zich in beweging, alle anoniem, twee tot drie bewapende hoofd-inspecteurs aan boord, elk met een paar reserve handboeien. Zevenen-twintig minuten later bereikten ze de Dorpsstraat in het polderdorpje, die in een ijzingwekkende stilte werd betreden. De laatste sigaretten werden gerookt, de laatste woorden werden gedempt uitgesproken. De spanning steeg bij de speurders die een laatste maal hun vuurwapens aan een controle onderwierpen. Om vijf voor vijf werd de straat herme-tisch afgesloten. Eén enkele nieuwsgierige, vroege wandelaar werd verwijderd van de plaats des onheils. Langzaam kwamen drie pikzwarte voertuigen met geblindeerde ramen de straat ingereden. Voor het nummer 54 stopten ze, in het midden van de straat, wachtend op het bevel. Nergens in het oude gebouw was er licht te bespeuren. Om klokslag vijf uur zwaaiden de deuren van de voertuigen open. Veertien man in totaal spoedden zich als een levende stormram, naar de deur die leidde naar vrijheid of gevangenschap. Een oorverdovende knal, gevolgd door het geluid van brekend glas en versplinterd hout, luidde de start van de operatie in. Gemaskerd, beschermd door kogelwerende vesten en helmen en tot de tanden bewapend, drongen de speciale eenheden, als hongerige tijgers die vallen op hun weerloze prooi, het gebouw binnen. De rechercheurs naderden behoedzaam het pand, om mogelijke vluchtwegen af te sluiten. Ze hoorden geschreeuw en getier, ergens het geluid van vermoedelijk een omvervallende kast. Toen kwam het verlossende signaal: *"strike is over. Come in. No problems."*

De rechercheurs spurtten naar de woning alsof hun leven er van afhing. Het oorverdovende lawaai van brekend glas en het werk van de storm-ram, maakte de buurt wakker. Ontzet zagen slaperige mensen vanach-ter hun ramen, half verscholen achter de gordijnen, hoe een indrukwekkende politiemacht de straat had afgezet en hoe uit de woning van de brave Hendrik gemaskerde, tot de tanden gewapende mannen kwamen. Ze leken als duivels, recht uit de Hel, en onbewust ging er een rilling door de vele toeschouwers. Mannen en vrouwen in burgerkledij, allen voorzien van een rode fluorescerende armband, overspoelden het keurig kortgeknipte gazon, op weg naar de voordeur. Lichtbundels voltooiden in de tuin het griezelige schimmenspel, dat de voorbode leek van de horror op aarde. Het was duidelijk dat hier zaken gebeurden die het daglicht niet mochten zien. Een man, gekleed in zijn nachtkledij, geblinddoekt en geboeid, werd naar buiten geleid, onder schot gehouden door de leden van het arrestatieteam die geen enkel risico namen. Pas nu hoorden velen het lawaai van de wieken van een helikopter van de Federale Politie die boven de hoofden vloog, met infrarode camera's de omgeving aftastend naar mogelijk onraad. Zwarte, geblindeerde wagens kwamen aangereden en stopten vlak voor de man die net naar buiten was geleid. Exact zeven seconden later scheurden ze met hun kwetsbare lading weg door de nacht, op weg naar rechtvaardigheid.

De rechercheurs van de Federale Politie, onder leiding van de Onderzoeksrechter, startten de huiszoeking in de anders kraaknette woning. In een hoekje van de slaapkamer aan de achterkant troffen ze, bevend als een riet, twee hoopjes ellende aan, naakt, getekend door het leven. Negen en elf jaar oud, niemand die kon begrijpen dat zoveel onheil en ellende al over hun hoofdjes kon zijn gestort. De grijze lakens op hun bed toonden sporen die wezen op onmenselijke handelingen, duivelse daden die waren gesteld. Op een statief in de hoek van de kamer, bijna onzichtbaar voor het oog, stond een camera, gebruiksklaar als een geweer dat net was geladen. De lens was gericht op de slaapplaats van de twee kinderen, als stille getuige van de verschrikkelijke taferelen die zich waarschijnlijk hadden afgespeeld. Gezeten op een stoel in de eetkamer, zat een eenzame vrouw, niets begrijpend van dit alles, angstig en toch gevoelloos rond te kijken. Schuiven werden geopend, kasten gedemonteerd en een gedeelte van het valse plafond werd losgewrikt door twee speurders die er uitzagen als kleerkasten. Handen als kolenschoppen graaiden in het rond. Het was duidelijk dat men hier in het Mekka van de kinderpornografie terecht was gekomen.

Steve en Nadia, twee gedreven speurders van de afdeling agressie, keken zwijgend in het rond, niet begrijpend hoe één man in een korte tijd een dergelijke verzameling kinderleed kon opbouwen. Het was onbegrijpelijk dat zoveel ellende en miserie als een waterval over de hoofden van een negenjarige en elfjarige kon zijn gegoten. De perversie en het sadisme waren hier de koning en de koningin. Het nummer vierenvijftig was de toegangspoort tot het voorgeborchte van de Hel. De angstige kinderen kropen nog dichter bij elkaar, als werden ze één lichaam, verscholen tegen het behangpapier met bloemetjes. Meegekomen sociale assistentes ontfermden zich nu over de twee slachtoffers van het zinloze geweld. De slachtoffers waren de handelsproducten van een illegale, maar lucratieve handel in foto's en video's geweest. Het was duidelijk dat hier duizenden en duizenden minuten misbruik en horror waren terug te vinden. Heel voorzichtig reikten de redders de kinderen kleren aan. De stumpers reageerden als robots, nog niet beseffend dat de moeilijkheden eindelijk voorbij waren. Ze begonnen een lange wandeling naar de klaarstaande wagen, voor een rit naar een nieuw leven. Hand in hand, het hoofd gebogen, de hele wereld op hun frêle schouders torsend, onder een loodzware stilte, werden ze naar buiten geleid. Het beeld van twee bevrijde slachtoffertjes brandde bij de meest geharde politiemannen op hun netvlies. De moeder deed wat ze altijd had gedaan. Ze keek zwijgend toe, emotieloos, alsof alles in een andere wereld gebeurde.

Ondertussen kwamen Sloompie en Doc naderbij. Trots grijnzend, zich niet bekommerend over de jarenlange kommer en kwel die zich had afgespeeld tussen de vier muren, keken ze rond. Ze zagen een op het eerste gezicht kraaknette lage eengezinswoning, die was volgestouwd met boeken, films en prenten. Rechercheurs zeulden met overvolle dozen, die het bewijs waren van de beproeving en de slapeloze nachten van de vele slachtoffertjes zonder naam die nu op Internet ronddoolden. Het was duidelijk dat hier misselijkmakende geesten aan het werk waren geweest. In zijn eigen onbehouwen stijl, zonder enig oog voor gevoel, startte Doc met een vlugge ondervraging van Mirza, de vrouw van Hendrik. Het bleek al vlug dat zij en haar man behoorden tot een lagere klasse, het IQ van een erwt bezaten en zich totaal niet bewust waren van het leed dat zij velen hadden aangedaan. Rond tien uur vertrok een lange stoet wagens, allen volgepropt met zakken en dozen vol bewijsmateriaal, naar de glazen kerker aan de Noorderlaan te Borgerhout, waar op de achtste verdieping de ellenlange verhoren van de verdachte en zijn vrouw zouden starten. Het was hard voor de speurders om door te dringen tot de perverse geesten van de twee verdachten. Bijzondere verhoortechnieken werden toegepast om door te dringen tot de meest verborgen hoekjes van het menselijke brein. Daar keken de leden van de Federale Politie mee naar de gebeurtenissen van de laatste jaren, als ware het een griezelfilm die geprojecteerd werd op een groot wit scherm. Specialisten uit Brussel konden doordringen tot de grootste dieptes, de verborgen kamers van de gruwel.

De realiteit overtrof hier de fictie. Hendrik was ogenschijnlijk een brave huisvader, die overdag een noeste arbeider was bij een bouwfirma in het Brusselse, maar die zich 's avonds ontpopte tot een kwelgeest. Sinds jaren had hij zich voorgenomen om zijn nu elfjarige dochter en zoon seksuele opvoeding te geven. Letterlijk dan wel. Beiden werden speeltjes van de man, die een winstgevende handel had opgezet in beelden van de verkrachtingen en de vernedering van de minderjarigen. Mirza was de katalysator, de filter, de vrouw die door haar stilzwijgen telkens weer haar man aanhitste tot ontucht. Voor de kinderen was zij 's avonds de enige steun en toeverlaat, wanneer vader weer eens zijn zin had gekregen. Op haar manier verwende ze hen dan met een speeltje, een koekje of een gebakje, niet beseffend dat ze het Koninkrijk van de Onderwereld mee in stand hield. De seksuele fantasieën van Hendrik kenden geen grenzen, maar haar liefde was zo groot dat ze alleen maar kon instemmen met zijn daden. De simpele geest besefte niet hoe omvangrijk het leed en het verdriet was van haar kinderen, ze zag de verwoesting niet die werd aangebracht. Meer en meer werd duidelijk dat ook zij het slachtoffer was van haar kwelgeest, die zij ooit eeuwige trouw had gezworen voor het altaar van de kerk van Zandvliet. Hendrik was niet alleen de ontaarde pedofiel, die zelfs geweld niet schuwde om zijn kinderen te verplichten acteurs te worden in genadeloze movies. Mirza werd letterlijk een speelpop, van bouwvakkers en achterlijken, die voor een prikje haar lichaam konden huren op verlaten parkings in het Nederlandse Zeeland. Soms was het feit dat hij de gebeurtenissen mocht filmen voor Hendrik meer dan voldoende. De eenzamen, de verworpenen der aarde wisten dat wanneer de aftandse bruine Volvo het parkeerterrein op zaterdagavond opreed, ze hun gangen konden gaan. Ze had soms tot acht ongevraagde klanten, maar de obsessie voor haar man, haar grenzeloos begrip, gecombineerd met het lage intelligentiepeil zorgden ervoor dat ze nooit klaagde. Zelfs de woede uitbarstingen van Hendrik, gepaard gaande met bruut geweld, verdroeg ze en zag ze als iets normaals. Het waren de redenen waarom hij zolang in het dorp tewerk had kunnen gaan, achter de gesloten gordijnen.

Leden van de cel gedragswetenschappen van de Federale Politie te Brussel zakten af naar de havenstad aan de Schelde. Hier was meer aan de hand. Sloompie en Doc haalden de bijna vergeelde dossiers boven van de verschillende aanrandingen in de buurt, die de laatste vijf jaar gebeurd waren, al dan niet gepaard gaand met bruut geweld. De brave Hendrik die zij hadden aangehouden zag eruit als een zwerver en zijn enorme kracht had hij te danken aan zijn beroep. Het sleuren met bakstenen en zakken cement, hadden van die ogenschijnlijk schriele man, een fysisch sterk iemand gemaakt die gemakkelijk een bouwvakker of een studente in bedwang zou kunnen houden. Zijn ziekelijke, perverse fantasie werd duidelijk uit de inventarisatie van de in beslag genomen stukken en uit de tientallen verhoren. Hij had moeite om het te verhalen, maar meer en meer details kwamen vrij en toonden de hel aan waarin de kinderen hadden geleefd.

Vlug werd een aanvullend rapport opgesteld, een daderprofiel kwam naar voor. Meer en meer kreeg men zicht op de zwerver die de streek onveilig maakte, het Monster van de Molen genoemd. Het volk had gezien dat alle feiten waren gebeurd in een straal van vijf kilometer rond Berendrecht en al gauw had de ziekelijke fantasie van een riooljournalist opgemerkt dat, met een beetje goede wil, de vervallen Molen van Berendrecht het middelpunt vormde van de Cirkel van Het Kwaad. Al vlug deden er verhalen de ronde over enge geesten en vermoorde zielen die op donkere nachten ronddwaalden over de heide rond de molen. En zo had de ongrijpbare zwerver een naam gekregen: het monster van de molen.

Doc las nogmaals de kernlijnen door van het rapport dat hij zopas uit Brussel had gekregen. Uit DNA onderzoek was al gebleken dat een viertal verkrachtingen en een poging tot moord aan dezelfde dader, die tot op heden gekend was als de zwerver, konden worden gelinkt. Hij keek naar het daderprofiel dat was opgesteld en zag de woorden steeds opnieuw voor zijn ogen dansen: *"Daderprofilering: de dader is iemand die zich tot op zekere hoogte kan controleren en graag alles onder controle heeft. Hij is iemand die woede opkropt en dan ontploft. Vermoedelijk was er kort daarvoor een trigger of uitlokkende factor. De dader is iemand van de streek of kent de streek goed. Gedrag voor of na de misdaad: Er kunnen wel schuldgevoelens zijn, maar vermoedelijk zal de drang naar controle de bovenhand nemen. Vermoedelijk veeleer internalisering dan externalisering."* Hier was geen twijfel meer mogelijk: het monster van de molen was aangehouden. Binnen de drie weken na de aanvang van het onderzoek, op basis van het dader-profiel en de verhoren stond zijn besluit vast. Andere pistes moesten niet meer worden bewandeld. Hier was geen twijfel meer: Hendrik zou boeten voor zijn daden. Een jarenlange gevangenisstraf zou zijn lot worden. Hij, de bouwvakker van de streek, was bekend om zijn woede-aanvallen tegenover zijn kinderen en vrouw. Hij had seksuele afwijkin-gen en was bereid hiervoor zelfs het lichaam van zijn eigen bloed en vlees te verkopen. De zwerver was eindelijk gevangen.

De demon liet alles aan zich voorbij gaan. Hij stond boven deze wereld van emoties, van grote verhalen, van egoïsme en zelfbehoud. Het enige dat telde was zijn nooit aflatende strijd in dienst van het Kwade.

Eind september 2000 deed Doc, triomfantelijk en fier als een gieter, een oproep via de media aan de slachtoffers om zich te melden. Dat Hendrik niet bekende telde niet en was te wijten aan zijn lage IQ. Zijn echtgenote wist niets af van zijn andere escapades, zij was nooit meer geweest dan een slaaf, een slons die diende om gebruikt en misbruikt te worden. Steve en Nadia die aanvankelijk aan het onderzoek meewerk-ten, werden teruggetrokken, hun inzet was niet van belang meer. Britt en de dokwerker werden niet geconfronteerd met de dader. Dat had geen zin, besloot Doc, aangezien het Monster van de Molen te introvert was en in zichzelf gekeerd. De laatste weken had hij trouwens nog geweigerd een verklaring af te leggen. Maar het zou de superspeurder een zorg wezen. Hij had het immers geklaard. De rust keerde weer in het polderdorpje.

3 oktober 2000 – 10.27 uur

Vol ongeloof staarde Doc naar de documenten die hij in zijn trillende hand vasthield. Even daarvoor was hij ontboden bij de Directeur van de GDA die hem, bijgestaan door de afdelingschef van de afdeling Agressie, verbaal aanviel. Het werd een afgang voor de man die van zichzelf vond dat hij een superspeurder was, een natuurtalent, de enige die iemand kon verhoren. De triomftocht door het medialandschap die hij voor zichzelf had geforceerd, zou een zwerende etterbuil worden die elk moment kon losbarsten. Wat hij niet voor mogelijk had gehouden was dan toch gebeurd.

Daar stond het zwart op wit en schuimbekkend van woede werd hij er door de hoogste in rang op gewezen: Hendrik was niet het Monster van de Molen. Het DNA onderzoek had dit onomstotelijk bewezen. De bouwvakker was over de schreef gegaan, was een monster als men de bewezen feiten in aanmerking nam, de ontucht met zijn kinderen. Maar alle andere dossiers bleven onopgelost. Kostbare tijd was nu verloren gegaan. In de triomf van het ogenblik bleek dat er geen buurtonderzoek was gebeurd. Britt en de Dokwerker waren niet geconfronteerd, hadden zelfs geen foto gezien van Hendrik om hem eventueel positief te herkennen. Lynn was niet opnieuw ondervraagd en net zo min hadden de klanten en de uitbaters van de verschillende herbergen het bezoek gekregen van het Team van Doc. In zijn oneindige wijsheid had hij integendeel besloten bekwame speurders uit de ploeg te houden en zich verder alleen te focussen op de zaak, met als enig doel ook alleen de lauwerkrans in ontvangst te mogen nemen. Maar deze was nu veranderd in een doornenkrans, een beker vol gif die tot op de bodem zou moeten worden leeggedronken. Weer waren het de slachtoffers die in de kou bleven staan, door het egoïsme van een rechercheur die zichzelf oppermachtig waande.

De onderzoeksrechter was als eerste op de hoogte gebracht van de slechte tijding en had een spoedberaad gehouden met de Gerechtelijke

Directeur, het hoofd van de Dienst Agressie en met de leden van de Dienst Gedragswetenschappen. Het was duidelijk dat justitie hier had gefaald ondanks alle middelen die waren ingezet. Door zich te focussen op Hendrik waren andere sporen genegeerd. Het zou onmogelijk zijn om nu, maanden na de verschillende aanrandingen, nog getuigen te vinden die een meerwaarde voor het onderzoek zouden betekenen. De onkunde, de pretentie en de kapsones, van een drankverslaafde leegloper die zich een superspeurder waande, hadden zware schade toegebracht, aan een dossier dat een enorme weerklank had gekregen in de maatschappij. Een man was aangehouden, maar onterecht beschuldigd van verscheidene wandaden die hij niet had begaan. Slachtoffers hadden enkele weken de valse hoop gekregen dat alles was opgelost. Maar voor hen zouden de slapeloze nachten herbeginnen. De zelfzuchtigheid van één man en zijn slaafse volgeling pasten niet in wat de maatschappij verwachtte van gedreven onderzoekers.

Maar het was te laat. De nachtmerrie van elke rechtgeaarde speurder werd bewaarheid: alleen het wachten op een nieuwe stap van het Monster van de Molen zou een kans bieden op succes. Maar welke was de prijs die hiervoor diende te worden betaald? Was het wel aanvaardbaar dat een mensenleven zou moeten worden geofferd in het belang van de waarheid? Een nieuwe taskforce werd in het leven geroepen onder de directe leiding van Franco, de geniale afdelingschef van de vroegere afdeling moord van de Gerechtelijke Politie te Antwerpen.

Deze internationaal befaamde speurder had in het verleden meerdere malen zijn sporen verdiend. In 1988 rolde hij, na een onderzoek dat negen maanden had geduurd, twee drugslabo's op in de omgeving van Edegem, de eerste twee in het gerechtelijke arrondissement Antwerpen. In de vroege jaren negentig leidde hij de afdeling verdovende middelen en hij slaagde er in door volharding en nimmer aflatende werkijver verscheidene Pakistaanse netwerken op te rollen en tientallen kilo's heroïne van de zuiverste soort in beslag te nemen. Colombiaanse drugskartels, internationale criminele organisaties, niets was hem te veel. Eind jaren negentig stapte hij over naar de afdeling Moordzaken die hij autoritair leidde. Het was duidelijk dat alleen een speurder van zijn kaliber, omringd door goede, harde werkers in staat zou zijn het monster te stoppen.

Doc zong nu zijn zwanenzang en werd onder het rechtstreekse toezicht geplaatst van Franco, aan wie hij dagelijks verslag moest uitbrengen van de vorderingen in het onderzoek. In theorie was hij nog de case-officer, in de praktijk werd hij het hulpje, de dommekracht die alleen nog mocht functioneren dank zij de gratie van de Gerechtelijk Directeur en onder begeleiding. Er was ingegrepen van hogerhand. Het was duidelijk dat de ouderwetse politiecultuur niet meer paste in het nieuwe landschap van justitie. De tijd dat de politieman zich als een dictator kon bewegen tussen de bevolking was definitief voorbij. De ster van Doc die in het verleden soms te veel had geschitterd, werd vaal. Eindelijk was de tijd gekomen dat hij gewezen werd op zijn plichten. Hoogmoed moest de plaats ruimen voor nederigheid, superman werd een bleek, onzichtbaar individu, nummer dertien in het dozijn. Hier hielp geen grote bek, hier was alleen nog nederigheid op zijn plaats.

Het is niet belangrijk wie we kennen, wie voor ons zorgt.

Het idee te weten dat er iemand klaar staat als je roept

is het belangrijkste in het leven.

Niet de persoon is belangrijk,

maar de gedachte aan die persoon.

Het is niet belangrijk wie in ons hart kwam,

maar wel de gedachte dat ons hart open was.

Bij een zwaar verlies zal die persoon misschien verdwijnen,

maar de gedachte blijft opgesloten in ons hart.

November 2000

De demon had de ontwikkelingen van nabij gevolgd. Hij had gezien hoe krantenkoppen hem het 'Monster van de Molen' hadden genoemd. Hij snoof de geur van angst op toen bekend werd dat Hij nog vrij rondliep. Het zou toch niet baten. Eens zou zijn uur komen, de dag zou nacht worden, het tijdstip van het ultieme offer naderde...

Het was vrijdagavond en Shana en Samantha stonden bij tante Fanny te kokkerellen. Straks zou het een gezellige boel worden. Guido, Mireille, haar twee prinsessen zoals ze haar dochters steevast noemde, Fanny en Jozef en goede vrienden van hen, Boris en zijn liefje, zouden samen een culinair orgasme beleven, zoals Boris het altijd zei. Shana was de ster van de avond, want zij maakte een van haar specialiteiten klaar, op een manier die aantoonde dat zij een geboren keukenprinses was. Ze had net stronkjes witloof gestoofd en die omwikkeld in gerookte zalm. Deze werden voorzichtig in een ovenschotel gelegd en rijkelijk voorzien van geraspte kaas. Straks zouden ze de rolletjes laten gratineren op 200 graden en opdienen met aardappelpuree. Fanny had gekozen voor een frisse Chardonnay als begeleidende wijn. De avond zou zeker geslaagd zijn.

Boris was een oude vriend van de familie, in feite een volwassen man die altijd achttien jaar wilde blijven. De goedlachse biker woonde in een klein huisje in Zandvliet en werkte als arbeider in de bouw. Iedereen kende hem als de reus van Zandvliet. Eén meter tweeënnegentig graniet, handen als kolenschoppen, een ruwe, barse stem, maar een peperkoeken hart. Hij zag er uit als een ruwe vechtersbaas, maar in feite was hij de goedheid zelf, de moderne Don Quichotte die altijd het onrecht bestreed. Hij had één vijand, die hij smalend de 'langharige tekkel' noemde. Het was een corrupte ambtenaar die al meerdere malen geprobeerd had, uit jaloersheid, hem een hak te zetten, maar Boris was niet voor één gat te vangen en had hem altijd goed van antwoord gediend. Tenslotte had die dan maar zijn pogingen opgegeven, maar niet nadat hij Boris eerst had verraden aan de 'zwarten', zoals steevast de flikken van de Oudaan werden genoemd. Een legertje tot de tanden bewapende huurlingen van vrouwe justitie was enkele maanden later binnengevallen in de kleine eengezinswoning, bij wat volgens hen de grootste dealer van het land was. Welgeteld één halfopgebrande joint en anderhalve gram weed was in beslag genomen. Hier had justitie weer gefaald.

Boris was geen lieverdje en het was een publiek geheim dat hij verzot was op 'plantjes', zonder dat hij landbouwer was, maar het was een brave crimineel die niemand kwaad zou doen en in feite in weed geen kwaad zag. Hij wist dat het niet mocht, maar hij had een erecode die bepaalde dat hij nooit aan minderjarigen iets gaf of in hun gezelschap softdrugs gebruikte. Zijn liefje, een blonde jongedame van twintig jaar oud, was een fervente paardenliefhebster en deze hardwerkende meid was dan ook altijd in de stallen terug te vinden als ze ook maar eventjes vrije tijd had.

De avond begon zoals voorzien. Guido en Mireille waren weer eens veel te laat, maar in een recordtempo slaagde hij er toch in om zijn schijnbaar onmogelijke achterstand bij het aperitieven in te halen. Als een bodemloos vat stortte stiefpapa, zoals hij soms smalend werd genoemd door Shana en Samantha, zich op de al geopende fles port van tien jaar oud. Manieren kende hij niet en de zorgvuldig voorbereide hapjes die gepaard gingen met de drank, verzwolg hij als een kind dat geen eten had gekregen die dag. Mireille keek af en toe gegeneerd naar haar Guido, maar niemand had iets anders verwacht en dus stoorde men zich niet aan zijn gezelschap. Boris echter ontpopte zich al vlug tot een volleerde entertainer en vanaf dat moment volgde de ene grap na de andere elkaar op, sommige zo pikant dat hij af en toe een afkeurende blik kreeg toegeworpen van zijn liefje. Het was soms ook een vreemd zicht. Eén bonk vlees, met tekeningen op de armen als kleine schilderijen en spierbundels die de kracht van de oermens verraadden, die als een clown de lachers op zijn hand kreeg. Wanneer je hem 's nachts in de donkere straten tegenkwam, dan zou je op de vlucht slaan voor deze Goliath van Zandvliet die echter geen vlieg kwaad zou doen. De verhalen werden straffer naarmate de port rijkelijker vloeide en voor de honderdste keer stak Boris van wal met het verhaal, het epos bijna, van hoe hij en zijn vriend in hun eentje enkele bange rijkswachters hadden gered van een bende losgeslagen jongeren uit het Antwerpse. Als je zijn verhaal kon geloven, dan was zijn vriend nog groter en sterker dan hij. Steeds weer had hij het over William de Lilliputter, een kleine dienaar van de wet die ooit gezworen had het hoofd van Boris te hebben, figuurlijk dan wel. Maar zelfs deze brave ziel was niet opgewassen tegen de veel intelligentere reus uit de polders.

Nadat de soep een geslaagd intermezzo was, diende Shana het hoofdgerecht op en kreeg ze terecht haar moment van glorie. Iedereen viel aan, als een horde uitgehongerde wolven en vol trots keek de mooie keukenprinses hoe alles werd opgegeten. Guido had meer oog voor de Chardonnay die door tante Fanny was ontkurkt en al vlug had hij zich teruggetrokken in een hoekje van de woonkamer, als een oude vieze drinkebroer die zich afzondert van de rest van de wereld. Samantha gunde het haar jongere zus van harte dat ze van alle kanten complimentjes kreeg. Beiden misten soms die gezellige avonden met Richard, hun echte vader, maar dat gemis werd telkens weer gecompenseerd door Fanny en Jozef die onbaatzuchtig, vol geduld, de twee jongeren bleven bijstaan, als ware het hun eigen kinderen. Geen koppel kon zoveel liefde en nestwarmte geven als zij deden in de meest moeilijke momenten. Soms was het ongeloofwaardig dat Mireille en Fanny zussen waren, want uiterlijk waren ze tegenpolen en leefden ze beiden in een andere wereld. Maar wie hen goed kende, wist dat onder het pantser van soms ogenschijnlijke onverschilligheid en apathie voor elkaar, echte zusterliefde bloeide, die zelfs de Dood niet zou kunnen scheiden. Mireille wist dat ze altijd op haar zus en schoonbroer kon rekenen, wat er ook gebeurde. Het was dan ook uit echte verknochtheid voor elkaar dat ze Guido noodgedwongen hadden geaccepteerd. Soms huilde Fanny wanneer ze zag hoe haar zus haar leven wellicht vergooide voor die nietsnut, maar de band met elkaar gaf haar telkens weer de moed en de energie om er voor te gaan.

Ondertussen was het tegen elven en iedereen was aan koffie toe, behalve Boris die beweerde dat zijn maag van ijzer was en alleen iets sterkers verdroeg. Samantha was vliegensvlug de keuken ingerend en ze presteerde het om in een mum van tijd enkele dampende Irish koffies op tafel te zetten. Nu was het haar beurt om bedolven te worden onder de lofbetuigingen en ze bloosde zowaar toen Mireille haar een welgemeende knuffel gaf. Ondertussen was Guido ontwaakt uit zijn starheid en nog voor iemand er erg in had waren twee glazen cognac soldaat gemaakt. Mireille bekeek alles met een bezorgde blik, want ze wist wat er komen zou. Straks zou één enkel woord voldoende zijn om de ogenschijnlijk rustige arbeider te veranderen in een huilebalk of in het andere geval in een idiote malloot die alleen maar negatieve opmerkingen zou formuleren tegenover de andere gasten. Meer dan eens was ze getuige geweest van zijn oeverloze gebral dat kant noch wal raakte en waarbij hij zichzelf telkens weer probeerde voor te stellen als een slachtoffer van de maatschappij. Gelukkig kon ze op dat ogenblik steeds weer rekenen op haar twee dochters, die meer dan eens op de bres waren gesprongen om hun moeder te verdedigen tegen het verbale geweld van de soms achterlijke vriend.

Tegen middernacht begon Guido te raaskallen en verwijtend riep hij naar Mireille dat het haar schuld was dat er geen geld op de spaarrekening stond. Shana en Samantha zuchtten diep en Fanny liep naar de keuken om geen getuige te moeten zijn van de zoveelste spanning in het gezin.

Dat ze geldproblemen hadden wist iedereen, maar de reden hiervoor was uit eerlijke schaamte tot op heden een goedbewaard geheim gebleven. De buren zagen wel af en toe hoe deurwaarders de woning van het soms vreemde koppel betraden, maar niemand die echt wist dat dit te wijten was aan de gok- en drankzucht van de verspilzieke Guido die alleen in zichzelf geloofde. Als echte huisvriend was Boris één van de weinigen die echt wist wat er gaande was tussen de vier muren van het gezin, maar zijn goede inborst had er steeds voor gezorgd dat het een goed bewaard geheim bleef. Stiekem had hij een drietal keren zelfs het schoolgeld van de jongelui betaald, om zeker te zijn dat ze een goede opvoeding zouden krijgen. Het sierde de grote eik die steeds weer in de schaduw liep om anderen te helpen in hun leven.

Plotseling gebeurde het onverwachte, het meest ondenkbare. Guido was na een zoveelste uitval overeind gesprongen en gaf Mireille een harde klap in het gezicht. Hij raakte haar met zijn volle vuist voluit op de rechterkaak, die vlak onder het oog onmiddellijk vuurrood werd. De kracht van de klap gecombineerd met de invloed van de alcohol zorgde er voor dat Mireille, die op dat ogenblik recht stond, twee meter achteruit vloog tegen de keukenmuur.

Een schreeuw, uit het diepste van de mens, als was het een wild dier dat naar zijn prooi sprong, weerklonk in de diepe ijzige stilte volgend op de laffe aanval. In minder dan één seconde overbrugde Boris de vier en een halve meter die hem op dat ogenblik scheidde van Guido en met de kracht van een mannetjesleeuw tilde hij, met één hand rond de nek van zijn totaal verraste prooi, de lafaard een halve meter boven de grond. Het was een zielig hoopje mens dat kronkelde en dat door met zijn benen te stampen vocht voor zijn leven. Maar zijn voeten raakten alleen maar de ijle lucht en het was zeker dat dit totaal geen effect had op de oermens. De ogen van Boris waren zwart, het schuim stond op zijn lippen, maar na enkele seconden gooide hij, alsof het een pluimpje was, zijn last in de hoek van de kamer. Guido bleef versuft liggen en keek rond, wetend dat hij zopas aan iets ergs was ontsnapt, maar ook alsof hijzelf op een andere planeet vertoefde. Slikkend en huilend rochelde hij en zijn longen scheurden bijna uit zijn lichaam als hij de verse lucht met volle teugen inzoog. Mireille lag te huilen in de armen van Fanny en Shana, die vol woede keken naar het beest waarmee zij was getrouwd. Boris zwoer een dure eed: "*wanneer Mireille nog één haar gekrenkt zou worden, zou hij Guido aan de honden voederen, levend wel te verstaan*". Niemand die twijfelde dat, moest hij de kans krijgen, de bedreiging ook zou uitkomen. Guido huilde nu ondertussen krokodillentranen, niet omwille van wat hij had misdaan, maar uit schaamte dat er getuigen waren geweest. De nacht eindigde in mineur. Guido vertrok alleen naar huis, te voet, goed beseffend welk onheil hij had aangericht. Het was duidelijk dat hier een wonde was aangebracht die zelfs de tijd moeilijk zou kunnen helen.

Meneer Paul

Meneer Paul, zoals hij steevast werd genoemd, was een zevenenvijftig jarige keurige vrijgezel die al zijn hele leven lang woonde in de omgeving van Brasschaat. Hij was nooit getrouwd en hij zorgde nog altijd voor zijn ouders die bij hem thuis woonden in één van de chiquere villa's daar in de streek. Hijzelf was manager in één van de grootste havenbedrijven van Europa, een klein gezellig familiebedrijf dat hij uit had zien groeien tot een multinational, een mastodont met werknemers in binnen- en buitenland. Ergens was hij wel fier op wat hij ondertussen had bereikt. Hij had de polders zien veranderen in eindeloze kaaimuren, met aan de rand ervan metershoge magazijnen en kilometerslange stapelplaatsen voor de miljoenen containers die jaarlijks Antwerpen aandeden. Hoewel hij niet in de raad van beheer zat, was het toch duidelijk dat zijn advies altijd op prijs werd gesteld en gevolgd. Hij bezorgde de firma miljoenen euro's winst en zelfs spanningsvelden bij arbeidsconflicten kon hij in een oogwenk oplossen. Paul was als een robot, op voorhand geprogrammeerd en steeds werkend volgens een strak, steeds terugkomend systeem. Je kon er prat op gaan dat hij om stipt tien minuten over negen de firma kwam ingereden in zijn zilverkleurige Mercedes Cabriolet, één van de weinige frivoliteiten die hij zichzelf gunde. Op maandag at hij boterhammen met kaas, dinsdag met hesp en zo kon je doorgaan. Elke reactie was voorspelbaar, elke minuut in zijn leven volgens een bepaald schema geordend. Zelfs thuis was zijn leven ingedeeld in vakjes. Van maandag tot donderdag stond meneer Paul om exact half acht op en ging hij 's avonds om tien over tien slapen na nog één enkele whisky te hebben gedronken. In het weekend ging hij elke zondagmiddag met zijn moeder eten in het restaurant 'het Polygoontje', dat werd uitgebaat door een zwartharige schoonheid en haar sympathieke ouders. Om exact half één kwamen ze er aan, om drie uur vertrokken ze. Het was een rustig leven, vol zekerheden, zonder verrassingen, precies alsof de tijd was blijven stilstaan.

Deze levenshouding was misschien de reden geweest dat de nochtans schatrijke vrijgezel zich nooit had gebonden in zijn leven, zijn diepste geheimen met niemand had gedeeld. Slechts één uitspatting per week veroorloofde hij zich, namelijk op vrijdagavond wanneer hij, alleen, van negen tot elf uur, in de Antwerpse stationsbuurt een tweetal whisky's ging drinken, meestal rustig zittend op een barkruk of in de zomer op het terras, onopvallend door het leven gaand. Mireille kende haar vreemde klant wel van gezicht. Meneer Pijp noemde ze hem, omdat hij altijd een pijp rookte, soms tot ergernis van de andere klanten. Maar in tegenstelling tot de zatlappen die soms haar café bevolkten was hij altijd hoofs en vriendelijk, op zijn best gekleed. Meneer Paul was afstandelijk, maar toch voorzag hij haar altijd van een goede fooi, alsof hij zonder woorden zijn appreciatie kenbaar wilde maken.

Het onvermijdelijke kwam sneller tot stand dan Mireille ooit had gedacht. Werkend tussen de marginalen en de daklozen, de zatlappen en de sociale gevallen die elk op hun beurt miserie, kommer en kwel verkondigden, viel ze voor de charmes en de goede manieren van de deftige manager. Wat ze thuis niet kreeg, ontving ze van hem, waardering en af en toe een klein beetje geluk. Na enkele maanden werd het leven van de stijve Paul totaal omgegooid. Voor het eerst in zijn leven liet hij iemand toe om af en toe een blik te werpen achter het gordijn van zijn leven. Het stijfburgerlijke, Harry Potter-achtige verdween als sneeuw voor de zon en in het gezelschap van Mireille veranderde hij in een goedlachse rijke burger, met zin voor humor en een klare kijk op het leven. Ze slaagde er zelfs in om de kledinggewoontes van de man aan te pakken en na enkele maanden verscheen hij voor het eerst in de zaak met een jeansbroek, een slobbertrui en een lederen vest. Alleen het merk van de vest verraadden nog zijn afkomst en vooral zijn goedgevulde portefeuille.

Hij wist dat Mireille voor de tweede keer getrouwd was en twee schatten van dochters in haar leven had. Maar het kon hem niet schelen, zij werd de zon in zijn bestaan. Langzaam maar zeker vertrouwden ze elkaar de diepste geheimen van hun leven toe en werden ze elkaars uitlaatklep, de mogelijkheid om af en toe eens te ontsnappen uit de harde realiteit in deze wereld. Ze slaagde er in om bij deze industrieel gevoelens los te weken die hij nooit in zijn leven had gekend. Hij beantwoordde dit gebaar met zijn uitingen van liefde, zijn welgemeende innige vriendschap. Hij werd de rots, de steunpilaar in haar leven dat soms een hel leek.

De eenvoudige dochter uit de Polders waande zich een koningin, wanneer haar geliefde haar op vrijdagavond weer eens meenam naar één van de betere restaurants in het Antwerpse. Werken hoefde ze die avond niet meer en heel discreet stopte hij haar dan geld toe, wetende dat ze elke cent kon gebruiken. Hij werd haar nieuwe steun en toeverlaat, haar droomprins op het witte paard waar ze al die jaren had opgewacht. Richard was een te brave ziel geweest die het vuur van de liefde zelf had gedoofd. Guido was een stuk onbenul gebleken, een woesteling met losse handjes, die alleen maar dromen had, maar ze nooit verwezenlijkte. Meneer Paul was anders. Het was het prototype van de echte gentleman, een bijna uitgestorven ras in deze harde wereld. Paul verwende zijn vriendin en genoot intens van de ogenblikken dat ze samen waren. Hij was zacht en teder, kortom de ideale man waar men alleen maar van kon dromen. De ridder van het moment kwam haar vanaf nu elke vrijdagavond stipt om kwart over zeven afhalen aan de nederige bungalow. Guido stelde zich al lang geen vragen meer. Voor hem was die man geen concurrentie, maar eerder één grote melkkoe die zoveel mogelijk moest opbrengen. Het gevoel van liefde, de vlinders in de buik was hij trouwens toch al lang kwijt, dus zag hij geen graten in de ongewone relatie tussen zijn vrouw en de rijke, iets oudere vrijgezel met de Mercedes Cabriolet. Dat hij nog niet van Mireille gescheiden was, had veel te maken met de invloed die zijn broer op hem had.

Guido kwam uit een gezin met twee zonen, waarvan hij de jongste was geweest. Beiden waren in feite opgegroeid voor galg en rad en geen van hen bleek in staat hogere studies aan te vatten. In het dorp werden ze soms de olijke tweeling genoemd, omdat ze altijd samen dronken waren, samen werkloos en vooral samen vochten tegen Jan en alleman. Beide leeglopers zouden verloren geweest zijn in deze maatschappij, ware het niet dat Raoul, de broer van Guido een meisje van zeventien ongewenst zwanger had gemaakt. Als het van hem afhing zou er een abortus zijn gevolgd, maar zijn streng katholieke ouders en de toekomstige schoonouders staken daar een stokje voor en voor hij het wist was hij gehuwd en vader van een kind. Het waren de hardwerkende ouders die voor hem een kleine kruidenierswinkel kochten, zodat hij kon instaan voor het onderhoud van het gezin en langzaam maar zeker had hij een rustig bestaan opgebouwd. Alleen wanneer hij weer eens te veel gedronken had, zag men dat hij nog altijd dezelfde marginaal van voorheen was, maar hij slaagde er in om zich tegenover zijn klanten voor te doen als een hardwerkende, altijd goedlachse wederhelft, die bezorgd was om zijn gezin.

Het gebeurde meer dan eens dat zijn broertje zuchtend de winkel binnenkwam en zich beklaagde over het feit dat hij hem alweer geen lekker eten was voorgeschoteld. Dat hij echter drie uren te laat was thuisgekomen, in een dronken toestand dan nog, vergat hij wel te zeggen. Raoul die nooit iets had gezien in de relatie tussen Guido en Mireille, profiteerde op dergelijke ogenblikken om haar zwart te maken en haar voor te stellen als een feeks, een duivelin die alleen maar het kwade in zich had. Op die momenten voedde hij de bodem van haat, die zich stilaan ontwikkelde in de diepste kerkers van de ziel van Guido. Het vuur van de liefde was een waakvlam geworden en het zag er naar uit dat de bries van roddels, de wind van het kwaad deze voor eeuwig zou doven.

Voor Shana en Samantha was het ondertussen ook wennen wanneer ze hun moeder weer lachend en zingend door het huis zagen rennen. De twee meiden vonden de nieuwe vriend aan huis wel een beetje ouderwets, maar waren ook gecharmeerd door zijn goede manieren en zijn oprechte belangstelling voor de schoolresultaten. Telkens als Paul aan huis kwam, bracht hij ook een klein presentje mee voor de twee oogappels van Mireille en het was zonneklaar dat de toekomst nog mooie momenten zou brengen. De zon scheen weer boven de bungalow in het dorpje aan de Antwerpse haven.

De demon kijkt rond en zijn gedachten tollen rond als een wervelwind. Hij ervaart nieuwe dingen, ziet de Meester. Licht en duisternis, verbonden in één, warm en koud. Het verschrikkelijke. Het overweldigend mooie. Het vernietigende...

"De engel die mij aanraakt. Lichtkring. Aanwezigheid van de onschuld die ons treft als de boogschutter tussen twee bliksemflitsen. Ik ben ongelukkig. Sterfelijk". Onder het masker vermoedt hij het allerdiepste verraad van zijn lichaam. Steeds verder tollen de gedachten, hem voortslepend naar de onsterfelijkheid. "Het is mijn lot. Weer een stap. Een stap naar de voorkamer van de hel. Hoe moet ik de bijtende

liefkozingen van het vuur verduren? En waarom zou ik het lichaam niet om het lichaam aanbidden? En er is geen uitweg. Je ziet een glimp van de resten van oude schittering. Misschien is er geen licht meer. Misschien zal er geen vuur meer zijn. Een engel is de smidse. Wees bevreesd voor de Schoonheid, waarschuwt de meester. Daarin zijn de lichtheid en de zwaarte geconcentreerd. Hier is het verschrikkelijke. Het vernietigend mooie. En ik weet amper of ik het kan verdragen." De leerling van het Kwade laat zijn gedachten de vrije loop. Hij transformeert. Het omhulsel is nog een mens, sterfelijk, binnenin raast nu het vuur van de haat.

De demon zit in zijn schuilplaats en wacht. Hij is alleen. Niemand ziet de grijns die verschijnt op zijn gezicht. Niemand ziet de weerspiegeling van de Hel in de blik van zijn ogen. De nacht trekt als een zwarte deken over het landschap en bedekt het dorpje aan de Schelde. De duisternis is zijn bondgenoot, zijn gezel op het lange eenzame pad dat hij alleen moet bewandelen om het opperste genot te kunnen bereiken. De wraak van de Engel des Doods is nabij. Hij is klaar voor het ultieme offer.

Als de dageraad plotseling avondschemer wordt.

Als het licht niet meer schijnt aan de horizon.

Als ik me afvraag waarom

JIJ

Ons moest verlaten.

Als de nacht blijft duren.

Geloof dan en weet.

Ik wilde je nog zoveel verhalen.

Wij hadden nog zoveel gemeen.

Maar de sterren aan de horizon

zijn de Wachters.

Zij brengen de boodschap.

Zij zijn de getuigen.

JIJ

Hebt ons nimmer verlaten.

De strijd tegen de Demon gaat voort.

December 2000

Samantha keek door het raam van haar slaapkamer en mijmerde, ondertussen luisterend naar het liedje 'Nothing else matters' van de groep Metallica. Het was guur en koud weer en de vrieskou van de voorbije twee weken had zijn sporen achtergelaten. Ze was zoals altijd modieus gekleed en het was duidelijk dat Mireille het meende als ze het over haar prinsesje had. Wanneer zij en Samantha in Antwerpen over de Meir wandelden op zoek naar het ultieme koopje, voelden ze de wellustige blikken van jonge snaken en oudere geilaards, bij het aanschouwen van deze twee schepels, wonderen van de natuur. Naast een natuurlijke schoonheid, waren ze beiden begaafd en sportief te noemen. Zonder moeite konden ze iemand rond hun vinger winden, maar het was ook duidelijk dat hun priemende blikken dwars door elk sentiment keken, dat geen enkel pantser bestand was tegen hun kolenzwarte ogen. Samantha keek door iedereen heen en meer dan eens ontdekte ze onder een ogenschijnlijk ruwe bolster een peperkoeken hart.

Ze tuurde naar de kale tuin waarvan de donkerbruine aarde was bedekt door een laag boomschors, naar de beukenboom waarin de tientallen mussen en een lijster zich tegoed deden aan de spekblokjes die Mireille er had ingehangen. De tiener was alleen thuis en genoot van die zalige zaterdagnamiddag zonder school, zonder verplichtingen, alleen de tijd met zichzelf doorbrengend. Haar gedachten verplaatsten zich naar haar nieuwe vriendje, een werkloze jonge man van twee en twintig jaar die in een rockbandje speelde, in het bouwvallige jeugdhuis te Zandvliet. Ze genoot ervan hem bezig te zien op zijn tweedehandse, roodkleurige drumstel en wist dat de extra lange roffels voor haar waren bedoeld, als een ode aan de liefde.

De mus keek vanaf de onderste tak van de beukenboom in haar richting, precies als teken van dankbaarheid voor het voedsel dat daar aanwezig was. Het kleine gevederde diertje was één van de grootste wonderen van Gods schepping. De kleine vleugeltjes lieten het toe om, drijvende op de tonen van de wind, de wereld van bovenaf te verkennen, op zoek te gaan naar een veilig en warm onderkomen voor de winter. Het schrandere beestje slaagde in wat de mens, de grote uitvinder, niet kon, namelijk te vliegen op eigen kracht.

Koning winter had zijn intrede gedaan en de mantel der vrieskou zorgde er voor dat 's avonds de mensen, diep verscholen onder een berg dekens, de gezelligheid van het eigen bed zochten. Samantha genoot van die koude dagen en meer dan eens zag je haar wandelen op de dijk, de witte wolkjes als teken van de warme adem, de vuurrode wangen, als een kleurenpalet dat door de vriezeman was achtergelaten. Maar deze periode betekende ook stilte en rust, alsof de mensen uit de buurt schrik hadden om een stap buiten te zetten en de soms gure wind niet wilden trotseren om boodschappen te doen. Vanaf haar kamer had ze een uitzicht over het gedeelte van het dorp, grenzend aan de dijk en overal zag ze de rookpluimen van de dampende schoorstenen als signalen de lucht ingaan, alsof iedereen een boodschap stuurde naar het einde van de wereld. In gedachten wandelde ze over de heide, recht naar de molen, regelmatig de ontmoetingsplaats van tieners die er de liefde bedreven, of elkaar voor het eerst een kus gaven, in het maanlicht met alleen de fonkelende sterren als stille getuigen. Verschillende relaties waren er gestart, meerdere dromen waren er stuk gegaan en voor velen rustte er dan ook een vloek op de molen. Wanneer hij gebouwd was wist niemand meer en de laatste molenaar had in de jaren tachtig de streek verlaten. Sindsdien hadden de wieken niet meer gedraaid en was stilaan het verval ingetreden, als bewijs dat de tand des tijds toegeslagen had. Nog éénmaal had een dappere zeelander het initiatief genomen om het monument te herstellen, maar zelfs hij slaagde er niet in en de dorpelingen moesten nu machteloos toezien hoe het meer dan honderdvijftig jaar oude stukje folklore ten prooi viel aan aftakeling en verloedering.

Samantha keek naar de klok en zag hoe de wijzers stilaan naar vijf uur kropen. Nog een half uurtje en de vredige rust zou weer verbroken worden door de heldere stemmen van Mireille en Shana die inkopen waren gaan doen. Waar Guido uithing wist ze niet en het interesseerde haar ook niet. Haar stiefvader zou ze nooit aanvaarden, al was het maar omwille van de slagen die hij regelmatig uitdeelde en zijn gebrek aan interesse voor het gezin. Hij voelde zich heer en meester en probeerde zich hiernaar te gedragen, maar hij besefte niet dat de liefde al lang had plaats geruimd voor eindeloze haat.

Plotseling voelde ze koude rillingen over haar rug kruipen. Was het inbeelding of had ze inderdaad iets gehoord in de veranda van de woning. Een beklemmende angst kwam op, alsof wurgende vingers langzaam maar zeker haar keel toeknepen. Ze wilde roepen, maar meer dan een schor geluid kwam er niet over haar lippen. Ze vervloekte het feit dat Guido weer eens was gaan drinken, want in feite was hij toch de enige man in huis en ondanks alles zou het misschien een gevoel van veiligheid hebben gegeven. Haar kamerdeur stond op een kier en ze dacht het lichte gekraak te horen van een trede, als was het kreunen van de trap de voorbode van naderend onheil. Onbewust dacht ze aan de reeks aanrandingen die plaats hadden gevonden het voorbije jaar, aan de atmosfeer van vrees en paniek die zich van de bevolking had meester gemaakt. Het monster van de molen was nog op vrije voeten en het speurwerk van de Federale Politie had tot niets geleid.

Nu was ze zeker. Iemand was in huis, zij was de prooi van het genadeloze roofdier dat zijn slag zou willen slaan. Haar GSM lag op het aanrecht in de keuken en bood haar geen oplossing. Ze begon te beven en kroop onbewust achter de slaapkamerdeur, zich zo klein mogelijk makend, als ware het om het beest te ontwijken. Ze voelde een krop opkomen in haar keel en geluidloze zilte tranen stroomden over haar wangen. Haar hand strekte zich uit naar de lamp op de nachttafel en plotseling, in een ultieme wanhoopspoging om het tij te doen keren gooide ze met volle kracht het voorwerp door het raam, ondertussen luid schreeuwend, wetende dat toch niemand haar doodskreten zou horen.

Beeldde ze het zich in of hoorde ze de voetstappen van iemand die gehaast de trappen afliep, weg van haar? De spanning deed haar breken en de tranen rolden nu voluit over haar wangen. Een kleine kreet om hulp verliet krampachtig haar lippen, terwijl ze ineengerold achter de deur bleef liggen. Exact tweeëntwintig minuten later ontdekten Mireille en Shana de jonge, lieve deerne in die houding aan, hevig snikkend, zich eenzaam en verlaten voelend. De scherven van het glas en de lamp op het gazon waren de stille getuigen van de hel waardoor zij was gegaan, de wijd openstaande achterdeur het bewijs dat het geen droom was geweest, maar het begin van wat bijna een nachtmerrie werd.

Gezeten in zijn hok schudde de Demon zijn kop en inwendig vervloekte hij Samantha, die hij verafgoodde. Een orkaan van gevoelens, een wervelwind van tegenstrijdigheden, een strijd tussen goede en kwade gedachten woedde hevig in zijn hoofd. Hij had haar geen kwaad willen doen, hij wilde haar alleen maar bekijken, denkend aan die videofilm die hij al lange tijd niet meer had gezien. Hij wou genieten van de nabijheid van haar ranke lichaam, haar pure schoonheid, zonder zijn aanwezigheid kenbaar te maken. Maar de vervloekte trede in de trap had zijn plan doorkruist en het geluid van het kraken ervan had haar doen wakker schieten uit haar mijmeringen. Hij wist dat hij bijna verraden was, maar langzaam maar zeker groeide weer het besef dat hij geduld moest hebben. Ooit zou zij zijn bruid zijn, de bruid van Satan.

Het brandende vuur van eindeloos verlangen,

als vlammen die reiken naar de hoogste toppen.

Voorbodes, tekens, poorters van de Hel.

Een jonge maagd moet worden geofferd,

op het altaar van het Kwade, op de tafel van de wellust.

De uitverkorene kan haar lot niet meer ontlopen,

zo heeft de Meester het beslist.

Wellust en Sadisme, de wapens in de eeuwige strijd,

tegen het Goede, tegen de mens, tegen de schepping.

De molen, als zwijgzame getuige op de nachtelijke heide,

van de lugubere dans van de Demon.

De Boze is gekomen, hij is onder ons.

Het rapport

Ondertussen waren de onderzoeksdaden van het rechercheteam van de Federale Politie te Antwerpen op een laag pitje gezet. Analisten die huisden op de derde verdieping van het glazen gebouw aan de Noordersingel te Borgerhout, hadden al hun kunde en jarenlange ervaring gebruikt om een huzarenstukje af te leveren. Honderd en veertien bladzijden rapport, drieduizend vierhonderd en negentien regels, vijf en dertig duizend negenhonderd en twee en zeventig woorden, die samen de horror bevatten die zich in één jaar tijd had afgespeeld in de omgeving van de Berendrechtse molen, soms maar op een steenworp van de kerk.

Tientallen kleurenfoto's van verminkte personen, van overtuigingsstukken en plaats delicten, maakten de rechercheurs wanhopig, want elk beeld was een apart verhaal, het bewijs van de onmacht in hun strijd tegen het monster van de heide, het beest van de molen. Eén poging tot moord, zes gewelddadige verkrachtingen, twee meldingen van aanrandingen en tientallen getuigenissen van eerbare, brave burgers die zich bespied voelden, bedreigd, met angst door het leven gingen. De opgestelde tijdslijn registreerde nauwkeurig alle feiten, maar zelfs nauwgezet telefonieonderzoek en de duizenden camerabeelden van firma's en benzinestations hadden niets opgeleverd.

Een cycloon van paniek, een storm van schrik, een wervelwind van alleswurgende, diepgewortelde angst had bezit genomen van de anders zo rustige zielen van de polderdorpjes aan de Schelde. Hier was het onveiligheidsgevoel realiteit geworden, een levensstijl, een deel van het dagelijkse bestaan. De nauwgezet, zichtbare patrouilles van de lokale politie waren om budgettaire redenen teruggeschroefd. Een tweetal grote operaties binnen de driehoek Stabroek – Zandvliet – Berendrecht had niet geleid tot het verhoopte resultaat. Die nacht waren er geen meldingen geweest van aanrandingen en het arresteren van twee kleine drugsdealers en een amokmakende dronken brokkenpiloot, kon het mislukken van het onderzoek niet verdoezelen.

Zelfs onder het toezicht van Franco bleek dat Doc en Sloompie op een dood spoor zaten. Nieuwe technieken werden aangewend, psychiaters werden aangesteld om via de daderprofielen een duidelijker zicht te krijgen op wie de onmens, het beest zou kunnen zijn. Maar behoudens het feit dat het iemand was die de streek moest kennen, kon er weinig waarde gehecht worden aan het eerste rapport van de dienst Gedragswetenschappen uit Brussel. Volgens oudere rotten in het vak, had dit vooral te maken met de oogkleppen die Klaartje, de opsteller van het rapport, droeg. In feite was zij aangeworven burgerpersoneel, dat rechtstreeks van de beschermende muren van de universiteit, naar de mannenwereld binnen de Federale Politie was gekomen en zonder enige straatervaring in haar bureel was gedropt.

Haar dienst was opgericht en verfijnd naar aanleiding van de zaak Dutroux die het land op zijn kop had gezet en als ondersteunende eenheid diende het zijn bijdrage te leveren in de strijd tegen de zware criminaliteit. Klaartje was pas achtentwintig toen ze begon en haar verouderde mantelpakje, aan de hakken versleten schoenen en het obligate uilenbrilletje, gaven haar meer het uiterlijk van een ouderwetse tante, dan van een volleerde politievrouw. Ze maakte op basis van ingewikkelde theorieën profielen van mensen en bestudeerde hun gedrag aan de hand van soms muffe en vergeelde documenten. Maar de kennis die zij had opgedaan aan de universiteit van Leuven, waar ze met de grootste onderscheiding was afgestudeerd, was ze vergeten op te vullen met levenservaring en mensenkennis. Menig speurder had zich al afgevraagd hoe je in hemelsnaam iemand kon portretteren, zonder zelfs maar ooit met die persoon te hebben gepraat. Het was duidelijk dat in dit geval dergelijke rapporten van generlei waarde waren en dat men moest teruggaan naar het oeroude politiewerk, het bijeen puzzelen van de ontbrekende stukjes tot er resultaat was. Alleen Doc en Sloompie, aangevuld met nog een tweetal vazallen van de luiheid, zweerden bij haar kunnen, hoewel het de vraag bleef welke de echte reden was achter die aanbidding. Misschien was de korte flirt met één van de inspecteurs, een voor de derde maal gescheiden ex-rijkswachter, wel de enige reden dat zij voor vol werd aanzien.

Een tweede rapport kwam de GDA binnengewaaid en hieruit bleek dat men eindelijk werk had gemaakt van het psychiatrische profiel, de mogelijke karaktertrekken van de dader. Als opsporingselement had, behalve het eerste gedeelte, ook dit portret geen enkele waarde, maar voor het verhoor van opgepakte verdachten zou dit werkinstrument in de toekomst van goudwaarde blijken. Franco las geïnteresseerd in de documenten die voor hem keurig gestapeld lagen op zijn kraaknette bureau dat de macht van de hoofdcommissaris onderstreepte. De aangestelde psychiater, trouwens een goede vriend van hem, had keurig werk geleverd, beter dan het ondermaatse gepruts van Klaartje. Volgens de deskundige was de dader een manspersoon, tussen de vijf en twintig en de veertig jaar oud en in elk geval iemand die in de streek woonde of daar gewoond had. Het IQ zou niet al te hoog zijn, wat kon betekenen dat hij werkloos was, arbeider of in elk geval een niet leidinggevende functie in een bedrijf zou bekleden. Het was niet noodzakelijk dat hij over een vervoermiddel beschikte, gelet op het feit dat alle misdrijven binnen een straal van enkele kilometers waren gebeurd. Dat kon echter ook betekenen dat hij in de buurt woonde en door omstandigheden gebonden was aan het feit dat hij slechts kortstondige tijdstippen kon verdwijnen om de daad te plegen. Franco knikte onbewust goedkeurend, toen zijn ogen over de getypte lijnen vlogen. Als nieuw opsporingselement zou dit zeker niet voor de doorbraak zorgen, maar nu hadden ze tenminste de bevestiging van wat allang werd vermoed.

Het tweede gedeelte van het rapport handelde specifiek over de karaktertrekken, over het innerlijke van de dader. Hiervoor had de deskundige de beschikking gehad over de analyse die de inhoud van het strafdossier weerspiegelde en over de tijdslijn die door de analisten was opgesteld. Franco fronste de wenkbrauwen bij het doornemen van de teksten, want wat hij nu las, deed hem hopen dat later, bij een arrestatie, de maniak toch aan het praten gebracht zou kunnen worden. In een eerste analyse had de deskundige het vooral over de poging moord op de havenarbeider, de brave ziel die het gewaagd had om af te spreken met het liefje van 'het Beest'. De uitgebreide verhoren van Britt en de klanten, hadden de mogelijkheid geschapen een blik te werpen in de gedachtewereld van de dader, zonder dat men ooit zijn identiteit had achterhaald. Franco las opgewonden dat één van de belangrijkste bekommernissen van de geweldenaar, vooral een drang naar controle inhield. Zijn gedrag voor of na de misdaad hield in, dat er wel schuldgevoelens zouden zijn, maar vermoedelijk zou de drang naar controle de bovenhand nemen. Vermoedelijk eerder internalisering dan externalisering. Dat betekende jammer genoeg ook dat hij zich niet meer in de buurt van het café of zijn ex-liefje zou vertonen. Dat was een tegenslag, want ergens hadden de speurders gehoopt ooit een getuige te vinden die onze dader weer in de omgeving zag rondlopen.

Het rapport werd nu gedetailleerder en de psychiater had niet geaarzeld om zelfs een mogelijk portret van de aanrander te schetsen. Het psychologische defensiemechanisme duidde op splitsing, verdringing (van inhoud en/of gevoelens van herinneringen). Heel waarschijnlijk hadden we hier te maken met een heel wantrouwige, agressieve en overdreven gevoelige manspersoon, bij wie een mogelijke stoornis van het denken een kenmerk zou zijn. Psychotisch gedrag kon aanwezig zijn. Wraakzuchtigheid kon niet worden uitgesloten. Vermoedelijk was de wraakzucht te zoeken in gebeurtenissen uit het verre verleden, was hij misschien een incestslachtoffer of werd hij tijdens zijn tienerjaren geconfronteerd met een gebroken relatie, die hem belachelijk had gemaakt, diep had gekwetst. In dat geval zou de wraak gericht zijn tegen het feit dat, op bepaalde momenten, een storm van tegenstrijdige gevoelens hem onbewust weer naar het verleden brachten en dit met alle gevolgen vandien. Op dergelijke momenten konden al lang verbannen emoties terugkeren en hem doen ontploffen.

Volgens het onderzoek zou de verdachte vermoedelijk een passief agressieve persoonlijkheid hebben, wat inhoudt dat betrokkene bij zijn aanhouding uiterlijk gaat meewerken en meegaand zijn, maar in wezen de zaak gaat saboteren en dwarsliggen als hij het ergens niet mee eens is. Uit vroegere onderzoeken in andere zaken, was al gebleken dat dergelijke verdachten meestal seksueel geobsedeerd zijn en bijvoorbeeld opgaan in de SM.

Franco hijgde ongewild, want deze piste hadden ze nog nooit bewandeld. Het was allang gebleken dat de aanrandingen, verkrachtingen steeds gewelddadiger werden. Ook Britt had al eens laten doorschemeren dat haar vriend er soms vreemde gedachten op na hield. Maar SM? Dit zou in dit geval kunnen overeenstemmen met de rol van de zwerver in het SM spel, waarin men meestal de reële persoon naar voor ziet komen. Meer en meer kwamen de verklaringen, dank zij het rapport, in een ander daglicht te staan, kregen bepaalde bewoordingen en uitlatingen een andere inhoud. De zwerver was dus iemand die alles opkropte, hierbij zeer veel agressie opstapelde en dan plots losbarste. Hij zal met fikse agressie reageren op futiliteiten. De geuite agressie is dan niet het gevolg van het voorgaande feit, maar het losbarsten van de agressie.

Franco kon zich volledig verzoenen met de inhoud van het rapport, maar wist eveneens dat het moeilijk zou worden om het beest van de molen, de demon, bij de kraag te vatten. Zijn drang tot zelfbehoud en controle zou er immers voor zorgen dat hij geen fouten meer maakte en de kleine hoop dat hij nog op te merken zou zijn in de omgeving van zijn vroegere stamcafé was meteen de grond in geboord. Ergens kon de ervaren speurder nog altijd niet begrijpen hoe het mogelijk was dat iemand maandenlang het bed deelde met een vreemde, zonder dat ook maar iets van diens identiteit bekend was geworden. Tientallen keren was hij in het café te Stabroek geweest, maar niemand die kon vertellen hoe die man heette, waar hij woonde of werkte, of simpelweg op welke manier hij was aangekomen. Het marginale milieu van zijn bewoners, de getuigen in het dossier, zou daar zeker niet vreemd aan zijn geweest.

Franco begon aan het laatste hoofdstuk van de gemaakte studie. "Eens de agressie achter de rug, wanneer hij afgereageerd is, gaat hij terugvallen op zijn passief agressieve structuur en is hij in staat terug veel gecontroleerder te handelen." Hij knikte, want dit stemde volledig overeen met het verhaal van Lynn, die de wisselende gemoedstoestand van de zwerver had ervaren en na de gewelddadige verkrachting had opgemerkt hoe hij, rustig en kalm, met opgeheven hoofd, verborgen voor de omgeving, haar had verlaten, alsof er niets was gebeurd. Ook de manier waarop hij uit het havencafé was vertrokken en zich had laten opslokken door de duisternis, onzichtbaar voor passanten, wees erop dat men hier te maken had met een individu die nadien, door de drang naar zelfbehoud, zijn daden weer onder controle kreeg.

Tenslotte gaf de deskundige nog enkele raadgevingen mee voor het geval men de verdachte zou aanhouden. Het was duidelijk dat een dergelijke complexe persoon een speciale aanpak vereiste bij het verhoren en dat men niet op de boertige manier van Doc en Sloompie kon rekenen, om ooit bekentenissen los te weken. Gevolgen naar de verhoren toe waren duidelijk. Hier zouden de specialisten van de derde verdieping, die hun opleiding in Amerika hadden gekregen te werk moeten gaan. Wanneer de zwerver in zijn passief agressieve handelswijze zat, zou men immers zeer moeilijk tot geen vat krijgen op hem. Hij was als het ware door zijn persoonlijkheidsstructuur getraind om zich passief te verzetten tegen een overheersend iemand, zijnde de verhoorder. Franco wist dat zwijgen de meest doeltreffende manier was om in een verhoor passief verzet te tonen.

Uit voorgaande studies was al gebleken dat speurders dan te maken kregen met 'ik weet het niet meer', 'black-outs' en andere vormen van geheugenverlies, gewoon stiltes laten,... . De enige manier om hier doorheen te komen is door te proberen de verdachte op zijn 'borderline niveau' te krijgen, waarbij de reacties veel primitiever zullen zijn en er dus meer mogelijkheid bestaat om versprekingen, impulsieve uitlatingen te krijgen. Franco herinnerde zich de tientallen verhoren die hij in zijn lange carrière had gedaan en dat er ondanks een verpletterende bewijslast alleen maar sprake was geweest van ontkenning. Hij besefte dat hij toen ook wel eens te maken kreeg met dergelijke types. In het verleden konden de speurders echter nog niet rekenen op de hulp van deskundigen. Alles was een beetje aanmodderen geweest, hoewel gezond boerenverstand eveneens had gezorgd voor het oplossen van quasi onmogelijke zaken. Nu was men echter niet alleen meer speurder, maar vooral lid van een team, dat gezamenlijk het doel moest bereiken. Hiervoor kon je dan ook beroep doen op zogenaamde externe partners zoals aangestelde deskundigen. De afdelingschef van de dienst Agressie uit Antwerpen wist dat er nog veel werk aan de winkel zou zijn om iedereen hiervan te overtuigen, vooral die door hun egotripperij vastgeroeste individuen zoals Doc en Sloompie.

Hij las nog enkele malen de slotzin van het uitstekend te noemen deskundigenverslag. "Bij de tot op heden onbekende dader kan vermoedelijk een persoonlijkheid met als buitenlaag een passief agressieve structuur en onderliggend een borderline configuratie weerhouden worden", besloot het relaas. Hoewel goed onderbouwd, was duidelijk dat dit rapport voor verhoortechnieken van onschatbare waarde was, maar voor de opsporing van de dader geen nieuwe elementen bevatte.

Wel was de zwerver beter in beeld gebracht. Het leek dus te gaan om een volwassen, geobsedeerde, perverse manspersoon, die buitensporig geweld niet schuwde en vermoedelijk handelde uit een onbewust agressief reactiepatroon, dat ontstaan was door gebeurtenissen uit een ver verleden. Franco zuchtte, want zo liepen er wel duizenden potentiële daders rond, elk met hun eigen verhaal of beweegredenen. Het screenen van de mannelijke bevolking tussen de zestien en de zestig jaar oud was een huzarenstukje geweest en had niet het verhoopte resultaat opgeleverd. Honderden namen had de computer uitgespuwd, maar bij een eerste controle, bleken de gepleegde zedenfeiten te dateren van dertig jaar ervoor, waren de daders van toen al lang verhuisd of overleden. Als al eens een of andere verdachte de moeite waard was om te bekijken, dan bleek na een eerste vluchtig onderzoek al dat die voor de feiten zelf een perfect alibi had of zelfs in het buitenland vertoefde. Franco zuchtte andermaal diep en wist dat de weg nog lang was.

De demon is aan het dromen. Onrustig woelt hij in het rond en ziet hij zichzelf, als tienjarige, naakt, gebonden aan het bed, terwijl een lelijke vrouw zich over hem buigt. Ze fluistert onbegrijpbare woorden in zijn oor, woorden die zinnen vormen, te moeilijk zijn voor een kind. Hij voelt de slagen van de zweep, als straf voor wat hij heeft misdaan en met een luide schreeuw wordt hij wakker. Hij is kletsnat van het zweet en een golf van woede overspoelt hem, machteloos omwille van het verleden, angstig voor de toekomst. Hij beseft dat het pas middag is, dat niemand hem heeft gezien. Hij voelt de onrust opkomen en probeert alles onder controle te krijgen. Het mag niet mislopen. De tijd is nog niet rijp.

Het heden is de toekomst van het verleden.

Slechts als je na de dood van iemand,

nog altijd voor dat iemand vecht,

dan pas is het duidelijk

dat het een bijzonder iemand was.

Doc en Sloompie

Franco keek rond in de rechthoekige vergaderzaal op de achtste verdieping van het gebouw van de Federale Recherche te Antwerpen, gelegen in de nabijheid van de Bronx op een boogscheut van de wijk 'Den Dam'. Het was middag, ergens tussen half één en één uur. Hij telde zeventien koppen, wat in feite veel was op een uur dat iedereen gewoonlijk zijn middagpauze nam. De ploeg van Doc was ondertussen aangevuld met de analisten van de derde verdieping en verder namen nu zelfs de Onderzoeksrechter en zijn griffier eveneens deel aan deze vergadering. In zijn eigen stijl, soms carnavalesk, had de eerste, als onafhankelijk onderzoeksleider, het uitgebreide rapport van de deskundigen voorgedragen, maar het was inderdaad duidelijk dat er niet veel heil moest worden verwacht van eventuele nieuwe mediaoproepen, waar de persgeile Doc op aanstuurde. Neen, elk nuchter denkend mens wist dat dergelijke zaken alleen maar konden leiden tot het ongewild prijsgeven van onderzoeksgeheimen, iets waarvoor elke rechtgeaarde speurder schrik had.

Het was weliswaar een publiek geheim dat Doc en Franco, soms letterlijk, met de pers flirtten, maar het werd oogluikend toegestaan omwille van het feit dat ze hogere officieren waren in het geheel. Franco had beslist tot het dringend bijeenroepen van de vergadering, omwille van een nieuwe klacht die binnen was gekomen vanuit het gebied dat zorgvuldig in de gaten was gehouden. Een tienermeisje, Samantha genaamd, had zich met haar moeder, stiefvader en zus gemeld bij de lokale politie en had haar vreemde wedervaren verteld van enkele weken ervoor. Ze verklaarde dat ze alleen thuis was geweest toen een indringer haar had belaagd. Doc had het gerucht ook al opgevangen, maar had niets ondernomen, er van overtuigd zijnde dat het hier ging om de wilde fantasieën van een puber, die alleen maar in de belangstelling wilde staan. Zijn gebrek aan kunde en beoordelingsvermogen had er nu echter alleen maar voor gezorgd dat enkele kostbare weken voorbij waren gegaan en nu was het zeker te laat om de Technische

Rechercheploegen op zoek te laten gaan naar mogelijk nuttige vingersporen of DNA materiaal.

Franco had diep gezucht bij het zoveelste bewijs van onkunde, maar de
budgetten en de structuur van de vernieuwde Federale Politie stonden
hem niet toe om maatregelen te nemen en noodgedwongen moest hij
dus toezien hoe enkele rotte appels, ten koste van gezonde elementen,
deel bleven uitmaken van zijn ploeg. De vier personen, waarvan sprake
was in het flinterdunne dossier van de Lokale Politie, zouden zich
omstreeks veertien uur aanmelden aan de balie aan de Noordersingel
en vervolgens afzonderlijk worden verhoord. Het was nu al duidelijk dat
drie van de vier niets te melden zouden hebben en dat alleen de getuigenis van Samantha eventueel van nut zou kunnen zijn, maar er was
weinig hoop. Het geluk was dat de aanrander niet echt had toegeslagen,
maar nu al bleek dat het slachtoffer hem zelfs niet gezien had. Een
summier buurtonderzoek van de plaatselijke politie had niets opgeleverd. Het onderzoek zou waarschijnlijk de zoveelste maat voor niets
worden.

Samantha werd toevertrouwd aan Steve en Nadia, die hun best deden,
het verhaal te reconstrueren op een kalme, rustige manier, zonder dat
het slachtoffer het gebeuren, in gevoelens, een tweede maal moest
ondergaan. De opleiding van Rechercheverhoortechnieken in de
Federale School te Brussel wierp op dat gebied wel haar vruchten af.
Mireille kon niets anders dan vertellen dat ze met haar dochter Shana
die namiddag was gaan winkelen en ze slaagde er zowaar in nog enkele
aankoopbonnen ten bewijze naar voor te brengen. Guido kon alleen
maar praten over zijn cafébezoek aan diverse herbergen in de buurt,
waarbij hij tot zijn schade en schande moest toegeven al in de loop van
de namiddag dronken te zijn geweest. Zijn exacte uur van thuiskomst
wist hij niet meer, alleen dat het al donker was en iedereen op hem
wachtte. Van de wijkagent hadden de speurders vernomen dat Guido
inderdaad een luie drinkebroer was, die meerdere malen dronken
laverend tussen de wagens was gesignaleerd in het dorp.

Shana tenslotte werd verhoord door Doc himself, die dacht door zijn
perverse moppen en zijn vettige lach, de aandacht van de tiener te
kunnen winnen. Het was duidelijk dat het verhoor hem geen bal kon
schelen, want hij had meer oog voor de rondingen onder de bloes van
Shana, dan normaal te noemen was. Volledig gedegouteerd door de
werkwijze van de commissaris, die er altijd prat op ging de beste

verhoorder te zijn van de federale politie, verliet ze enkele uren later samen met haar familie het kantoor. Het onderzoek had tot op heden geen nieuwe elementen opgeleverd. De enige die wist wat er was gebeurd bleek Samantha te zijn, die wel een uitgebreide verklaring had afgelegd, maar de indringer zelf op geen enkel ogenblik had gezien. Het laattijdige optreden van de politiediensten had er voor gezorgd dat er nergens nog bruikbare sporen waren aan te treffen. Het dossier werd zonder gevolg geklasseerd.

Franco bleef die avond met een wrang gevoel alleen achter in de vergaderzaal van de achtste verdieping. Hij had met Steve en Nadia verschillende malen het kleine dossier doornomen en alle drie hadden ze het gevoel dat hier de sleutel lag. Er was geen enkel bewijs dat de indringer de zwerver was geweest, maar toch bleef die feeling in de vingertoppen zitten. Eén vraag bleef overeind: waarom had hij niet toegeslagen?

Somewhere there is a paradise,

where everyone finds release.

It is here on earth and between our eyes,

the place where we all find our peace.

It has no name, it has no fame,

it is just the place we call home.

There shines a light in the heart of a man,

defying the loss of his friend.

But remember, as long as you live in our heart,

we will defy and you will survive.

De zwerver

Vlakbij de Duitse grens, in het prachtige door wouden omgeven Nederlandse Westerwolde, ongeveer drie uren rijden van Antwerpen, ligt de vesting Bourtange. Het is een historisch vestingwerk dat nergens ter wereld zijn gelijke kent. Heden en verleden, jong en oud, antiek en modern gaan perfect samen in deze kleine, sfeervolle vestingstad. Het is gelegen op een zandrug in het vroegere moerasgebied op de grens met het machtige Duitsland. Over deze zandweg liep vroeger de zandrug, ook wel tange genoemd, die de stad Groningen verbond met Lingen en Westfalen. Onder graaf Lodewijk van Nassau werd in 1593 de vesting voltooid. In de vesting Bourtange is ontzettend veel te zien. De pastoorswoning, de vroegere soldatenbarakken, de Commanderie, alle stille getuigen van hoe het weleer was. Tienduizenden toeristen van over de hele wereld komen in de zomer de sfeer van weleer opsnuiven en in gedachten keren ze enkele honderden jaren terug, met nostalgie kijkend naar het oude bakkershuis of de gerestaureerde molen. Bourtange en de omliggende dorpen liggen niet zo ver rijden van de Veluwe en zijn vooral gekend voor zijn overheerlijke pannenkoeken, de vriendelijke bewoners, zijn vele kleine plaatsjes, waar vroeger herenboerderijen stonden met rieten daken, het uithangbord van de streek.

In het landschap ontwaren de toeristen ook oude arbeiderswoningen uit de achttiende en negentiende eeuw, die werden omgetoverd tot romantische cottages, weekendverblijven of kleine, nieuwe landhuizen, met verzorgde tuintjes en versieringen aan de gevels die de pracht van de streek accentueerden. Sommige van die kleine woningen zijn gastvrije restaurantjes geworden, waar de, meestal oudere, waardin het haar gasten voor enkele uren naar de zin probeert te maken. De toevallige passant uit den vreemde proeft er drank en spijzen die hij misschien nog niet heeft gezien in de grote stad waar hij woont en veel van die specialiteiten zijn vooral gekenmerkt door de liefde waarmee ze bereid worden. Zoetigheden worden zijn deel en overtollige kilo's het gevolg, maar dit is nu eenmaal verlof.

Op de gezellige markten vind je alle mogelijke kraampjes met inheemse en uitheemse producten. Bergen olijven, Griekse kazen en grote oven-verse pizza's wachtten op de kopers die vingers en duimen aflikkend, zich tegoed zouden doen aan het vele lekkers. Mensen met donkere huidskleur prijzen hun prachtige zijden gewaden aan, leren handtassen en portefeuilles. Door de broeierige temperaturen, als het een topzomer is, geeft het geheel een exotische indruk en beantwoordt volledig aan het droombeeld van een gezellige en geslaagde vakantie. Verder worden de oer-Hollandse snuisterijen aangeprezen door dames in traditionele klederdracht, die niet onderdoen voor de andere marktkramers.

Johan was afkomstig uit het Belgische Zandvliet en kende ondertussen de streek op zijn duimpje. Hij was een goede vriend van Boris en niemand die de jongeman, die smalend de zwerver werd genoemd, niet al eens had gezien ergens in de gemeente aan de Belgisch Nederlandse grens. Zijn eerste en tevens enige, wagentje was een versleten Opel Kadett van olijfgroene kleur, die al veel te veel kilometers op zijn teller had staan. Tot razernij van William, de wijkagent, reed hij nog rond met zijn schroothoop, die nauwelijks verzekerd was en alleen een bron van inkomsten betekende voor de enige benzinepomp in het naburige dorp. Het beestje slikte minstens zestien liter per honderd kilometer en niemand die wist hoe de landloper aan het nodige geld kwam om dit te bekostigen. Het autowrak diende soms zelfs als slaapplaats voor de vagebond, wanneer hij weer eens teveel had gedronken en zijn roes uitsliep in de schaduw van de kerk.

Toen hij nog in Zandvliet en omgeving verbleef, kon je hem meestal ontwaren in de buurt van de molen van Berendrecht, of in een vervallen, oeroude trekcaravan met één kapotte ruit, op het erf van Boer Hannes, die hem daar gedoogde in ruil voor karweitjes die hij moest opknappen. Ondanks het feit dat hij een geboren luiaard was, die altijd van de sociale steun had geleefd, moest gezegd worden dat hij geen twee linkerhanden had en voor elk probleem wel raad wist. De handige Harry vertikte het echter om van zijn kunnen een beroep te maken en verdiende liever iets bij op meer illegale wijze.

Het was een publiek geheim dat hij het gebruik en de verkoop van verdovende middelen niet schuwde en de jonge, marginale drugsver-slaafde werd al verschillende keren opgepakt in verband met diefstallen met geweld, nodig om zijn verslaving te kunnen bekostigen. Eenmaal was hij zelfs veroordeeld voor aanranding van de eerbaarheid, maar hij had zelfs hiervoor een uitleg klaar: het minderjarige meisje had ingestemd met de betrekkingen en ze kickte er op dat ze een pak slaag kreeg tijdens de daad. Dat hij ook verdacht werd van andere zedenfeiten wisten de meeste vrienden van toen niet, omdat die zich hadden afgespeeld in Soest waar hij zijn legerdienst had gedaan.

En plots was hij uit het straatbeeld verdwenen, even snel als hij vanuit Soest weer in België was opgedoken. Bijna niemand wist waar hij gebleven was, maar ook niemand miste hem echt. Er waren weinig mensen uit de polderdorpen die zich echt vragen stelden. Boris was wel op de hoogte dat hij naar de provincie Drenthe was verhuisd, in het noorden van Nederland, waar hij nu woonde in een kleine arbeiderswoning van weleer en aan de slag kwam als klusjesman, onder andere in het domein Bourtange. Af en toe hielden beide vrienden nog wel eens telefonisch contact met elkaar, maar de vriendschap van weleer was op een laag pitje komen te staan door de veel te grote afstand die hen nu scheidde.

Johan woonde ondertussen in het Noordoosten van Nederland, samen met een negentienjarige, werkloze drugsgebruikster die oorspronkelijk afkomstig was uit Groningen en slechts weinige buurtbewoners waren op de hoogte van zijn 'vlucht' vanuit het zuidelijke Vlaanderen. Hier voelde hij zich herleven, werd hij als het ware herboren. Door zijn soms asociale gedrag, zijn introverte karakter en het gebrek aan communicatie, viel hij niet op tussen de autochtone bevolking. Iedereen kende hem als 'Johan de Belg', die niemand een vlieg kwaad deed en voor een zakcent alle mogelijke werkjes opknapte. Hij was thuis in allerhande zaken en zowel elektriciteit als gasleidingen hadden geen geheimen meer voor hem. Het kleine huisje met een bewoonbare oppervlakte van nauwelijks tachtig vierkante meter, mocht hij gratis betrekken, in ruil voor de verbeteringen die hij er had aangebracht. De eigenaar was tevreden over de bewoner, tevens het manusje van alles, die van een krot een klein paradijsje maakte. Zelfs het kleine tuintje, nauwelijks een voorschoot groot, oogde netjes en verzorgd.

Het was ondertussen februari 2001 geworden en de nacht bleef duren. Johan en zijn liefje lagen te slapen in de slaapkamer, dicht bijeen als het ware om de nestelijke warmte niet kwijt te raken. Pitou, de dertien jaar oude grijze raskater lag vrolijk spinnend op de vensterbank, turend naar de sterren aan de donkere hemel, misschien dromend over de vele veldmuizen in de omgeving. Een hevige slag doorbrak de maagdelijke stilte en werd ogenblikkelijk gevolgd door een geroffel van tientallen gelaarsde voeten, die zich een weg zochten door de kleine woning. De slapers werden ruw gewekt door gemaskerde mannen die allerlei bevelen in hun oor schreeuwden. Enkele rode puntjes, afkomstig van de lasers op de vervaarlijk uitziende wapens, markeerden op het voorhoofd van beiden de plek waarin elk ogenblik een kogel kon inslaan. "Politie, niet bewegen" schreeuwde de leider van het team dat met veel gedruis de woning was binnengevallen. Door de koude nacht, voor iedereen onzichtbaar omwille van schemer die het licht overheerste, hadden de leden van het arrestatieteam uit Arnhem zich een weg gebaand naar de woning, om na een korte observatie toe te slaan.

Johan en zijn vriendin werden geboeid en keken, ondertussen doodsangsten uitstaand, maar vooral niet begrijpend in de kille ogen van de leider van het team. Na enkele ogenblikken was alles voorbij en herstelde de rust zich langzaam maar zeker. Eén manspersoon, in een onberispelijk donkerblauw kostuum gekleed, kwam uit de schaduw getreden en stelde zich voor als de rechter-commissaris, verantwoordelijke voor de actie. In duidelijke bewoordingen, uiterlijk onbewogen, stelde hij ook zijn griffier voor en het doel van de komst. Een buitenlandse politiedienst had de Nederlandse autoriteiten om medewerking verzocht hen bij te staan bij het uitvoeren van een Internationaal Rechtshulpverzoek. Johan werd verdacht van diverse zedenfeiten en aanrandingen in de buurt van Antwerpen en diende hierover gehoord te worden. Eveneens zou een huiszoeking gebeuren en werd verzocht om speeksel af te staan voor DNA bepaling.

Johan schudde niets begrijpend zijn hoofd, alsof hij een boze droom wilde verdrijven. Dit was een nachtmerrie, een vergissing, het kon niet waar zijn. Twee breed grijnzende manspersonen kwamen nu eveneens de al overbevolkte slaapkamer binnengewandeld, Doc en Sloompie, de vorige avond vertrokken uit het verre Antwerpen, keken geamuseerd rond hoe de verschillende leden van het arrestatieteam verder de woning uitkamden op zoek naar mogelijk andere bewoners. Ze leken zich onbewust van het afgrijzen van de hopeloze man die geboeid op het bed lag, die totaal onwetend was van wat er zich afspeelde in zijn eigen woning. Maar het kon hen niet deren, zij waren de baas, almachtig, heersend over vrijheid en detentie.

In enkele ogenblikken stortte de droomwereld, waarin hij al enkele maanden vertoefde, volledig in voor de vroegere inwoner van Zandvliet. Het gevoel van geborgenheid en veiligheid veranderde in een oogwenk in een afgrond van angst en onzekerheid. Geblinddoekt en geboeid werden de beide arrestanten naar anonieme wagens geleid, die door de nacht scheurden naar het dichtbijgelegen politiebureel, waar drie kwartier ervoor een stille, maar indrukwekkende stoet was vertrokken. Niemand van de buren had iets gemerkt, alleen de poes was getuige geweest van wat er zich had afgespeeld achter de gesloten gordijnen.

Nederlandse en Belgische speurders doorzochten de woning minutieus alsof hun leven er van afhing. Doc glunderde, want dit was zijn moment van glorie waarop hij had gewacht. Cafékennissen waren vrienden van hem geworden en tijdens één van zijn vele herbergbezoeken in de omgeving van Berendrecht en Stabroek had hij het gerucht opgevangen over een dakloze, Johan genaamd, die rond het tijdstip van de feiten was verdwenen. Doc was er van overtuigd dat dit het monster van de molen was dat ze zochten en had zich in het zwakke spoor gebeten, als een pitbull die zijn prooi niet meer wilde loslaten. Ondanks het zwaar gerechtelijk verleden, had blijkbaar geen enkele instantie recente foto's van hem die aan getuigen konden worden voorgelegd. Zijn vingerafdrukken werden vergeleken, met negatief resultaat, maar Doc voelde aan dat hij hier zou scoren. De vernedering was eindelijk weggewist, de rehabilitatie kon beginnen en heel binnenkort zou zijn ster weer schitteren aan het firmament van de Federale Politie.

Hij had er veel over gepraat met de collega's van de dienst, die hem tot enige voorzichtigheid aanmaanden, maar uiteindelijk had hij toch zijn zin doorgedreven en was hij met Sloompie in Nederland beland voor het uitvoeren van het Internationaal Rechtshulpverzoek. Hier voelde hij zich opperbest met zijn grootse verhalen waaruit steeds weer bleek welke onmisbare speurder en superflik hij wel was. Een tweede Baantjer als het ware, de levend geworden Sherlock Holmes. Ondanks de afstand was het toch Franco die de uiteindelijke leiding behield en vanuit Antwerpen de volledige actie coördineerde, in samenspraak met de Onderzoeksrechter.

Steve en Nadia haalden om zeven uur de dokwerker en Britt bij hen thuis op, wachtend op de eerste berichten vanuit Nederland. Volgens afspraak zouden digitale foto's van Johan onmiddellijk per e-mail worden overgemaakt. Bij een positieve herkenning wachtte een Europees aanhoudingsbevel en zou de oorzaak van alle Kwaad onmiddellijk worden overgebracht naar Antwerpen, waar hem vele jaren verblijf in de middeleeuwse gevangenis aan de Begijnestraat verzekerd leek. De dokwerker wachtte vol angst af of hij zijn belager zou kunnen herkennen of het de Federale Recherche zou gelukt zijn een einde te maken aan zijn nachtmerries. Voor Britt was het meer een uitstapje, een doorbreking van de dagelijkse sleur in haar saaie leven. Om tien minuten over acht kwam het eerste nieuws op de achtste verdieping binnengesijpeld: de huiszoeking was volledig negatief. Geen enkel element wees op enige criminele activiteiten die door het koppel zouden zijn gepleegd. Even was er ongeloof in de vergaderzaal die als commandopost was ingericht, maar men was ervaren genoeg om te weten dat een doorzoeking zonder resultaat, niet noodzakelijk betekende dat men op het verkeerde spoor zat.

Doc vertelde honderduit aan de telefoon over de manier waarop beide verdachten waren aangehouden en zijn nimmer in de steek latend ego had hem zelfs overtuigd dat heel binnenkort de bekentenissen op papier zouden staan. Het negatieve resultaat van de huiszoeking had alleen te maken met het criminele inzicht dat het drugskoppel had en hun nimmer verdwijnende afkeer en wantrouwen tegenover de politiediensten, overal ter wereld. Franco hoorde, bijna moedeloos, de lofzang aan die Doc zichzelf toedichtte, niet volledig overtuigd van het gelijk van zijn ondergeschikte. Hij wist dat Doc zelfs bevriende persmensen had ingelicht van zijn missie en vreesde elk ogenblik vragen uit die hoek te krijgen.

Hij apprecieerde dan toch meer de no-nonsense politiek van Steve en andere collega's die zich baseerden op feiten en niet op dromen. Doc en Sloompie namen soms teveel hun wensen voor werkelijkheid en jammer genoeg hadden ze al anderen binnen het team besmet. Zo waren er een vijftigjarige Gentenaar die zich had laten strikken door een vierentwintigjarige nieuwe inspectrice en die nu slaafs alle zaken uitvoerde die door Doc werden opgedragen, ongeacht het feit of ze al dan niet zinvol waren. In ruil voor het stilzwijgen over hun geheime seksuele relatie, verafgoden ze hem, zonder in te zien welke schade ze toebrachten aan de sfeer binnen het korps en aan verschillende onderzoeken. Franco was er zich van bewust dat vroeg of laat de stal zou moeten uitgekuist worden, maar hij stelde die moeilijke taak zo lang mogelijk uit. Dergelijke zaken konden alleen maar schade toebrengen aan de naam en faam van de dienst in het algemeen en aan die van de leidinggevende personen in het bijzonder.

Ondertussen had op verzoek van Doc een eerste summier verhoor plaatsgevonden en in tegenstelling tot de vigerende orders was het pas rond elf uur dat de digitale foto's ter voorlegging werden doorgestuurd. De getuigen, evenals de rechercheurs, wachtten in Antwerpen nagelbijtend op de resultaten vanuit Nederland. De verhoorlokalen werden in gereedheid gebracht, de getuigen werd afgezonderd. De digitale beelden waren van uitmuntende kwaliteit en konden zeker ter herkenning dienen. De foto's werden ingepast in reeksen. Het duurde een eeuwigheid voor de speurders plaats hadden genomen tegenover de slachtoffers, die zelf zenuwachtig waren wat er verder zou gebeuren. Op verzoek van de onderzoeksrechter werden de verhoren gefilmd, om de advocaten later geen kans te geven en hen te laten stellen dat getuigen onder druk werden gezet. Hier werd niets meer aan het toeval overgelaten, de waarheid, het recht zou zegevieren. Bijna tegelijkertijd werden in twee aparte lokalen een mapje van vijf en twintig identieke foto's voorgelegd, waarbij Johan het nummer dertien had gekregen. De dokwerker bekeek aandachtig foto per foto, aarzelend, zich bewust van de zware taak, verantwoordelijkheid die op zijn schouders rustte. Op het einde van de reeks lichtten zijn ogen op en gaf hij het antwoord aan Steve. Ondertussen ploegde ook Britt zich door de reeks, zo snel dat ze enkele foto's, waaronder die van Johan, onbewust vergat. Nadia liet haar een tweede maal de reeks doornemen en eindelijk was ook haar taak klaar. De marginale vrouw voelde geen verpletterende verantwoordelijkheid, alleen wraakgevoelens waren komen opborrelen ten opzichte van het monster dat haar had bedrogen.

Om kwart voor twaalf precies kwam Nadia aan Franco de langverwachte en vooral gevreesde mededeling doen: Johan was niet de gevreesde, waanzinnige aanrander. Zowel de dokwerker als Britt waren tweehonderd procent zeker dat Johan de aanrander niet was. Twijfel was uitgesloten. Verslagenheid heerste alom en wat iedereen toch min of meer had zien aankomen, werd nu bewaarheid. Onkunde en egotripperij hadden weer de bovenhand gehad op gezond boerenverstand en teamgeest. Franco raasde schuimbekkend door de gang en zweerde dure eden. Voor eens en voor altijd zou hij korte metten maken met het wangedrag van het team 1. Gedaan met het geouwehoer zoals in de oude politiecultuur. Vanaf nu zou een nieuwe wind waaien. Wie niet wilde buigen, zou barsten.

Je naam in marmer geschreven,

Je beeld in mijn hart verweven,

Het ga je goed op die lange reis,

Je bent niet alleen,

Wij zijn er bij.

Operatie Don Quichotte

Maart 2001. De lente kondigde zich somber aan. Regen en wind hadden sneeuw en koude verdreven en heersten onverzettelijk over de al verdronken landbouwgrond in de Polders. De eeuwenoude eiken in de desolate landschappen kreunden onder het geweld van de voorjaarsstormen, donder en bliksem zorgden 's nachts voor het klank- en lichtspel. Hagelstenen, sommige zo groot als een duivenei, geselden de glazen daken van de serres, de bevolking beefde onder de onstuimigheid en de kracht dat het noodweer met zich meebracht. De winter had weinig voorspoed gebracht in de kleine gemeenschap aan de Schelde. Nog twee maal had de zwerver toegeslagen, de terreur en de angst leefden in de harten van de mensen.

Het werd zeven maart. Een prille lentezon priemde haar eerste stralen door het donkere wolkendek, als voorbode van een lenteoffensief dat de bloemen zou doen bloeien, de mens weer de nieuwe energie geven die hij nodig had, een levenslust in zijn bestaan. In de sectie Agressie van de Federale Politie te Antwerpen was ondertussen veel veranderd. Sloompie was verbannen uit de afdeling en kon zijn dagen slijten tussen de stofferige, vergeelde dossiers in een documentatiecentrum aan de Boomsesteenweg te Wilrijk, in de voormalige Kazernes van de Rijkswacht. Elke dag van acht tot vijf inventariseerde hij duizenden pagina's papier en selecteerde hij die volgens hun bestemming. Het koppeltje van de afdeling, de oude geilaard uit Gent en de jonge inspectrice waren elk hun eigen weg gegaan, officieel vrijwillig, maar vooraf wetende dat ze in feite geen keuze hadden. Hij had een functie gekregen binnen het geheel voor het enige waar hij nog goed in was: telefonist aan de balie, om klagers en verdachten te wijzen naar welke bureel ze moesten gaan. Zij was teruggekeerd naar haar geboortedorp, waar ze nu bij de lokale politie werkte en elke dag het verkeer regelde op een kruispunt waar hoogstens vier wagens passeerden.

Doc was een ander paar mouwen geweest voor Franco, die met de steun van de gerechtelijke Directeur de verregaande hervorming had voltooid. De commissaris had zich heftig verzet tegen elke wijziging in zijn team en wilde zich niet neerleggen bij het aanvaarden van een andere functie. Maar hoogmoed komt ten val, altijd. Een ophefmakend interview verscheen in een links weekblad, waarbij personen uit het drugsmilieu hun beklag maakten over leden van de Federale Politie. Verder citeerde de journalist 'een anonieme bron binnen de kringen van justitie'. Het parket was razend en het comité P had een diepgaand onderzoek gevoerd. Het resultaat was verbluffend geweest. Doc bleek de mol te zijn, de verklikker, de leugenachtige opschepper die de geheimen van dossiers verkocht aan persvriendjes in ruil voor enkele pinten bier of aandacht in de pers. Hoe dieper men groef, hoe meer moordzaken of zedenzaken aan het licht kwamen die ooit door Doc aan de pers waren gelekt. Hij werd op non actief gezet en zou in het beste geval alleen maar gedegradeerd worden en niet ontslagen. De prins van de onkunde en het bedrog was eindelijk ten val gekomen.

In overleg met de Onderzoeksrechter werd het dossier toevertrouwd aan een nieuw team, ervaren hoofdinspecteurs gemixt met nieuwe, jonge, enthousiaste krachten, onder leiding van Luc, een vijftiger die zijn sporen al lang had verdiend. Hij was een voormalige Rijkswachter die in een alleenstaande villa woonde, ergens in het Noorden van Antwerpen. Hij was een doordouwer, die bekend stond om zijn scherp-zinnigheid, zijn intuïtie en vooral zijn doorzettingsvermogen. Bovenal was hij een sociaal mens die nooit iemand in de steek liet en waarop men huizen kon bouwen. Tientallen speurders uit binnen- en buiten-land hadden in het verleden al beroep gedaan op zijn ervaring en mensenkennis om de moeilijkste dossiers op te lossen. Hij was bekend geworden omwille van zijn inzicht in de ontvoeringszaak van een Baron uit de Kempen, maar eveneens door het oplossen van de verdwijning en moord op twee minderjarige tieners en het ontmaskeren van een bende geweldenaars die in de buurt van de petroleumhaven hadden geëxperi-menteerd met een springtuig. Daar waar iedereen het zou opgeven, verscheen Luc ten tonele op zoek naar de waarheid en rechtvaardigheid. Dit laatste was trouwens zijn handelsmerk geworden. Zijn nimmer aflatende strijd tegen onrecht hadden er in feite voor gezorgd dat hij nooit die benoeming had gekregen die hij al lang verdiende. Hij was iemand die niet wilde weten van intriges en manipulaties. Luc was recht door zee en kwam regelmatig in aanvaring met zijn superieuren, als hij weer eens zag hoe inspecteurs onheus werden behandeld. Hij was de beste keuze om leiding te geven aan een team zorgvuldig geselecteerde rechercheurs met als enige taak het aanhouden van het monster.

In de briefingroom zat het achtkoppige team aandachtig te luisteren naar wat Luc hen te vertellen had. De avond ervoor was opnieuw een tiener aangerand met ogenschijnlijk bruut geweld, dit maal in Stabroek op tweehonderd meter van het politiebureel. Het meisje was aan het ergste ontsnapt door een toevallig voorbijrijdende fietser, die niet geaarzeld had om in te grijpen. Een zwerfachtige gedaante had de vlucht genomen en de getuige had gehoord hoe een tiental seconden later een motor had aangeslagen van een voertuig, dat zich snel uit de voeten maakte. Hij had de vlucht genomen richting van de Antwerpse haven, maar noch het meisje, noch de getuige had kunnen zien om welk type voertuig het ging. Eén ding was zeker: dit was een kans die men niet zomaar voorbij kon laten gaan, want iedereen was er van overtuigd dat het monster hier weer had toegeslagen. Luc had vooraf al een vergadering voorgezeten met de Onderzoeksrechter en de Gerechtelijke Directeur en iedereen begreep dat hier alle mogelijke bijzondere technieken zouden worden ingezet.

Het plan was geniaal in al zijn eenvoud. Een buurtonderzoek zou op gang komen, van Stabroek tot Zandvliet, van Berendrecht tot Lillo, waarbij iedereen ondervraagd zou worden. De speurders zouden nagaan of men de vorige dag, omstreeks achttien uur, ergens een wagen in volle vaart had zien voorbijrijden. In kleine polderdorpjes, waar iedereen zijn buurman kende, waar soms maar enkele auto's per dag passeerden, had men veel kans dat een oud besje, of een nog sportieve grijsaard inderdaad iets vreemds had opgemerkt. Ervaring had Luc geleerd dat men de drempel naar de politiediensten zo laag mogelijk moest houden, dus ging men zelf naar de mensen toe, in plaats van via grote interviews de bevolking om medewerking te verzoeken. Hij zou een beroep doen op twee pelotons van de DAR, de algemene reserve van de Federale Politie, bestaande uit jonge, pas afgestudeerde agenten en inspecteurs. Hij wist dat zijn keuze goed was, want die horde zou zich nog willen bewijzen en psychologisch gezien zou de glimlach van een drieëntwintig jarige blonde deerne meer ontwapenend werken dan de stuurse blik van doorgewinterde speurders.

Om twintig voor twee die namiddag vertrok een lange colonne voertuigen naar de vredige dorpjes, in de buurt van één van de grootste containernaties van Antwerpen. Honderd en drie en veertig speurders kwamen letterlijk aangerold en overspoelden Berendrecht als een leger soldaten dat zich van de vijandelijke steden meester maakte. Het pas gebouwde politiebureel en de belendende school deden dienst als tijdelijk hoofdkwartier, waar de rechterlijke macht zijn tenten had opgeslagen. Vier tot de tanden gewapende leden van de elite-eenheid DSU posteerden zich aan de ingang van de school om te vermijden dat nieuwsgierige buurtbewoners of al te ijverige persjongens de lokalen zouden betreden. De onderzoeksrechter en zijn griffier, vergezeld van de zonemagistraat en de vertrouwensmagistraat kwamen aangereden in een zwarte BMW van de vijf serie, voorzien van het obligate zwaailicht en sirene. Op alle invalswegen naar de dorpen stond een politiewagen duidelijk zichtbaar opgesteld om op het eerste bevel de straat onmiddellijk af te sluiten. In nauwelijks een half uur tijd werden vier dorpen als het ware omsingeld door een indrukwekkende ordemacht, klaar om één van de grootste operaties te starten, die het gerechtelijke arrondissement Antwerpen ooit had gezien. De orders waren glashelder: per team van vier personen zou elke straat, elke woning worden bezocht op zoek naar potentiële getuigen die meer konden vertellen over de aanrander of zijn voertuig. In een positief geval zou vanuit de middenschool onmiddellijk een ploeg van twee rechercheurs van de dienst Agressie de vrouw of de man ophalen en hem, of haar, in één van de afgeschermde lokalen aan een grondig verhoor onderwerpen. Elke strohalm zou worden aangegrepen en het na de laatste aanranding was er nog maar één prioriteit: het monster van de molen diende te worden gevat. Er was geen genade meer voor de zwerver, oog om oog, tand om tand, de slachtoffers moesten worden gewroken. Vrouwe Justitia stond klaar om toe te slaan. Operatie Don Quichotte kon van start gaan.

De demon zag de tientallen voertuigen, in een indrukwekkende colonne, de anders zo rustige hoofdstraat van Berendrecht binnenrijden, honderden tonnen ijzer en staal, op zoek naar hem. Hij telde meer dan honderd verbeten gezichten, figuren allen voorzien van kogelvrije vesten, zwaarbewapend, zonder enig spoor van emotie of genade. Hij voelde de spanning opkomen en wist dat hij geen enkele fout meer mocht maken. De speurders reden de openstaande schoolpoort binnen, die onmiddellijk werd gesloten en hij ontwaarde zowaar scherpschutters op het dak, die met hun vizier alles nauwgezet in het oog hielden.

Hoog boven zijn hoofd cirkelde een helikopter van de Federale Politie en een stem diep in hem gebood de vlucht om te vermijden dat hij opgemerkt werd. Hij mocht niet in beeld komen, geen aandacht trekken van de passanten. Zijn drang naar overleven, naar zelfbehoud, gaf hem de kracht om onzichtbaar te worden voor de omgeving. De demon glimlachte, hij wist beter, zelfs deze storm van geweld zou hij doorstaan. Hij zag hoe stapsgewijs de tentakels van het gerecht zich sloten rond het vredige dorp, hoe op alle kruispunten voertuigen verschenen die stil bleven staan, wachtend op het teken voor de nakende aanval. Vanuit zijn nest hield hij de omgeving verder in het oog en zag hoe tientallen speurders de straten begonnen te overspoelen, op zoek naar iets of iemand. Gisteren had hij bijna het onbereikbare bereikt, maar een toevallige fietser had zijn plannen gedwarsboomd en als een gewond dier was hij gevlucht naar een veilige haven. In al zijn haast was hij er toch nog in geslaagd om onzichtbaar te blijven voor mogelijke getuigen, maar hij besefte nu meer dan ooit dat de toekomst hard zou worden. De poorter van het Kwade had een reactie verwacht, maar hij moest toegeven dat, wat hij nu zag, alle verbeelding tartte. Hier werd hij er op gewezen dat men Hem, de Boze, niet duldde. De mens stond klaar om terug te slaan, hard en ongenadig, met enorm veel geweld, op die manier zoals hijzelf zijn slachtoffers had behandeld. Maar zijn missie was nog niet voltooid. Hij had nog slechts enkele dagen nodig....

In Bahrein staat een boom,

de levensboom.

Er is geen water, er is geen groen,

hij heeft het recht niet om er te zijn.

Jij had geen recht om hier nog te zijn.

Maar ik ben hier en ik blijf.

Bij jou.

Voor jou.

Het Spoor

Om precies twintig over vijf die namiddag braakte de middenschool van Berendrecht tientallen voertuigen uit, allen bemand met gemotiveerde, jonge dienaars van de wet, die werden geleid van Zandvliet naar Stabroek, vanaf Lillo over de vier windstreken heen. Ondertussen had het Communicatie en Informatiecentrum van de Federale Politie, samen met de operator A.S.T.R.I.D., gezorgd voor een tijdelijke commandoroom, waarbij hoogtechnologische hoogstandjes werden gebruikt om elke communicatievorm mogelijk te maken. Luc keek nerveus op zijn horloge, wetende dat wat nu gebeurde al lang had moeten plaatsvinden. Dit was de kans om het beest te stoppen. Deur aan deur, per twee, als getuigen van Jehova, maakten de verschillende speurders zich kenbaar aan de mensen die hun deur opendeden. Honderden malen werden dezelfde vragen gesteld, evenveel keren met negatief resultaat tot gevolg. De analisten die speciaal meegekomen waren naar de middenschool wachtten nagelbijtend, volledig werkloos, op het eerste nieuws dat hen zou bereiken. Om tien voor zeven werd een eerste situation-report voorgesteld. De bevraagde zones waren stelselmatig in kaart gebracht, rood betekende bevraagd en negatief, oranje betekende dat de bewoners afwezig waren, groen betekende een mogelijk spoor. Alles kleurde op dat ogenblik rood en oranje, dertig procent van de bevolking was bevraagd.

De avond begon te vallen over de polderdorpen, die een spookachtige aanblik kregen door het kunstlicht van de stationair draaiende voertuigen op de kruispunten en de schijnwerper van de helikopter die regelmatig over de tuinen vloog. Het was erop of eronder. Een ijzige stilte, gevolgd door een beklemmend gevoel, overheerste na de eerste analyse van de resultaten. Negatief over de hele linie, alsof niemand in dit verdorven oord ook maar één stap buiten zette of iets had gezien. Het was alsof de Duivel de strijd aan het winnen was. Luc vloekte inwendig, wetende dat het volgende rapport er pas over een tweetal uren zou aankomen, een hels lange tijd van wachten en nietsdoen. Operatie Don Quichotte kostte tienduizenden euro's en leverde vooralsnog niets op.

Om zeventien minuten over acht weerklonk het gerinkel van een GSM, als het signaal, de voorbode van een langverwachte orkaan van bedrijvigheid. Iedereen keek gespannen naar Luc die ernstig keek, terwijl aan de andere kant van de lijn iemand opgewonden ratelde. Hij kneep even de ogen dicht en haakte in. Hij zuchtte diep, keek naar zijn toehoorders en sprak: "Dames, heren, er is werk". Vijf woorden die een storm van gejuich lieten ontstaan, een bedrijvigheid zoals alleen de koningin der bijen in de bijenkorf kan orchestreren.

Een anonieme wagen van de Federale Politie vertrok met gierende banden vanaf de speelplaats van de school, voorzien van zwaailicht en sirene. Agenten op de verschillende kruispunten hadden radiofonisch de opdracht gekregen ervoor te zorgen dat het voertuig overal onbelemmerd doorgang kreeg. Exact zeven minuten en dertien seconden later stapten Luc, Steve en Nadia uit bij een lage eengezinswoning, waar de verf van de armetierige luiken bladerde. De buurt was beducht op zoveel aanwezigheid van leden van de wet en nieuwsgierige blikken vanachter gesloten gordijnen hielden alles nauwgezet in het oog. Pal voor de woning stonden twee patrouillewagens van de lokale Politie Antwerpen, met grimmig kijkende inspecteurs, wachtend op de mogelijke orders die zouden komen. Deze spierbundels in uniform wisten dat zij hun rol moesten spelen in het schimmenspel en voelden aan dat er iets te gebeuren stond. Daar, in Stabroek op een boogscheut van de enorme Antwerpse haven, hoopten de doorgewinterde speurders het eerste spoor van de verdachte te kunnen oppikken. De strijd tegen het beest, het monster van de molen, was in volle gang.

Nieuwsgierig, maar vooral bloednerveus, stapten de drie rechercheurs uit de wagen, waarna, als op een onzichtbaar commando, de voordeur van de arbeiderswoning werd geopend door een jonge rekruut uit Brussel, die glimmend van plezier zijn verhaal deed. Hij was trots dat hij volgehouden had, daar waar collega's al lang zouden hebben opgegeven en wist dat zijn gedrevenheid en doorzettingsvermogen door de Federale Recherche zeker op prijs zou worden gesteld. In de woning bevond zich Marcel, een achtendertig jarige werkloze zoon van een landbouwer uit de streek, die er de gewoonte had om, uit verveling waarschijnlijk, elke dag in de week, van vijf tot half zeven ' s avonds in de buurt rond te wandelen, als een soort eigentijdse buurtwacht. Hij werd er niet voor betaald en in feite werd hij zelfs met moeite in de wijk gedoogd, maar deze simpele ziel had zichzelf uitgeroepen tot een éénmansbewakingsdienst die de streek zou beveiligen tegen alle mogelijke onheilsdaden en uitwassen.

De vorige dag had hij, omstreeks vijf over zes, een personenwagen in volle vaart zien rijden in de richting van de Antwerpse haven. De bestuurder had hij slechts vluchtig gezien, onvoldoende om hem te herkennen, maar het voertuig had zijn aandacht getrokken omwille van de veel te hoge snelheid en het zwalpen over de weg alsof een dronkeman achter het stuur had plaatsgenomen. Op dat ogenblik had hij niemand anders in de straat ontwaard, want de meeste mensen keken naar de populaire programma's 'Familie' of 'Thuis' en wandelden zeker niet in hun eentje in de buurt rond.

Marcel genoot van alle aandacht en glunderde toen hij hoorde dat een echte officier van de Federale Politie met zijn twee naaste medewerkers speciaal naar hem was gekomen om het verhaal te horen, dat hij al voor de derde keer vertelde. "*Een bordeauxachtige of rode Opel Kadet van het bouwjaar 1995 of 1996*" had hij in volle vaart zien scheuren, door de verlaten dorpskom. Op de nummerplaat had hij niet gelet, alleen dat het een Belgische was. Er waren geen speciale stickers of kentekens aan het voertuig, geen krassen of blutsen. Eén persoon zat achter het stuur, onherkenbaar omdat hij ineengedoken zat, alsof die figuur elk moment een kogel door de voorruit verwachtte. Hij was niet onopgemerkt gebleven, omdat hij op een bepaald ogenblik bijna een bloembak ramde en in volle vaart op een verkeersdrempel was afgestoven, als wilde hij het wereldrecord jumpen met een voertuig verbeteren.

Luc glimlachte. Wat ze hadden was niet veel, maar binnen enkele uren zouden de analisten hem een lijst bezorgen met alle Opel Kadet's van de bouwjaren 1990 tot en met 1999, die nu in België rondreden. De kleur was geen maatstaf, want een voertuig kon ondertussen opnieuw geverfd zijn. In eerste instantie zouden alle eigenaars van een dergelijk voertuig, binnen een straal van twintig kilometer rond Stabroek, een bezoek krijgen van de politiediensten, maar indien onontbeerlijk, zou de nodige capaciteit worden vrijgemaakt om alle eigenaars in België met een bezoekje te vereren.

Om twintig voor tien die avond was het geïmproviseerde centrum in rep en roer. Een tweede getuige had zich gemeld. Hier was nu geen twijfel meer mogelijk: het beest van de molen was de bestuurder van de Opel Kadet. Een euforische stemming maakte zich meester, zowel van de doorgewinterde rechercheurs als van de nieuwe rekruten, die inzagen dat ze getuige waren van de beëindiging van een tweede zaak Dutroux. Broodjes werden inderhaast aangerukt, de geur van versgezette, dampende koffie verspreidde zich langzaam maar zeker door de gangen van de lokale middenschool. Om twintig minuten na middernacht kwamen de laatste ploegen binnen in de turnzaal, die ondertussen was omgetoverd tot een enorme vergaderzaal. Het werd ijzig stil toen Luc en de Onderzoeksrechter hun intrede deden.

Luc sprak met harde stem de oververmoeide manschappen toe. De analisten hadden hun werk gedaan en een lijst van zeven personen gepresenteerd die in aanmerking kwamen voor de gruwelijke feiten van het afgelopen jaar. Allen waren het mannen, tussen de vijf en twintig en drie en veertig jaar oud, woonachtig in een straal van negen kilometer rond de molen en in het bezit van een Opel Kadet zoals de getuigen hadden beschreven. Jammer genoeg waren er geen foto's van hen beschikbaar om al voor te leggen aan de Dokwerker, Lynn of Britt. Ondertussen waren observatieteams ingezet die de geïdentificeerde voertuigen in het oog hielden. Eén ervan was teruggevonden op de parking van een fabriek, drie en twintig kilometer verder, in de omgeving van Beveren. Het was duidelijk dat de eigenaar er werkzaam was en zijn shift, behoudens ongeval of ziekte voor zes uur niet zou verlaten. Een ander voertuig stond schots en scheef geparkeerd voor een dorps-café in Stabroek. Hiervan werd vermoed dat de eigenaar, allicht ver boven zijn theewater, dan maar te voet naar huis was vertrokken. De andere vijf wagens waren gesignaleerd in de onmiddellijke omgeving van hun woning.

De orders waren helder en niet voor enige interpretatie vatbaar. Wanneer een voertuig zich in beweging zette voor zeven uur in de ochtend, dan zouden de observatieploegen de verdachte klemrijden, ver genoeg buiten de woonplaats en de bestuurder arresteren. In dat geval zou hij ook onmiddellijk worden overgebracht naar de burelen van de Federale Politie te Antwerpen. In het andere geval zouden speciale eenheden van de DSU uit Brussel en Luik, het observatiewerk overnemen en de panden om precies zeven uur stipt, gewapenderhand binnendringen.

Op datzelfde ogenblik zouden simultaan de huiszoekingen van start gaan en de slachtoffers worden opgehaald voor eventuele herkenning van de aanrander. Een helikopter zou vanuit de lucht alles in het oog houden, speurhonden zouden worden ingezet om te zoeken naar sporen in de woningen, straten worden afgesloten om nieuwsgierige persmensen op afstand te houden.

Met open mond luisterden de aanwezigen naar het eenvoudige, maar toch geniale plan, dat duidelijk door een meesterstrateeg op poten was gezet. De komende uren konden ze nog rusten in de geïmproviseerde slaapzalen die in de klaslokalen waren ingericht, op de militaire veldbedden die in allerijl waren aangebracht. Om zes uur, bij het aankomen van de arrestatieploegen zou een laatste briefing zijn, één uur voor de aanval op het Beest. Iedereen was er klaar voor.

De Demon sliep slecht en liep naar het raam. De nacht was donker, de hemel helder, als voorbodes van wat komen zou. Door het raam zag hij geen beweging meer. Hij was bereid te sterven, hij wachtte op de aanval die er vroeg of laat zou zijn. Het Kwade zou zijn offer krijgen......... als de tijd het nog toeliet.

Waarom?

Waarom ben je naar de overkant gegaan?

Waarom?

Waarom kon je niet wachten?

Waarom?

Eén woord, duizenden vragen.

Eén vraag.

Waarom?

Duizenden mogelijkheden.

Geen antwoord.

Je naam staat voor eeuwig in mijn hart gegrift.

Waarom?

Omdat ik van je hou.

Slaap zacht.

Het rijk van de Demon

Acht minuten voor zeven in de morgen. De merels in de bomen, de wolken aan de hemel zijn de enige getuigen van de menselijke gordel, het net dat langzaam maar zeker wordt dichtgetrokken rond het Beest van de molen. In het opgerichte Communicatie en Informatiecentrum is de spanning te snijden. Vanaf zes minuten over half zeven is de firma A.S.T.R.I.D. er, via een sattelietverbinding, in geslaagd om de infrarode helikopterbeelden door te stralen, naar zowel het hoofdkwartier op de Noordersingel te Antwerpen, als het crisiscentrum te Berendrecht. Als volleerde commando's sluipen zwaar bewapende en gemaskerde mannen, van de uit Luik en Brussel speciaal voor deze operatie opge-roepen arrestatie-eenheden, naar de woningen van hun doelwit, als hongerige roofdieren op zoek naar hun prooi. De huizen worden omsingeld door de commando's, de eerste rode stippen van lasergewe-ren met vizier tekenen zich af op de gevels en de ramen.

Bijna overal zijn de lichten in de loop van de morgen aangestoken bij de niets vermoedende huisgezinnen, die zich opmaken voor het werk, om de kinderen naar school te brengen, of gewoon om rustig te ontbijten bij het lezen van de krant. Vier minuten scheiden de manschappen nog van het aanvangsuur voor de grootste aanval op het Beest sinds de aanvang van de gruwelijke reeks feiten. Zekerheid op succes is er niet, daarvoor is men te realistisch, te nuchter geworden de laatste maanden en iedereen houdt rekening met een mislukking. Maar justitie is verplicht alle middelen in te zetten om de bevolking weer een gerust gemoed, een subjectief gevoel van veiligheid te bezorgen.

Om twee minuten voor zeven uur worden de laatste radiochecks uitgevoerd. Aan het begin en het einde van de straten van de geviseerde woningen, verschijnen als op bevel patrouillewagens en geüniformeerde jonge rekruten, voorzien van kogelvrije vesten en zware wapens, sluiten de boel hermetisch af. Zandvliet, Berendrecht, Kallo, Lillo en Stabroek zijn in de greep, het onzichtbare net is hermetisch gesloten. Een eenzame wandelaar en een slaperige fietser op weg naar zijn werk, worden zonder pardon van de rijbaan geplukt en administratief aangehouden. Pottenkijkers zijn niet gewenst, er kunnen geen fouten worden gemaakt. Veiligheid gaat voor alles.

Eén minuut voor zeven. Luc kijkt voor de honderdste keer op zijn digitale uurwerk, wetende dat buiten het crisiscentrum zowat honderdtwintig man op zijn teken wacht. Eén magisch woord, een teken van hem moet de aanval inluiden. De onderzoeksrechter, een rechtschapen man, gevreesd door de criminelen omwille van zijn dossierkennis, slurpt luidruchtig aan een kom versgezette koffie die hem door een van de jongere officieren is gebracht. De bloeddoorlopen ogen en het gekreukte overhemd, verraden een nacht zonder slaap. Bijna onmerkbaar knikt hij naar Luc. De case-officer neemt plechtig de radio ter hand: "Teams Alpha one to four, Bravo two and three, Charlie six. Strike. I repeat. Strike, strike, strike."

Op dat ogenblik barst als het ware de hel los. Goed getrainde, jonge vechters, elite-eenheden begeven zich naar de doelwitten en in een storm van geweld, een orkaan van brekend glas, een wervelwind van kracht worden de deuren van de woningen ingebeukt en rennen de politiemensen door de woningen, op zoek naar hun prooi.

Het Beest van de Molen, de Demon slaapt onrustig. In de verte hoort hij het geluid van brekend glas, geroep en getier, tekens van de opgang zijnde storm van geweld. Hij weet dat hij zich niet mag verraden.

Om exact tien minuten over zeven is de aanval gedaan. Luc kijkt tevreden rond, wetende dat hij iets heeft bereikt met deze operatie. De targets zijn aangetroffen, huiszoekingen nemen een aanvang, een lange dag van verhoren kan beginnen. Zeven Opel Kadets worden weggebracht naar de ondergrondse garage van de Federale Politie, om de rechercheurs van het Laboratorium voor wetenschappelijke politie in staat te stellen de voertuigen minutieus te onderzoeken. Op hoop van zegen....

"*Verdomme, verdomme*". Krachtige woorden ontsnapten uit de mond van de anders zo beheerste Luc, terwijl hij met een gebalde vuist op de tafel in de vergaderzaal sloeg, in één klap proberend alle frustratie en woede kwijt te raken, in dit ene gespierde moment. Drie minuten voordien zag hij hoe de laatste Opel Kadet met gierende banden vertrok, vanaf de parking van het gebouw van de Federale Politie te Antwerpen, met aan boord een woedende jonge man die enkele uren ervoor van zijn bed was gelicht. De hele operatie was voor niets geweest. Zeven mannen waren uit hun woning geplukt, onder het oog van schreeuwende kinderen, gillende echtgenotes en woest uitziende politiemensen, tot de tanden gewapend. Eén weerspannig jong haantje had dit bekocht met een gebroken neus. De verdachten werden één voor één, in anonieme snelle wagens, naar de gebouwen gebracht aan de Noordersingel te Antwerpen, waar eerst de administratieve molen, langzaam maar zeker, op gang kwam.

Vingerafdrukken werden genomen, foto's vereeuwigden de arrestanten van alle kanten, hun namen werden in de grote centrale computer ingevoerd. Ze kregen het etiket van kandidaat-verkrachter mee, een stempel van onuitwisbare inkt die hen later nog parten zou spelen. Geboeid, als kleine hoopjes ellende, machteloos, werden ze naar de diverse verhoorkamers gesleurd, soms onzacht, door zwijgzame rechercheurs die hen bij momenten als beesten behandelden. Hier telden geen wetten meer, het was oorlog. Verdachten werden slachtoffers in naam van de waarheid, in naam van het recht. De verhoren duurden ellenlang en hun ellende werd groter en groter naarmate de tijd verstreek. Zeven verdachten, zeven namen, evenveel andere verhalen, elk op hun beurt hun onschuld uitschreeuwend. De wijzers van de klok aan de wand van de muur, in de anders lege verhoorkamers, waren getuigen en kropen tergend langzaam voort, wachtend op het volgende dat zou gebeuren.

De eerste die was binnengebracht, Marco een achtentwintigjarige Stabroekenaar, was dokwerker van beroep. De havenarbeider was een gespierd robuuste man, de enige die gewond was geraakt tijdens de operatie. Met roodomrande ogen en bloedvlekken op zijn vergeelde T-shirt staarde hij naar de speurders tegenover hem. Hij kende wel het slachtoffer van de poging moord, maar ondanks het feit dat hij in het bezit was van een rode Opel Kadett, moesten de ondervragers al vlug hun fout toegeven. Een depanneur was er zelfs aan te pas gekomen om het voertuig te starten en omwonenden hadden verklaard dat het voertuig al twee maanden onaangeroerd op de oprit stond. Het kon gewoon niet dat hij het Beest van de Molen was.

De tweede en derde verdachte waren Jan en Louis, beiden afkomstig van Lillo. Blanco strafblad, eigenaars van een rode Opel Kadett. De verhoorders deden hun best om enkele uitspraken aan hun mond te ontlokken, die zouden kunnen wijzen op perverse gedachten of betrokkenheid bij de feiten, maar ze beten hun tanden stuk op het ondoordringbare in de houding van de twee jonge mannen. Hun schrik voor het onbekende was een schild geworden, een pantser dat niet zou breken zonder dat er snoeiharde bewijzen op tafel kwamen.

Raoul, de kruidenier uit Berendrecht, broer van Guido was de vierde verdachte. Eigenaar van een rode Opel Kadett, die voor zijn deur geparkeerd stond, gekend voor geweldplegingen en slagen en verwondingen in het verleden, werd het stugge mannetje van zijn bed gelicht door één van de arrestatieteams. Ook hier liep het verhoor niet van een leien dakje. De man die te veel politiefilms had gezien, weigerde een verklaring af te leggen en schreeuwde om zijn advocaat. Hij bleef maar grommen er niets mee te maken te hebben en verwees zelfs naar het feit dat zijn winkel tot zeven uur 's avonds was geopend, dus dat hij onmogelijk in Stabroek kon zijn geweest. Maar verder weigerde hij elke medewerking, omdat hij zichzelf zag als een slachtoffer van de corrupte politiediensten die hem en zijn gezinnetje wilden breken, om onbekende redenen.

De vijfde verdachte was een ander paar mouwen geweest. François was een achtenveertig jarige werkloze uit Berendrecht, die verschillende veroordelingen had opgelopen in verband met zedenfeiten die hij in het verleden had gepleegd. Meerdere malen was zijn voertuig ook gesignaleerd in de buurt van scholen of parken, waar jonge meisjes bijeenkwamen en het perverse mannetje met een spitse neus, werd door iedereen gemeden. De politiediensten verdachten hem al langer van enkele verkrachtingen in de buurt van Beveren, maar niemand die het kon bewijzen. Hij was glad als een paling en antwoordde alleen maar op die vragen die hem uitkwamen. De drie puntjes, getatoeëerd op zijn rechtervuist, bewezen welk respect hij had voor de dienaars van de wet.

De zesde en zevende verdachte kwamen uit Zandvliet. Twee dertigers, motorcrossfanaten, die elkaar sporadisch in het weekend zagen, maar behalve een gelijkaardig voertuig geen enkele band met elkaar hadden. De ene zijn strafblad was zo maagdelijk als maar kon zijn, de andere was bekend voor drugsdelicten, een klantje van Boris als het ware.

Tijdens de huiszoeking was wel een grammetje weed gevonden, maar niets anders dat wees op seksuele ontsporingen of contacten met dergelijke delinquenten.

Zelfs de doorgedreven, goed voorbereide verhoren van de verdachten hadden niets opgeleverd en allen waren akkoord gegaan om in de toekomst, indien nodig, een test met de leugendetector te ondergaan. Om kwart over elf was er een line-up geweest. Alle zeven stonden ze, in een lokaal op het gelijkvloers van het gebouw aan de Noordersingel te Antwerpen, omringd door bewapende speurders te staren naar een spiegel voor hen. De verdachten hadden een zelfgekozen bordje met een nummer in de hand en wisten dat ze begluurd werden door getuigen die anoniem wensten te blijven. Exact zeven minuten en drie seconden stonden ze te poseren, starend met een ongeïnteresseerde blik. De uitkomst was hard voor de Onderzoeksrechter en voor Luc. Geen enkel van de slachtoffers had enige reactie gehad op het zien van de verdachten. Allen waren onschuldig, niemand moest terug naar de betonnen kerkers. De verhoren, sommige waren op dat ogenblik amper een halve bladzijde lang omwille van de stugge houding van de gearresteerden, werden onmiddellijk gestopt. Niets bleef over van de vermoedens tegenover de zeven onschuldigen, die enkele uren de hel hadden gezien, alles in naam van de Waarheid, de zoektocht naar Recht en Rechtvaardigheid. Ze hadden kennis gemaakt met de gebalde vuist van de dienaars van de Wet en in een orgasme, een storm van geweld die over de polderdorpen was getrokken, waren ze aangehouden, gebrandmerkt voor het leven door de spiedende ogen van de buren, die achter hun gordijnen alles hadden gadegeslagen.

De zeven mannen, vreemden voor elkaar, maar voor eeuwig verbonden door de jacht op het Beest, werden in de vergaderzaal geleid, voor een woordje uitleg dat hen enige troost en soelaas moest brengen, maar vooral begrip voor de speurders moest opleveren voor het voorbije machtsvertoon. Terwijl de rechercheurs van de Technische Politie de laatste onderzoeksdaden in de aangetroffen voertuigen deden, dronken de aangeslagen, ongewilde slachtoffers van het gerecht, een kop koffie, elk overmand door emoties, bezig met hun eigen gedachten. Ze waren gebroken en elk op hun manier probeerden ze te begrijpen hoe het kon dat ze werden aangezien voor een tweede Dutroux, voor schadelijke monsters die de maatschappij hadden ontwricht door gewelddaden te plegen op onschuldige slachtoffers.

Luc had een aartsmoeilijke taak en op beheerste toon, zonder al te diep op het onderzoek in te gaan, schetste hij de zeven man voor hem een beeld van wat zich de vorige dagen en weken had afgespeeld in de buurt van hun woning. Hij vertelde over de onbekende dader met de rode wagen, een soortgelijk voertuig als zij in hun bezit hadden en benadrukte de noodzaak om op een dergelijke snelle, maar overrompelende manier tewerk te gaan. Hij suste hen door te stellen dat er een persconferentie zou komen, die benadrukte dat de zeven onschuldige spelers waren geweest, in een griezelig plot dat geen happy end had gekend en stelde leden van de dienst slachtofferhulp ter beschikking om in geval van nood de families bij te staan, de echtgenotes en kinderen uitleg te geven over het waarom van het gebeurde. Ten slotte bevestigde hij het feit dat alle kosten die waren gemaakt, door vadertje Staat zouden worden vergoed, dat de aangebrachte schade aan de deuren, toen die met geweld werden geopend, op de speurders kon worden verhaald.

Langzaam maar zeker begreep iedereen dat, wat hier was gebeurd, noodzakelijk was geweest, om duidelijkheid te krijgen in het mistige schimmenspel dat de Demon al maanden speelde. De verdachten werden slachtoffers, maar beseften dat Justitie geen keuze had gekregen, geen andere mogelijkheid om op een adequate manier te reageren. Op een enkeling na, Raoul, die nog altijd riep dat hij een advocaat zou inhuren en een klacht zou indienen, kon iedereen zich na afloop met de uitleg verzoenen. Eén voor één, diep onder de indruk van het gebeurde, vertrokken ze naar hun wagens die ondertussen uit de ondergrondse parking was gehaald, elk naar hun eigen bestemming, met hun eigen verhaal en emoties. Het Kwade had deze veldslag gewonnen en zijn dienaar beschermd, maar de oorlog was nog niet ten einde.

Sometimes,

our past is being systematically

destroyed

to keep the lie.

But one night,

the lie will be destroyed,

by our search for the truth.

That night will be...

"the night of the Crow".

Het begin van het einde

I have created the men of time
the seven earths and the seven heavens.
These are my suns shine on the worlds
Guide the perplexed and my secrets are hidden
I am who creates in the wombs as I like.
People and I made my miracles appear in my creations.
I am the being of beings and all the beings.
I am that who satisfied all the worlds in my creations.
I am God of Gods and all of the throne.
And all of heavens are of my inventions.
I am the one whose secret is venerated
to me are the thanks, praise to me, venerated is my being.

-So Saith Shaitan

De demon las nogmaals de tekst die hij zopas had teruggevonden, een ode aan de meester van het Kwade, zijn beschermheer, zijn Bewaarder in het dagelijkse leven. Hij kende de parabel van wat velen 'de gevallen Engel' noemden. Hij had het verhaal meerdere malen gelezen, de geschiedenis van God die aan Adam, de eerste mens en aan de Engelen vragen had gesteld. Alleen de Mens had alles juist beantwoord. Shaitan had geweigerd te buigen voor de mens, om Adam te eren. God was in een toorn ontstoken en zei hem dat hij gestraft zou worden op de dag des Oordeels. In afwachting hiervan zou Shaitan alles proberen om zoveel mogelijk mensen tot zijn volgelingen te maken.

De Demon had het verhaal enkele jaren ervoor per toeval ontdekt en was zich sindsdien gaan verdiepen in het occulte, in de leer van wie hij nu "de Meester" noemde, in de kerk van Satan en zijn Jinn's. Hijzelf was een mens van vlees en bloed, een schepsel van de Heer. Hij had vele vragen waarop hij geen antwoord had gekregen en zo was zijn zoektocht naar de ultieme waarheid begonnen. Hij was geen Jinn, geen gevallen Engel die op de dag des Oordeels rekenschap zou moeten geven over zijn daden tijdens dit bestaan. Maar hij had die drang, die neiging waaraan hij niet kon weerstaan. Hij wist dat op dat ogenblik de Duivel in hem kwam en dat hij zich liet leiden door onaardse krachten, die zijn geest bepaalden. Hij zag het oeverloze verdriet, het ongeluk van zijn slachtoffers, maar ervaarde alleen de zoete smaak van genot en plezier. Niemand in zijn omgeving wist van zijn interesse voor het bovennatuurlijke. Zijn spirituele zoektocht naar het onbereikbare was een pelgrimstocht die hij alleen moest doen.

Enkele jaren geleden was het gevoel er voor het eerst geweest.. Hij voelde de drang om kinderen aan te raken, zichzelf te bevredigen bij de fantasie van naakte, onschuldige kleine mensjes die dansten rondom hem. Hij wist dat het verkeerd was, maar die opwelling kwam steeds weer terug. Hij werd driftig als hij er aan dacht en voelde zich meegesleept in een kwade droom waar hij niet uit kon stappen. Nergens vond hij steun, niemand mocht weten van zijn perverse karaktertrekken, zijn psychopate neigingen die door de maatschappij toch niet zouden worden begrepen. Soms had hij alles onder controle, soms kwam de begeerte, samen met een niet gekende en alles beheersende boosheid terug, in een niet te controleren opwelling van gramschap en woede voor wat rondom hem gebeurde. Op die ogenblikken werd de Mens een Beest, werd hij een volgeling van Satan waarover hij zoveel had gelezen. Als hij voelde hoe die drift waaraan hij niet kon weerstaan opkwam, dan wist hij dat er een slachtoffer zou vallen.

Hij besefte dat het zo niet verder kon, maar telkens weer genoot hij van het spel, van de situatie die zich opdrong in zijn geest, waarbij hij altijd als overwinnaar eindigde, alsof de Meester zelf naar boven kwam. Hij verlegde zijn seksuele grenzen en besefte dat hij bijna het ultieme offer zou moeten brengen. Alleen nog de dood, liefst de gewelddadige dood van een jonge maagd zou hem die genoegdoening geven die hij allang zocht.

Hij bekeek andermaal het derde gedicht van Shaitan, teruggevonden op Internet, een gedicht dat volledig vertelde wat hij voelde, wat er soms in hem raasde, als een niet te stoppen sneltrein die recht naar de afgrond dendert. "I am the one whose secret is venerated". Ik ben diegene wiens geheim goed is bewaard. Zo voelde de Demon zich, *drager van een onmenselijk geheim dat niemand ooit zou kunnen begrijpen, in de ban van een droom maar toch een werkelijkheid, een belofte die hij moest waarmaken om ooit de vrede en rust te vinden die hij zocht in zijn bestaan. Hij durfde zelfs geen contact te zoeken met lotgenoten, hij wist dat hij een keuze had gemaakt, een eenzame weg bewandelde en er nu alleen voorstond.*

Nooit zou de mens kunnen begrijpen wat er in zijn hoofd omging, nooit zou iemand zijn daden goedkeuren. Maar als het teken er kwam, was hij weer de Poorter van de Hel, was hij bijna de Jinn die hij niet wilde zijn, de volgeling van zijn eigen verslaving, die angst en woede had gebracht over de vele polderdorpen in het noorden van Antwerpen, dicht bij de Antwerpse haven. Hij had geamuseerd gelachen toen hij zag hoe de tientallen rechercheurs een nooit geziene macht ontplooiden, op zoek naar iets dat zij niet kenden: het onbereikbare. Op een bepaald ogenblik had hij schrik gehad, had hij de hete adem van de meute honden in zijn nek gevoeld en toen had hij gezworen voorzichtiger te zijn in de toekomst. Maar 'Hij' had hem niet in de steek gelaten en de Demon wist dat zijn beloning groot zou zijn. Ondanks de inzet van vele manschappen, ondanks het op poten zetten van een operatie die de maatschappij tienduizenden euro's had gekost, was de onmens niet gevat. Hij keek smalend naar de koppen in de kranten die hem 'Het Beest van de Molen' noemden, een eretitel zowaar voor een volgeling van Shaitan. Wisten ze maar beter, dan zouden ze niet langer neerbuigend schrijven over hem en neerkijken op zijn daden. Hij werd langzaam maar zeker een volgeling van diegene die zichzelf God van de Goden noemde, hij veranderde ongemerkt in een gevallen Engel, klaar om de boodschap van de Meester zelf uit te dragen. Geen God, geen Kerk zou zijn niet voltooide symfonie kunnen stoppen, ooit zou hij de componist zijn van een levenswerk, een ode aan Shaitan, het heersen van de mens over leven en dood.

Ondertussen ging alles zijn gewone gangetje in Berendrecht. Ook bij Mireille en de rest van het gezin, was de niets ontziende machtsontplooiing het gespreksonderwerp nummer één geweest en iedereen vroeg zich af waartoe de Federale Recherche nog in staat zou zijn. Veel details waren niet vrijgegeven en iedereen wist ondertussen wel dat de verdachte dorpsbewoners niets met de feiten te maken hadden. Guido profiteerde er van om weer als een orakel de diverse café's af te schuimen, als een alleswetende, bevoorrechte getuige, want zijn broer was toch immers ook opgepakt. Hij vertelde zijn marginale toehoorders schrikwekkende verhalen, over onmenselijke behandelingen in de diepste kerkers van justitie, maar iedereen wist, dat hier alles met een serieuze portie zout moest genomen moest worden. Shana en Samantha groeiden ondertussen verder op tot de twee modebewuste, lieve, beeldschone prinsessen die ze al altijd waren geweest. De ijverige studentes bekampten elkaar figuurlijk elke week met hun rapport en Mireille was blij te zien hoe ijverig en intelligent ze waren. Zijzelf vond meer diepgang in haar relatie met meneer Paul, die ze nu één keer per week op vrijdagavond ontmoette. Guido had hiertegen geen bezwaar, want hij wist dat hun liefdesleven op een laag pitje stond en zag in die naïeve man alleen maar een wandelende geldzak die hen af en toe iets toestopte.Voor Mireille lagen de zaken anders. In Paul vond ze de waarden terug van een man van wie ze altijd had willen houden, attentvol, vol zorg en toch niet te opdringerig. Hij bracht haar gelukkige momenten in haar anders soms zo saaie en eentonige bestaan. Alleen de liefde van en voor haar twee dochters hield haar nog op de been. Guido beschouwde ze al lang niet meer als een echte man, maar meer als een dronkelap, een schotelvod, iemand zonder ruggengraat, die bij de minste tegenslag ging uithuilen op de schouders van zijn soms idiote, marginale broer die gehuwd was met een vrouw die zijzelf heimelijk de draak noemde.

Ze was blij af en toe haar verhaal kwijt te kunnen aan een echte gentleman, die meer dan een luisterend oor alleen had, maar ook zag wanneer hij bepaalde noden kon lenigen. Hij betaalde vlot de som van tweeduizend en vierhonderd euro achterstallige belastingen, om te vermijden dat de zoveelste deurwaarder de woning zou betreden, maar ook hij voelde dat dit slechts een druppel op de hete plaat was, zolang Guido zelf niet het initiatief nam om iets aan de financiële problemen van het gezin te doen.

Die was zich totaal niet bewust van de fouten die hij maakte, van zijn wangedrag, dat meer en meer tot spanningen binnen het gezin leidde. Elke dag was het een vraag of hij wel of niet zou werken. De huisdokter, een veel te brave man, die de kuren van de echtgenoot van Mireille meer dan beu was, raadde hem aan om zich te herpakken, maar de arbeider uit Berendrecht zag dit niet zo. Hij wilde ten volle profiteren van de vele sociale voorzieningen die er bestaan in geval van werkloosheid en elke reden was goed voor hem om zich in de mantel van luiheid te wentelen. Zijn dagen vulde hij meestal met twee activiteiten: slapen en drinken, mateloos veel, tot hij er soms letterlijk bij neerviel. Het was meermaals gebeurd dat collega-drinkebroers hem thuis kwamen afzetten, hun weldoener van één dag, die opnieuw het huishoudgeld had verbrast aan de toog. De weinige keren dat hij nuchter was trok hij naar het gokkantoor, zichzelf wijsmakend dat het fortuin hem toelachte. En af en toe zag je hem vertrekken naar één of ander bedrijf in de haven, dat hem in dienst nam, maar meestal na enkele dagen weer op straat zette wegens onvoldoend inzicht en ijver. Telkens weer schreeuwde hij zijn onschuld uit en, pruilend als een klein kind, kwam hij met hangende pootjes terug om zijn zoveelste mislukking mee te delen aan zijn vrouw en stiefkinderen. Shana en Samantha wezen hun moeder op de onhoudbare situatie, maar ondanks alles bleef ze wonen bij de man die haar ooit gelukkig maakte, maar nu in een tiran veranderde. Het was niet de liefde voor hem die het huwelijk in stand hield, evenmin de noodzaak voor de opvoeding van de kinderen. De vrees, voor de alomtegenwoordige dorpsroddels die haar zouden achtervolgen, tot in den treure toe, waren het enige bindmiddel, de lijm die het ontwrichte gezin bijeenhield. Mireille schikte zich in haar lot en kon alleen nog de hoop op betere tijden inademen, in plaats van de lucht van het geluk.

Als de mens verandert in een beest,

Als de poorten van de Hel zijn geopend.

Als alle waarden uit het leven zijn verdwenen.

Wees dan bevreesd.

Want de Boze is zijn strijd begonnen.

Mensen als monsters,

De Poorters van de hel zijn aangekomen.

De Demonen van het kwaad

Als overheersers in het land.

Dag wordt nacht,

Wanneer de zon verdwijnt,

Wanneer het hellevuur brandt,

In de harten van de mens.

Maart 2001

De vogels, vliegend in het zonlicht aan de blauwe hemel, luidden de lente in nabij de Metropool. De eerste schuchtere terrasjes werden buitengezet, één enkele optimist waagde zich op zaterdagavond al aan een geïmproviseerde barbecue, die uiteraard vroegtijdig moest worden beëindigd wegens de opgekomen gure wind. Ondertussen waren in Berendrecht de eerste kermismolens aangekomen en Shana en Samantha zagen uit naar het weekend daarop. Het zou een prachtig en groot feestweekend worden, met op zaterdag een liefhebberskoers door de polders en op zondag het traditionele ganzenrijden of ook gansrijden genoemd.

Het gansrijden is niet zomaar folklore daar in het dorp, maar een eeuwenoude traditie die men met hart en ziel in ere houdt. Het gansrijden is ontstaan in de middeleeuwen en mede dank zij enkele gansrijdersverenigingen kan men dit spel nog steeds elk jaar rond carnaval in enkele polderdorpen van de Antwerpse Noorderpolders bewonderen. Elk jaar brengen ook twee verenigingen uit het Berendrechtse het prachtige folkloristische gansrijdersspektakel op de Solftplaats van het dorp. Shana en Samantha wisten al maanden van tevoren wanneer dit spektakel zou plaatsvinden, want het was dan drie dagen feest voor de jeugd. Na een jarenlange traditie is het gansrijden nog steeds een hoogtijdag voor het dorp, het is een feest waar jong en oud aan deelneemt. Voor de jonge meiden was het altijd genieten geblazen, wanneer jonge onverlaten zich toch aan het spel waagden, in de hoop de gunst van de mooie deernes te winnen of om hun moed te worden geprezen. Het was de traditie dat niet alleen de ouderen deelnamen, maar ook de jonge kloeke boerenzonen, met hun bolrode wangen en veel te grote overall's, probeerden de harten van menig jonge meid harder te doen slaan.

Daardoor was het de laatste jaren heel opvallend dat vooral het jonge volk meer en meer begon deel te nemen aan deze traditie en zich niet alleen meer interesseerden voor de kermis of de oliebollenkraam. De

Solftplaats werd die dagen traditioneel ook omgetoverd tot één groot café, waar honderden inwoners zich rond de enkele togen verdrongen, om toch maar aan de nodige liters alcoholhoudende drank te komen. Het wielrennen op zaterdag was gewoon een excuus om op de lappen te gaan, maar het gansrijden zelf was niet alleen traditie, maar betekende vooral eer en roem voor de winnaar die tot Keizer gekroond kon worden.

Jammer genoeg gebeurde het wel eens dat buitenstaanders dit folklorespel verkeerd begrepen, omdat ze vaak dachten dat dit spel met veel dierenleed te maken heeft. Maar de enige die bij dit spel soms pijn te lijden heeft, is de ruiter, maar daar kiest hij dan ook zelf voor, door deel te nemen aan de strijd om de ganzenkop. Wat de gans betreft, bij elk offerfeest hoort nu eenmaal een offer en bij dit feest is het een gans, voor dit spel kiest men telkens een oude gans waarvan men denkt dat ze door ouderdom niet lang meer te leven heeft. Door een dodelijke injectie die toegebracht word door een veearts, sterft het dier pijnloos op zijn oude dag. Ook het spel is geen bloederig tafereel, hoewel men dit toch vaak denkt bij een onthoofding. Een gansrijder is geen barbaar en is zeker niet voor dierenleed of voor een wild en bloederig spektakel.

Shana en Samantha beschouwden hun vriendjes dan ook bij voorbaat als helden, toen die hen trots hadden meegedeeld dat ze gingen deelnemen en proberen de kop van de gans als trofee aan te bieden. In hun dromen zagen ze de jaloerse blikken van hun vele vriendinnen, wier vriend het niet zou lukken. Een echte geldprijs kon je niet winnen, maar de titel een jaar lang te mogen dragen was evenveel waard als het feit dat men in een Duitse of Nederlandse stad als Prins Carnaval werd verkozen. Hier ontmoetten eer en traditie elkaar en gaven ze de hand naar eeuwigdurende dorpsroem. Mireille gniffelde bij die jeugdige spontaniteit en voelde zich op slag wel tien jaar jonger worden. Ze zuchtte wel eens diep als ze dacht aan haar Guido, de leegloper die zich waarschijnlijk het ganse weekend samen met zijn idiote broer zou bedrinken. Dat hij dronken rondliep kon haar in feite weinig deren, maar het feit dat hij soms eens losse handjes had, baarde haar meer zorgen.

Tot nu toe was er altijd wel eens iemand in de buurt geweest die hem kon overhalen, maar toch vreesde ze vroeg of laat eens zwaar te worden aangepakt door haar echtgenoot. Shana en Samantha konden nog met hem praten als hij weer eens zat thuiskwam, maar elk woord, elke blik van haar werkte meestal als een rode lap op een stier. Ze had het er al verschillende keren over gehad met Boris, die dan heel teder zijn arm rond haar middel sloeg en zweerde dat hij over haar zou waken, dag en nacht. Paul had haar voorgesteld een appartementje te huren in Antwerpen, groot genoeg om een normaal leven te leiden samen met haar dochters, haar oogappels. Maar die steeds wederkerende vrees het slachtoffer te worden van roddels, hield haar tegen om eindelijk de raad van haar minnaar te volgen.

Ondertussen was iedereen druk in de weer om van het komende weekend een topper te maken. Tientallen kaarsen werden in de kerk ontstoken, om de weergoden hun gunsten af te dwingen. De plaatselijke brouwer nam een extra werkkracht tijdelijk in dienst om al zijn klanten op tijd te kunnen voorzien van het edele gerstenat en de frisdranken. Van 's morgens tot 's avonds reed hij rond, plaatste hij tijdelijke togen en sleurde hij lege en volle vaten van en naar zijn gammele vrachtwagen die zijn beste tijd had gehad. Enkele tieners hielpen de mannen van de kermis hun kramen opzetten in de hoop enkele centen bij te verdienen. Kortom, Berendrecht en omgeving was er klaar voor. Het weekend kon van start gaan.

De Demon voelde de onrust weer opkomen. Hij haatte het gewriemel van de honderden mensen, die als rusteloze mieren rondom hem dwarrelden en wist dat hij binnenkort het offer zou moeten brengen waarop hij zich al zo lang had voorbereid. Hij keek naar de giechelende schoolmeisjes die hun plannen maakten voor het daaropvolgende weekend en hun spannende kleine borstjes, waarbij de rechtopstaande tepels zich aftekenden onder de bloezen, lieten hem niet koud. Hij voelde de drang opkomen, maar kon zich bedwingen. Het was nog te vroeg. Satan zou zijn offer krijgen, hij zou een gevallen engel, een Jinn worden, een slaafse volgeling van de Meester. Zijn beloning zou er in bestaan dat hij zelf het slachtoffer mocht uitkiezen en het offer brengen op het altaar van de dood. Haar dood zou zijn bevrijding worden en niets zou hem in dit aardse bestaan nog kunnen deren.

De Demon, nog altijd een mens van vlees en bloed, was meer en meer in de ban geraakt van de demonische verzen die hij op Internet had teruggevonden en wist dat hij de voor hem juiste weg had gevonden. Hier telde de mens of de Goddelijke schepping al lang niet meer. De poorten van de Hel waren nu wagenwijd open en hij was één van de volgelingen. Nog een kwestie van tijd en de dag zou veranderen in de nacht. Ellende zou zich storten over de Polderdorpen, de mens zou veranderen in een beest. So saith Shaitan. Het Goede zou wijken voor het Kwade, So saith Shaitan. Geen kerk, geen macht zou in staat zijn de golf, de stroom van ellende, de waterval van de Boze te stoppen. Nog vele jaren zou men sidderen en beven voor de ongekende gruwel die zich zou afspelen onder zijn regie. Hij was er klaar voor.

I am God of Gods, and the entire throne, so saith Shaitan.

Leg mij op Uw hart

Als een zegel,

Om uw arm als een band,

Want sterk als de dood

Is de liefde.

De kraai

Deze zogenaamde cultuurvolgers zullen voornamelijk in het voorjaar bij schade intensief worden bejaagd door middel van een vrijstelling van de provincie of ontheffing die aangevraagd zal worden door de grondgebruikers, dit ter beperking van de schade aan de landbouwgewassen en de fauna zoals de bodembroeders, zangvogels en het wild zoals hazen, fazanten en patrijzen.

De zwarte kraai is inderdaad helemaal zwart. Hij lijkt veel op de jonge roek maar zijn snavel is wat breder, stomper en krommer en heeft geen kale mondhoek. Het vliegen gaat wat lomer dan bij de roek. In Noord-Europa - met Denemarken als zuidelijkste punt - leven bonte kraaien. Op de grens van hun gebied met dat van de zwarte kraaien komen kruisingen voor. Die kruisingen kunnen ook wat grijze tinten vertonen. De vogel is ongeveer 47 cm groot.

De zwarte kraai is als broedvogel te vinden in polders en in bosgebieden. Soms zijn het er zo veel, dat ze schadelijk zijn voor andere vogels. Zwarte kraaien leven in paren of in gezinsverband, maar niet in kolonies. Het nest van de zwarte kraai is goed verborgen in bomen en struiken. Meestal worden een stuk of vijf eieren gelegd.

Het voedsel van deze kraai is zowel plantaardig als dierlijk. Vooral in de broedtijd is de zwarte kraai een gevaar voor jong kleinwild (pasgeboren haasjes) en jonge vogels. Bovendien halen ze nesten uit. Dit is zeker het geval als de eigen jongen gevoerd moeten worden. Ook op vuilnisbelten, bij maïskuilen en kleine verkeersslachtoffers zien we vaak zwarte kraaien. Pas geboren lammetjes worden de laatste tijd steeds meer het slachtoffer van zwarte kraaien. Om deze reden moet de kraai lokaal soms ook in de voortplantingsperiode bejaagd worden.

De term 'sage' is afgeleid van het Duits 'was gesagt wird' en slaat daarom op een verhaalgenre dat oraal wordt verspreid. Traditionele sagen zijn ernstige verhalen die berusten op een historische kern - wat overigens moet blijken uit de al dan niet nauwkeurige situering in ruimte en tijd -, die wordt aangevuld met elementen uit het volksgeloof. Bedreigd door de confrontatie van het 'jenseits' met het 'diesseits' tracht de mens allerlei fenomenen uit zijn omgeving te duiden aan de hand van bovennatuurlijke verklaringen. Meestal loopt deze confrontatie slecht af, waardoor de ondertoon van het verhaal tragisch en pessimistisch is en de toehoorder met een onbehaaglijk gevoel achterblijft. Het is de eeuwige strijd tussen Goed en Kwaad. In het Limburgse Sint Lambrechts Herk wordt al jaren de sage mondeling overgeleverd dat een Zwarte Kraai de Dood aankondigt. Een man sprak tot zijn vrouw "ik heb een zwarte kraai gezien. Binnen drie dagen moet één van ons sterven". Drie dagen later was de man dood. De Zwarte Kraai was de boodschapper van de Duivel, de voorbode van Shaitan op zoek naar zieltjes op aarde.

Mireille wandelde, met de fiets aan de hand langs het smalle pad, dat leidde van Berendrecht naar Zandvliet, een weg die alleen bij de inwoners zelf bekend was. Het pad was deels geasfalteerd, deels een aarden weg die gebruikt werd door vele jongeren, als ze terugkeerden van een fuif in het naburige dorp, of door families die in de zomer op bezoek kwamen en wilden genieten van een rustige wandeling. Het weer was goed, een licht briesje zorgde er alleen nog voor dat men zelfs in het eerste zonlicht toch nog een trui kon verdragen. De weerman was bondgenoot, want hij had voor het kermisweekend alleen maar dergelijke temperaturen zonder regen aangekondigd. Het was vrijdagmiddag en Mireille was onderweg naar Boris, de vriend van de familie, om concrete plannen te maken voor het komende weekend. Boris was altijd van de partij als er fuiven waren en ze wist dat het hoogstwaarschijnlijk toch zou eindigen met het feit dat hij zou vragen om te blijven overnachten.
Ondertussen was ze halfweg het pad gekomen en ze hoorde het gekrijs van enkele vogels. Het lawaai kwam vanaf de richting van de molen en ze zag hoe twee zwarte kraaien elkaars aandacht probeerden te trekken, in een sierlijke vlucht hoog aan de hemel, schorre kreten slakend, als ware het om een boodschap aan te kondigen. Een rilling ging over haar rug, niet goed wetend waarom, maar Mireille had deze vogels altijd al eng gevonden. Ze herinnerde zich het feit dat ze als klein kind een kraai in een net had zien vliegen, waardoor hij verstrikt raakte. Dierenvriend als ze was, trachtte ze het arme beestje te bevrijden uit de verstrikkende

omgeving waarin die was terechtgekomen. Het gelukte haar slechts gedeeltelijk, maar de zwarte, scherpe snavel verwondde het arme kind aan haar handen, als was het een wraakneming voor het leed dat de mensen toebrachten aan moeder natuur.

Ze was nu onbewust midden op het pad gestopt en plotseling viel haar mond open van verbazing. Eén van de kraaien had zich uit het gezelschap van de andere losgerukt en maakte een duikvlucht, recht op haar af. Op enkele meters boven haar hoofd cirkelde hij, drie maal, cirkels beschrijvend in de ijle lucht, als ware het een teken. Met schorre kreten verdween hij opnieuw in de richting van de molen, een monument in verval als stille getuige van naderend onheil. Mireille voelde zich niets op haar gemak, sprong op haar fiets en vloog naar de woning van Boris. Ze zwoer bij zichzelf nooit meer het jaagpad alleen te gebruiken, want ze had het gevoel dat het rechtstreeks leidde naar de Hel.

Hoog boven de aarde, gezeten op de stilstaande wieken, van de bouwvallige molen, temidden van het Berendrechtse landschap, zat de kraai met kleine, glinsterende ogen te kijken naar de beweging op het jaagpad. Hij zag hoe een vrouw in volle vaart fietste naar het andere dorp, als reed ze naar het einde van de wereld. De ogen van de kraai waren gitzwart, zoals alleen de dienaars van de Boze konden zijn. Hij speurde zijn omgeving af naar een prooi en slaakte een lange schorre kreet, als een waarschuwing voor de wereld van wat komen zou. Niemand was nog veilig, de dans der Geesten kon beginnen.

Ondertussen was er een topvergadering aan de hand in het oude justitiepaleis, meer bepaald aan de Britse Lei te Antwerpen. Op de tweede verdieping, in een kantoor dat alleen via een krakende houten trap te bereiken was, zetelde majestueus de Onderzoeksrechter, minzaam kijkend op de afvaardiging van de Federale Politie, dienst Agressie, die hem om een gesprek hadden gevraagd. Luc, Steve en Nadia vergezeld van Rob, één van de meest vooruitstrevende speurders van de Technische Recherche, waren bijeengekomen om een round up te geven van het dossier dat gemakkelijkheidhalve de naam 'het beest' had gekregen. Afwisselend voerden Luc en Rob het woord, af en toe onderbroken door Steve of Nadia indien het om details ging. Het beschikbare cijfermateriaal werd in kaart gebracht en op een eenvoudige manier gepresenteerd.

Na een minutieus maar vele euro's kostend onderzoek, ondersteund door Laboranten van de Vrije Universiteit Brussel en het eigen N.I.C.C., was men er in geslaagd nog meer sporen te ontdekken, gelijkenissen in de lange lijst van aanrandingen in het Berendrechtse. In drie gevallen, de verkrachting van Lynn, de moordpoging op de dokwerker en de aanranding van een dertienjarig meisje te Lillo, hadden alle slachtoffers gesproken over het feit dat de verdachte sportschoenen droeg, die onderaan geribbeld waren. Tijdens de diverse onderzoeken op de plaats van het delict, hadden de leden van het Laboratorium voor Wetenschappelijke Politie speciaal oog gehad voor dit feit en met succes. In drie van de gevallen was men er in geslaagd op de bodem van de P.D., stof en aarde te verzamelen, kleine klonters in feite, die duidelijk afkomstig waren van de sportschoenen van de dader. Niet zozeer het feit dat men door die gedeeltelijke afdrukken had kunnen bepalen dat hij schoenmaat 42 had, was belangrijk, maar wel dat na ontleding was gebleken dat het in alle drie de gevallen om één en dezelfde soort aarde ging. De monsters waren heel zorgvuldig behandeld. Nadat ze gemeten en veelvuldig waren gefotografeerd, werden ze met handschoenen en pincet behandeld, om elke contaminatie te vermijden. Het was duidelijk dat de Antwerpse speurders van het labo niet hoefden onder te doen van hun collega's van C.S.I. Miami, die dagelijks furore maakten op de televisieschermen.

Een eerste oppervlakkige analyse had duidelijk gemaakt dat het hier om poldergrond ging, de soort die men dus in de streek aantrof. Dat was een belangrijk gegeven, want nu werd het vermoeden, dat men te maken had met een dader die in de streek woonde, effectief bewaarheid. Hier moest men niet meer speculeren, moeder Aarde had hem verraden. *"Poldergrond is zeer zware grond die zeker in het voorjaar, wanneer hij met water verzadigd is, weinig draagkracht heeft. Wordt het land dan betreden met zware machines, dan gaat de grond dichtslaan, wordt de bodemstructuur zwaar beschadigd met alle gevolgen van dien voor de plantengroei en dus de opbrengst. Om die reden moet poldergrond in het najaar worden geploegd zodat de vorst kan inwerken op de zware aardkluiten en de grond kan verkruimelen. Daardoor wordt een goede bodemstructuur verkregen. Bewerkingen in het voorjaar kunnen dan worden beperkt tot het zaaiklaar leggen van de grond, de uitzaai en/of gewasverzorging. Geen zwaar labeur, geen zware machines op het veld. Sinds mensenheugenis wordt in de Polder de mest in het najaar op de grond gebracht. Volgens de wet moet dat vóór 21 september gebeuren. Onmogelijk, want dan zijn maïs, graan, bieten en aardappelen nog niet geoogst. Pas na de oogst kan worden bemest en kan de mest ondergeploegd worden voor de volgende teelt. Op het grasland in de Polder werd in het verleden enkel mest uitgereden op bevroren grond omdat dan de draagkracht van de grond groter is".*

Steve en Nadia luisterden vol bewondering naar de uitleg van Luc, want ze wisten wat nu ging komen. De aanranding van het meisje te Lillo was gebeurd aanvang december, op een moment dat het vroor. Bij de ontleding van het monster aarde, hadden de laboranten inderdaad sporen teruggevonden van mest. Deze was nog niet diep genoeg in de bodem doorgedrongen, zodat men kon stellen dat de bemesting pas recentelijk was gebeurd. Door een uitgebreid onderzoek met de hulp van de wijkagent, waren de velden in kaart gebracht van de boeren die in die periode hadden gemest. Wekenlang had William, de oude diender uit Berendrecht, onder het mom van een bezoekje aan de boerderijen zijn informatie ingewonnen en deze bleek cruciaal te zijn voor het verdere onderzoek. Hij was er zelfs in geslaagd de soort mest in te kunnen vullen, alle gegevens in een omstandig verslag over te maken aan de dienst Agressie. De analisten vergeleken de resultaten met die inkomende rapporten van het N.I.C.C., het Labo voor Wetenschappelijke Politie en de V.U.B. Brussel. Het was duidelijk dat de nieuwe aanpak zijn vruchten begon af te werpen.

De kaart van Berendrecht tekende nu rood en groen: rood waren de vlekken waar dergelijke poldergond kon worden aangetroffen, die eveneens bemest was, groen de aarde die het zonder mest had moeten stellen in die periode. De Onderzoeksrechter keek verbaasd toe en stilaan werd het hem duidelijk dat voor het verdere opsporingsonderzoek deze elementen wel eens van doorslaggevend belang zouden kunnen zijn. Het net trok langzaam dicht. Vier rode en zeventien groene vlakken tekenden zich af op de kaart. Opvallend was de molen als middelpunt, één kleine witte vlek, in een oase van rood, begrensd door grote groene ruitvormige percelen en in het midden één donkerbruine lijn, als teken van het jaagpad, de enge verbinding tussen Berendrecht en Zandvliet. De 21 vlakken waren genummerd, opeenvolgende nummers, zodat in het rapport onmiddellijk nagegaan kon worden waar de exacte ligging was van de desbetreffende percelen.

Maar het beste, het ultieme resultaat, de droom voor elke speurder moest nog komen. Langzaam begon Luc voor te lezen uit de eindconclusies van het rapport van de analisten, de definitie van het spoor waarop ze al zo lang hadden gewacht, mogelijk de doorbraak in het onderzoek. Eindelijk kregen ze het monster van de Molen in zicht. Eerst gaf Luc, af en toe verbeterd door Rob, een overzicht van hoe men zich het begrip grond moest voorstellen.

"Eén van de meest gestelde vragen is: Wat is een goede bodem? De bodem is een samenstelling van verschillende grondsoorten. De ideale grond is leemgrond. Die heeft een verhouding van 0-30% klei, van 0-15% zand en 63-100% leem. Voor de optimale bodem is er 70% leem, 15% zand en 15% klei. Dit kan je aflezen op een textuurdriehoek. Een vruchtbare bodem: de bovenste laag (gaande van enkele cm tot enkele m) is wat wij de aardkorst noemen. Het woord bodem heeft 2 betekenissen namelijk de aardkorst of steenschaal in de aardkunde of geologie of het is een ander woord voor standplaats voor de planten. Dat laatste wordt vooral onderzocht in de bodemkunde of pedologie. In de bodem zijn ook verschillende organische bestanddelen. Eén van die bestanddelen betreft humus, een donkere, kleverige, fijne stof bestaande uit organische materialen. Humus wordt vooral gekenmerkt door zijn donkere kleur. Verder zijn er nog de dierlijke resten, die deel uitmaken van de bodem." Nu pas kwam Luc goed op dreef en uit zijn betoog kon je afleiden dat door het vergelijken van de samenstelling van de bodem, de aanwezige humus die in de monsters was gevonden en de ontleding van de dierlijke organismen, die in kleine partikels waren aangetroffen, alleen de velden met de nummers drie, veertien en negentien in aanmerking kwamen. Er was een zekerheid van 98,3 procent, dat de aangetroffen aarde vermoedelijk van één van die velden afkomstig was. Twee ervan lagen rond de molen, pal naast de verbindingsweg naar Zandvliet toe. Het derde veld lag iets verderop, meer in de richting van de Dijk. Wat belangrijker was: alle drie de velden behoorden toe aan dezelfde landbouwersfamilie.

Pas bekomen van de eerste emotie, moest de onderzoeksrechter slikken toen hij het vervolg hoorde. In drie wagens Opel Kadett van rode kleur, die een tijd voordien het voorwerp waren geweest van een grootschalige operatie, waren dezelfde fragmentarische deeltjes teruggevonden. Het werd duidelijk: in één van de drie voertuigen had de vermoedelijke dader gezeten. Blijkbaar was bij het monster, toen hij de akker bewerkte of langs het pad wandelde, aarde aan zijn zolen blijven plakken. Fragmentarische korrels die zorgden voor een gigantische bewijslast.

Nadia luisterde uiterlijk onbewogen, maar innerlijk bruisend van energie, naar de namen van de personen in wiens voertuig dezelfde grond was gevonden: Jan, de jongeman uit Lillo, Raoul de winkelier uit Berendrecht en de zware crimineel François, die op het eerste gezicht een sluitend alibi had gekregen. Ze herinnerde zich nog alle drie de personen, die ze had ervaren als moeilijk te kraken noten, die het klappen van de zweep kenden en totaal geen respect hadden voor de politiediensten. Voor de speurders en de onderzoeksrechter was het nu duidelijk dat het einde van een lange strijd in zicht kwam. Nog drie verdachten bleven over van de oorspronkelijke zeven. Anderzijds was er een landbouwersfamilie bijgekomen, maar een eerste onderzoek naar hun moraliteit leverde geen nuttige elementen op.

Het werd zeven uur, die vrijdagavond, en de vergadering liep ten einde. Rond vijf uur hadden de specialisten van de cel gedragswetenschappen uit Brussel zich eveneens op het kabinet van de onderzoeksrechter aangeboden en toen omstreeks half zes het commando van de speciale interventie-eenheden aankwam, was men verhuisd naar de meer comfortabele vergaderzaal op de tweede verdieping. Franco had zich ondertussen bij zijn manschappen vervoegd, samen met de Gerechtelijke Directeur en de Vertrouwensmagistraat. Iedereen begreep het belang van het dossier en ondanks het feit dat steeds gesteld werd dat politiek en justitie strikt van elkaar gescheiden waren, begreep de Eerste Substituut maar al te goed dat ze zich geen tweede miskleun kon veroorloven. De adem van de minister van Binnenlandse Zaken, verantwoordelijk voor de politiediensten, voelde ze bijna in haar nek en net zoals zij was hij lid van het blauwe fabriekje. Tijdens informele bijeenkomsten in de loge was ze al eens op haar vingers getikt en in niet mis te verstane bewoordingen had men zelfs laten blijken, dat een eventuele promotie naar het federale parket aan een zijden draadje hing, als de dader niet vlug gevat werd.

Mien, één van die hoogste ambtenaren binnen justitie, was zich bewust dat men de laatste tijd veel te veel had geflaterd. Dit had veel te maken met haar grenzeloze vertrouwen in de breedsprakerige Doc, die haar meer dan eens de zaken mooier had voorgesteld dan ze eindelijk waren. Dit, gecombineerd met het feit dat ze niet altijd over de nodige dossierkennis beschikte, had er voor gezorgd dat meerdere criminelen waren vrijgesproken. Eén van de pijnlijkste zaken was die van een overval in de diamantwijk, waar twee medeplichtigen de dans waren ontsprongen, ondanks verpletterende bewijzen. Er was zelfs geen beroep aangetekend tegen de vrijspraak, zodat de burgerlijke partijen in de kou bleven staan. Het Parket Generaal had toen ingegrepen en Mien eens duchtig de levieten gelezen. Ze begreep echter niet dat ze afstand moest nemen van Doc, of zijn luitenant Sloompie, en in haar blindelings vertrouwen, gecombineerd met een nimmer te stillen honger naar macht en persgeilheid, had ze het zelfs aangedurfd in een zaak van abortus, twee dokters en een verpleger door te verwijzen naar de Raadkamer. Haar betoog, dat de drie moordenaars waren, wat bewezen kon worden door de vele onderzoeksdaden van de in haar ogen onkreukbare speurders, werd gecounterd door de ervaren advocaten. De drie werden met klank vrijgesproken en weer was er een smet op haar blazoen gekomen, een onuitwisbare vlek die haar onkunde en subjectiviteit beklemtoonde. Sindsdien verkommerde de ouderwets geklede vrouw met de gehoornde bril, op haar kantoor, in afwachting van een wegpromovering naar Brussel wat voor iedereen een zegen zou zijn.

De vergadering was toch tamelijk tumultueus verlopen. Luc, Nadia en Steve kregen de steun van de onderzoeksrechter en waren er vóór om onmiddellijk een grootscheepse operatie op te zetten. De verdachten konden op zaterdagmorgen om vijf uur worden aangehouden en het hele weekend worden verhoord. Dat was echter buiten de bureaucratische Directeur gerekend, wiens leiding over de G.D.A. er voornamelijk in bestond zijn budgetten in evenwicht te houden. Hij zag al duizenden euro's wegvloeien, die nodig zouden zijn om de extra weekenduren te betalen en hij verzette zich met hand en tand tegen het plan. Mien zag een unieke kans om als woordvoerster van het parket eventueel in de schijnwerpers te komen en in haar droom zag ze zich al omringd door een horde fotografen en cameramannen. Ze formuleerde het anders en mengde zich in het debat, met de melding dat er ook overleg moest gebeuren met het Parket Generaal, dat altijd ingelicht wilde worden als er grote operaties van start zouden gaan. Iedereen voelde aan dat het hier een drogreden betrof, om haar de mogelijkheid te geven haar persvriendjes, die ze trouwens deelde met Doc en Sloompie, op tijd in te lichten. Maar niemand die echt durfde te reageren.

Het commando van de interventie-eenheden verschuilde zich achter het voorwendsel dat zijn manschappen eerst nog de nodige verkenningen moesten doen en al gauw zag de onderzoeksrechter in, dat er nog niets veranderd was in het zogeheten nieuwe politielandschap. Net zoals vroeger bij de Rijkswacht, was het nu het commando van de Federale Politie dat de lakens uitdeelde. Slachtoffers waren nog altijd niet van tel, hier telde alleen maar het ego en de op te strijken eer. Hij, als onafhankelijk rechter, leider van het onderzoek, mocht alleen de beschikkingen uitschrijven en het scenario van wat er moest gebeuren. Wanneer en hoe het zou gebeuren behoorde niet tot zijn takenpakket en knarsetandend moest hij bakzeil halen, beseffend dat de witte mars van jaren ervoor toch niets had uitgehaald.

Het compromis was gesloten. Vanaf maandagmorgen drie uur zouden verkenningsopdrachten worden uitgevoerd en de woningen van de verdachten in het oog worden gehouden. Om vijf uur stipt zou onder de codenaam 'Goliath' een reeks huiszoekingen van start gaan, terwijl het dorp volledig omsingeld zou zijn door gepantserde voertuigen. De helikopter zou moeten zorgen voor de doorsturing van de infrarode beelden, zodat op elk ogenblik, iedereen in de commandoroom een overzicht zou hebben van wat te gebeuren stond. Pas op maandagmorgen om vier uur zouden de manschappen die deelnamen, worden gebrieft, om elk lek te voorkomen. De Federale Politie, Justitie was er klaar voor. Nog enkele dagen, uren in feite en het Beest van de Molen zou gevangen zijn. De ridders van het gerecht zouden niet meer tegen de windmolens moeten vechten, maar zouden eindelijk de eer en roem halen die hen toekwam. De draak, het kwade zou op zijn eigen terrein worden verslagen. De molen zou weer een baken van licht worden, temidden in een woestijn van rust, als teken van liefde en schoonheid, schitterend in het eerste zonlicht in de zomer.

Steve en Luc reden naar Zandvliet, meer bepaald naar de instelling 'de Leeuw van Vlaanderen', een prachtig gerestaureerde boerderij die nu dienst deed als taverne en eethuis. Een stemmige ouderwetse kachel zorgde voor de nodige warmte tijdens deze lenteavond. Ze hadden zich tegoed gedaan aan de overheerlijke ribbetjes met brood en een donkere Leffe had de godenmaaltijd voltooid. Vooraleer terug te keren naar Antwerpen, reden ze nog eens langs Berendrecht om wat ze noemden "de sfeer op te snuiven". Hun wagen stond langs de kant van de weg en in het licht van de maan zagen ze de contouren van de donkere molen, die zich als het ware dreigend had opgesteld midden in het veld. Eén enkele kraai vloog traag, grote cirkels omschrijvend, rond de molen, als zoekend naar zijn volgende prooi. Het geheel gaf een lugubere indruk en straalde een sfeer uit van naderende dood, van het onheil dat op komst was. Beiden vrienden spraken niet, elk gevangen in hun eigen net van gevoelens, duizenden gedachten die rondtolden in hun hoofd. Hier ergens was het Beest, hier was het Kwade dat gestopt moest worden. In de naam van de slachtoffers, in de naam van God.

Een tweetal kilometer verder zat een figuur gebogen voor het scherm van zijn computer, starend naar de letters die oplichtten in het donker, als het ware een boodschap voor hem alleen achterlatend.

The Knowledgeable one knows that the peoples learning
contains some of the sea of my knowledge.
The lotus tree in the seventh heaven is the place of my revelation.
For that I am all-hearing, the all-knowing;
glorified is my sanctity and elevated is my name.
Paradise is my wine and Hell is the heat of my scorching wind.
Constellations prostrated to me until I was elevated.
Like the prostration of servants to the served.
And all those in the universe said to me
O God, Lead us into the straight path.

-So saith Shaitan

Paradise is my wine and Hell is the heat of my scorching wind. Het Paradijs is mijn wijn en de Hel...

De Demon begreep het en boog nederig het hoofd. Hij was zich niet bewust van het feit dat, enkele kilometers verder, twee speurders staarden naar dezelfde Molen, denkend aan zijn daden, zijn slachtoffers. Hij wist dat zijn tijd gekomen was om de Meester van het Kwade te dienen. Er moest een offer gebracht worden en hij had het voorbestemde lam met zorg uitgekozen. De tijd was rijp. Dag zou nacht worden in het kleine dorp, dat beschermd werd door de heiligenbeelden in de kerk. Geen rechter, geen speurder, geen man, geen vrouw zou hem kunnen beletten één te worden met de velen in het Donkere Rijk. Het onderaardse Paradijs zou zijn wijn worden, de Hel zijn nectar, de maagd zijn beloning voor het geduld, de beproevingen die hij zou moeten doorstaan. In een volgend leven zou hij onkwetsbaar zijn en mee regeren over de wereld.

Hij keek uit het raam, in gedachten verzonken. In de verte zag hij de wieken van de molen, weerspiegelend tegen de zilvergrijze glans van de bijna volle maan. Een silhouet trok zijn aandacht, het beeld van een zwarte vogel die naar het raam kwam gevlogen. Het was een kraai, een boodschapper van de Hel. Het beest keerde terug en starend zag hij hoe het klapwiekend naar de molen vloog. Hij lachte, dit was het sein. Zijn plan kon hij ten uitvoer brengen, in the name of Shaitan. Hij lachte zijn tanden bloot en deed het licht in zijn studeerkamer uit. Niemand was op de hoogte van de duistere geheimen die hij met zich meedroeg, geen enkele buur wist dat achter de façade van onschuld een monster verscholen was, een aanbidder van het Satanisme, een volgeling van de Duivel, een Gevallen Engel. Hij was er klaar voor.

Er is een plaats waar de rusteloze zielen naar toe gaan.

Ze lijden onder hun verdriet.

Ze willen hun fouten goedmaken.

Pas dan kunnen ze herenigd worden met hun geliefden.

Soms wijst een kraai ze de weg.

Want de liefde is sterker dan de dood.

Ik ben de kraai en wijs de weg.

Zaterdag

De antichrist is de ultieme manifestatie van het kwaad in een menselijk wezen. Het begrip komt in de Bijbel voor in de brieven van Johannes. In de Openbaring van Johannes, het laatste boek uit het Nieuwe Testament, komt het woord antichrist niet voor, maar naar algemene overtuiging wordt de persoon daarin wel beschreven en het beest genoemd. De antichrist laat zich helemaal leiden door de satan en deze tracht door deze persoon de mensheid geheel in zijn macht te krijgen en de gelovigen uit te roeien. De antichrist heeft ook een soort geestelijk adviseur, de valse profeet genaamd. Aanvankelijk presenteert hij zich als degene die alle problemen van de wereld komt oplossen en krijgt hij de absolute macht over de mensheid. Van wezenlijk belang daarbij is dat hij zich zal voordoen alsof hij een 'goddelijk' wezen is, waarbij hij zich bedient van bovennatuurlijke gaven waarmee hij zal pogen de mensheid te verleiden hem als 'god' te vereren. Na verloop van tijd laat hij echter steeds meer zijn ware aard zien en barst zijn beestachtigheid volledig los. Hij zal de mensheid dwingen óf voor hem te kiezen óf voor God. Diegenen die voor hem kiezen moeten hem en het beeld dat van hem wordt gemaakt aanbidden en een teken van hem op hun voorhoofd of rechterhand aanvaarden (het teken van het beest: het getal 666). God echter waarschuwt dat diegenen die dat doen onder Zijn Laatste Oordeel veroordeeld zullen worden.

De eerste zonnestralen piepten door de rolluiken van de lage bungalow. De vorige avond was best gezellig geweest, met op het einde ervan, zelfs een huiselijke Guido die er in geslaagd was niet al te dronken te zijn, toen zijn vrouw thuiskwam van haar bezoekje aan Boris. Alsof er nooit enige sprake was van huishoudelijke twisten of enig geruzie, was hij bereid geweest rond elf uur 's avonds nog een spelletje monopoly te spelen met Shana en Samantha en Mireille had vertederd toegekeken. Guido was goed geluimd, want de dag ervoor had hij een extraatje verdiend, door te helpen met een verhuizing bij vrienden en hij was niet van plan de honderd euro die in zijn zak brandden, af te geven voor huishoudelijke doeleinden. Daar was hij nu iets te egoïstisch voor, want hij besefte dat hij elke cent zou kunnen gebruiken om de braspartijen in het komende feestweekend te kunnen betalen. De klok wees tegen negenen en buiten zijn gewoonte om was Guido al gewassen en geschoren en zat hij fris en monter aan de ontbijttafel. Dat had vooral te maken met het feit dat vanaf tien uur de verschillende café's hun deuren openden en het grote feest kon beginnen. De avond ervoor was al bij al rustig verlopen en een goede nachtrust had iedereen deugd gedaan.

De kermisdag beloofde in Berendrecht groots te worden. Voor de liefhebbers was er een vinkenzetting, de duivenmaatschappij in het kleine café aan de kerk zou voor extra veel volk zorgen en omstreeks vijftien uur zouden een veertigtal dappere, jonge strijders op stalen rossen, als volleerde beroepsrenners, enkele rondjes malen rond het huis van God. De winnaar wachtte een premie van honderd euro, een zegepalm, maar vooral enkele kussen van miss Zandvliet, een uit de kluiten gewassen drie en twintigjarige boerendochter, die nog niet van straat was geraakt. De enige echte kandidaat voor een overwinning was Jantje, zoon van de bakker op de hoek, die als zestienjarige zich niet bekommerde om de tienermeisjes die probeerden zijn aandacht te trekken. Zijn fiets was zijn lief, zoals hij zelf zei en in zijn dromen had hij haar al meerdere malen beklommen.

Shana en Samantha waren ondertussen ook beneden verschenen en met een slaperige blik, monsterden ze de rijk gedekte ontbijttafel. Straks zouden ze met de vriendinnen paraderen, langs de kleine markt, tussen de tientallen jongeren die hun eerste sigaret rookten en ergens hoopten ze toch op enkele private romantische momenten met hun vriendje, beiden afgestudeerd en naarstig op zoek naar werk. Ze wisten dat de beide kameraden waarschijnlijk de avond weer zouden afsluiten met een heuse bierwedstrijd, waarbij de verliezer, hij die het minst kon zwelgen, het gelag zou betalen. Ergens haatten beiden tieners dit steeds weerkerende, boertige mannenspel en droomden ze van romantische, elegante dineetjes bij kaarslicht. Maar hun zelfgekozen ridders hadden door hun jeugdige leeftijd niet altijd oog voor de wensen van hun prinsessen.

Terwijl Guido nog een boterkoek verorberde, om een fond te leggen zoals hij altijd zelf proclameerde, kwam nu ook Mireille als allerlaatste de eetkamer binnengewandeld. Noch Paul, noch Richard, zouden zich de komende dagen in Berendrecht vertonen, want ze wisten beiden dat dit polderfeest een steeds wederkerend tafereel van plezier tussen de twee prinsessen en hun moeder was. De enige bezoekers die verwacht werden, waren Boris en zijn guitig liefje en verder Fanny die ook haar mannetje kon staan als het op feesten aankwam. Wanneer men soms de twee zussen, samen met Shana en Samantha, zag paraderen door de straten van Antwerpen, op jacht naar de laatste solden, dan waande men zich eventjes op de catwalk van een beroemde modeontwerper. Stijlvol, met oog voor detail, konden de vier musketiers niet alleen uren praten over mode en make-up, maar op het laatste, tot wanhoop van de jonge verkoopsters, combinaties bijeenzoeken die op het eerste gezicht gewaagd waren, maar in feite toch passend en vooral heel sexy.

Wanneer de bende van vier, zoals ze steevast genoemd werden, op een zaterdagavond bijvoorbeeld naar de Valentina's in Brasschaat trokken, dan was het precies alsof een populaire meidengroep de instelling betrad. Verschillende stille bewonderaars probeerden dan hun aandacht te trekken, door heimelijk of op een schalkse manier, alle mogelijke alcoholische drankjes aan te bieden, niet wetende dat ze, door de entourage van Fanny, steevast werd afgekeurd, na te zijn gewikt en gewogen. Dan eens was de ene te dik, de andere te dun, hadden ze platvoeten, of leken het gewoon bezopen figuren uit een of andere filmreeks uit de zestiger jaren. Pas na het soldaat maken van enkele flessen witte wijn, keerden de vier terug naar hun respectievelijke huizen, in gedachten nog nagenietend van de vele mannen die ze een blauwtje hadden laten oplopen.

Omstreeks kwart voor elf die zaterdagmorgen schalde de bel luid aan de voordeur, drie maal kort en één maal lang, als een teken van een geheim genootschap. Raoul stond daar in vol ornaat, zoals elke keer als hij zijn broertje kwam halen om samen aan de boemel te gaan. De winkel had hij voor één keer in handen gelaten van zijn vrouw, die door de meisjes heimelijk de draak werd genoemd, omwille van haar altijd stinkende adem en onverzorgde uiterlijk. Hij deed het niet graag, want hij wist dat er toch weer geld zou ontbreken in de kassa en hij op maandag een zondvloed van ontevreden klanten zou moeten trotseren, maar de band met zijn broer, vooral als het op drinken aankwam, was te sterk. Guido monsterde zijn compagnon van het weekend en knikte tevreden. Mireille echter fronste haar wenkbrauwen en de twee tieners konden hun pret niet op, als ze zagen hoe de twee brothers in arms, precies als twee overjarige homoseksuelen het pad afwandelden in de richting van het dorp. Beiden hadden een zwarte broek aan, een wit T-shirt, een dito vest. Wat echter het meest opviel waren de zware vergulde kettingen, die rond hun nek hingen, als een soort teken van aan de grond zittende gangsters uit een maffiafilm van de jaren dertig. Met hun puntige laarzen en na enkele uren door hun verzopen uiterlijk, zouden beiden alleen maar scoren bij marginalen en achterlijken van het dorp.

Mireille had het al lang opgegeven om Guido er op te wijzen dat hij er soms verwijfd bijliep. Vroeger zou ze zich voor hem geschaamd hebben, maar nu kon het haar allemaal niet meer deren. Op één punt na. Een beetje verder in de straat woonde de zeventienjarige, vroegrijpe Riska, een jonge del die al verschillende mannen had versleten. Het gerucht deed de ronde dat ze op veertienjarige leeftijd al een abortus had ondergaan. Maar nu staken de roddels in het dorp de kop op, dat ze een oogje had laten vallen op Guido. Mireille had inderdaad al eens gemerkt hoe beiden, precies als een verliefd koppel aan het praten waren geweest. Een tweetal keren was ze zelfs onverwacht thuis gekomen en had ze beiden aangetroffen in de woning op een ogenblik dat Guido in feite moest gaan werken. Maar echte toenadering had ze nog niet opgemerkt en ze hoopte dat het allemaal maar bij roddels bleef. Wat ze niet wist, of misschien niet wilde zien, was het feit dat Guido al verschillende malen het echtelijke bed met de jonge hoer had gedeeld, in ruil voor enkele centen, of wat gezelschap. Ze vond hem, ondanks zijn uiterlijk, blijkbaar een toffe knul en hij had zich het gezelschap van de tiener laten welgevallen. Het had hem verwonderd hoe lenig ze in bed was, wat hij van zichzelf zeker niet kon zeggen, en het had hem vooral een plezier gedaan dat hij ongedwongen af en toe avances kon maken, zonder het risico dat Riska op een dag zou aankloppen en meer van hem zou eisen. Mireille schudde eens ongemerkt met haar hoofd en begreep in feite zelf niet hoe het kwam dat ze nu plotseling, zonder enige aanwijsbare reden, haar gedachten de vrije loop had gelaten en zo maar aan die kleine slet van enkele huizen verder dacht. Jaloersheid was zeker de reden niet, integendeel. Riska was voor haar geen concurrentie, maar op termijn eerder een excuus, een voorwendsel om toch maar de scheiding in te zetten en te verhuizen naar een appartementje dat Paul haar had beloofd. Guido was geen echtgenoot meer in haar ogen, eerder een gewetenloze, marginale dorpsfiguur, die jaren geleden van haar zwaktes misbruik had gemaakt en haar had kunnen verleiden om een gezinnetje te vormen. Jarenlang had ze zijn treiterijen, zijn egoïsme, maar vooral zijn woede-aanvallen verdragen en alles opgekropt, om toch maar geen olie op het vuur te gooien, in het belang van Shana en Samantha. Maar haar relatie met Paul had deze rijpe vrouw eindelijk doen inzien dat haar leven meer was dan het spelen van de gelukkige huismoeder die wacht op haar meestal dronken, luie en vooral tirannieke echtgenoot. Ze was het beu om in café Arizona een levende biechtstoel te moeten zijn en elke keer opnieuw te moeten luisteren naar de verhalen van kommer en kwel, van de zelfkant van de maatschappij. Paul had Mireille doen inzien dat ze haar eigenwaarde moest terugvinden en zijn respect en vooral zijn luisterend oor, hadden getoond dat het nog niet te laat was.

De Berendrechtse dorpsvrouw zuchtte eens diep en luisterde naar de geluiden van de twee kibbelende meiden die zich boven aan het opmaken waren om het kermisweekend aan te vatten. Ze zou wachten tot na het weekend om met hen te praten en te vertellen over haar nieuwe toekomstplannen. Shana en Samantha zouden haar wel steunen, dat was ze zeker. Fanny zou ook betrokken worden. Als er immers iemand was die ze voor tweehonderd procent kon vertrouwen, dan was het wel haar zus. Ze glimlachte als ze aan haar dacht, wetende dat er tussen hen beiden een band was die verder reikte dan dit leven, een niet te beschrijven gevoel van liefde, dat zelfs na de dood zou blijven bestaan. Zusterliefde had hier altijd een speciale betekenis gehad, als was het een bijna sacrale beleving van wat ze voor elkaar voelden. Ze wist dat ze op haar oogappels en haar zusje kon rekenen, niet alleen nu, maar altijd en overal. Nog enkele dagen wachten, tot na het weekend en alles zou weer goed komen.

11.18 uur – Windmolenstraat - Berendrecht

Er zijn verschillende manieren om van Berendrecht naar Zandvliet te rijden. Je kunt via de Steenovenstraat naar de Zandvlietsesteenweg rijden en zo via de Zoutestraat naar de Zandvlietse Dorpsstraat. Je kunt ook via de Zandstraat, als je met de fiets bent, of te voet, via het Berendrechtsvoetpad het andere dorp gemakkelijk bereiken. Je wandelt dan tussen de velden en de volkstuintjes en hebt een mooi zicht op de oude molen die er pal als een wachter is neergeplant. Halverwege de Zoutestraat heb je een kleine weg die alleen door de plaatselijke inboorlingen wordt gebruikt, met name de Windmolenweg. Daar staan enkele kleine, mooi verzorgde huisjes, elk met hun eigen tuintje, maar vooral met een onbelemmerd zicht op de mooie natuur die in dat deeltje van de provincie Antwerpen nog levendig is. 's Morgens wordt je er wakker gemaakt door de Turkse tortel en de vele roodborstjes, die een serenade brengen, een ode voor al het moois dat op aarde is te vinden. De zon zie je er in de lange zomeravonden ondergaan aan de velden, als een donkerrode schijf, als het ware een brandend wiel, als teken van de macht van Gods schepping. Een wagen kan er met moeite rijden en de bewoners kennen er elkaar al jarenlang.

William, de wijkagent, fietste op de zaterdag van het grote kermisweekend lusteloos de laatste meters, naar de kleine witte bungalow met prachtige rozentuin, waar de weduwe Maria woonde. Ze was een prachtvrouw, soms een beetje afgezonderd van de buitenwereld, maar bijzonder scherpzinnig en intelligent, altijd gevat in haar uitspraken. Achtenvijftig jaar was ze, een leven vol miserie had ze gekend en kinderloos had ze haar twee echtgenoten begraven. De eerste was na een huwelijk van nauwelijks twee maanden gestorven tijdens een ongeluk in de Antwerpse haven. Een container had een einde gemaakt aan zijn leven. Haar tweede huwelijk had exact drie jaar en zeven maanden geduurd, toen ze weer weduwe werd. Haar man pleegde zelfmoord, kort nadat hij gehoord had, dat hij aan een ongeneeslijke vorm van kanker leed en hij had besloten uit het leven te stappen om haar de mogelijkheid te geven opnieuw te beginnen. Maar Maria wilde geen derde maal een dierbare begeleiden op zijn laatste tocht en sindsdien had ze bewust gekozen voor een leven van eenzaamheid, zonder vrienden en kennissen. Iedereen kende haar als het lieve dametje dat bereid was om belangeloos te helpen, maar verder niemand in haar huisje toeliet. Alleen William kwam er af en toe eens op bezoek, meestal op vrijdagnamiddag om er zijn borreltje te drinken en te luisteren naar de eindeloze verhalen van de vrouw.

Hij had pas zijn fiets tegen de gevel van het huisje gezet, of de deur vloog al open. Maria keek met een gehaaste blik naar buiten en schouwde de omgeving, alsof ze een ontmoeting had met een minnaar en niet wilde dat zijn aankomst door iemand werd opgemerkt. Pas nadat William zijn tweede borrel was begonnen, vertelde Maria waarom ze hem had laten komen. Ze praatte over het feit dat ze in de kranten gelezen had, dat er in de buurt van Berendrecht en Zandvliet verschillende aanrandingen waren gepleegd. Ze wist dat de onbekende dader door de media werd opgevoerd als het 'Beest van de Molen' en het was nu precies die molen die op een tweehonderd meter van haar huisje stond. Elke morgen als ze de rolluiken omhoog deed, werd ze geconfronteerd met dit monument, dat misschien wel een moordenaar, een verkrachter of een dief huisvestte. William luisterde slechts met een half oor naar het verhaal van de vrouw en catalogeerde het geheel al onmiddellijk, als een ondeugdelijke poging hem te overtuigen om meer langs te komen. Hij wist dat de weduwe weinig vrienden had en dat hij in feite een bevoorrechte persoon was die haar af en toe mocht opzoeken. Maar hij maakte zich geen illusies en begreep dat dit niets te betekenen had, dat Maria er gewoon op uit was om af en toe nieuwe roddels te vernemen. De weduwe beëindigde haar klaagzang met de melding dat er vreemde dingen gebeurden aan de molen.

Al verscheidene keren was ze getuige geweest van het feit dat er daar in de loop van de avond manspersonen rondliepen, maar het was te ver om in de donkere silhouetten iemand te kunnen herkennen. De laatste maanden had ze ook last gehad van rondhangende jongeren, die er midden de nacht passeerden en haar tuintje als urinoir gebruikten. Eenmaal had ze zelfs geschreeuw gehoord, alsof iemand een pak slaag kreeg. Het getier was overgegaan in geweeklaag en gejammer en tenslotte gestopt. Door haar eenzame bestaan, was ze pas bijna drie weken later op de hoogte geweest van de aanranding op Lynn en nu wist ze niet of ze in die periode die geluiden had gehoord of niet. William keek eens op, maar bekommerde zich meer om de inhoud van zijn glas dan om andere zaken. Maria zag niet in dat haar gezelschap verveeld was, maar dacht dat het stilzwijgen en de blik in het ijle, eerder een teken waren van het overdenken van de verschillende mogelijkheden in deze zaak. Hierdoor aangemoedigd vertelde ze de reden waarom William gevraagd was om te moeten komen. Die nacht, toen ze al lang in bed lag, was ze voor het eerst in lange tijd omstreeks één uur in de morgen, weer wakker geworden van een voor haar onbekend geluid. Ze was tot aan de achterdeur geslopen en had in het schemerige licht van de maan twee jongelui gezien, die met hun fietsen waren gestopt op het Berendrechtsvoetpad en op luide toon aan het discussiëren waren. Ze waren beiden duidelijk dronken, maar ze meende in één van die stemmen diegene te herkennen, die maanden ervoor ook al enkele keren brallend was gepasseerd. En zoals ze gezegd had, was dit misschien in de periode dat het Chinese meisje was aangerand.

Voldaan keek ze rond, alsof ze wachtte op een daverend applaus van een niet aanwezig publiek, maar de enige die reageerde was William. Grommend stond hij recht, inwendig vloekend omwille van het feit dat hij meer dan een uur kwijt was geraakt door te luisteren naar het verhaal van een domme, dwaze vrouw. In die tijd had hij meerdere glazen bier kunnen drinken, een tijdsbesteding die hij nuttiger achtte dan het sociale werk dat hij in feite pleegde te doen. Nog enkele jaren en hij kon genieten van zijn pensioen en dan hoefde hij niet meer te luisteren naar het geweeklaag van oude dametjes die zich verveelden.

Hij fietste terug naar het dorp van Berendrecht en overdacht wat hem te doen stond. Hij kende de vigerende richtlijnen die in het Centraal Signalementenblad waren verschenen, in het kader van het onderzoek naar het Beest. Elke inlichting, hoe klein of onwaarschijnlijk ook, moest via de geijkte appendixen onmiddellijk worden overgemaakt aan het Arrondissementeel Informatie Kruispunt. Verder moest een vertrouwelijk verslag worden opgesteld voor de informantenbeheerder, met hierin vermeld de identiteit van diegene die de informatie aanbracht en de plaats en het uur van de afspraak. William baalde en vertrouwde op zijn jarenlange straatervaring, die hem nu leerde dat het onwaarschijnlijke verhaal niet meer was dan enkele hersenspinsels van een eenzaam mens. Hij wist dat, wanneer hij deze informatie nu bekend zou maken, er binnen enkele uren weer een politiemacht in Berendrecht zou neerstrijken. Heel waarschijnlijk zouden speciale eenheden in de omgeving van de Molen elke beweging observeren, vanuit anonieme wagens of in de velden gelegen, verborgen onder camouflagenetten. Vermoedelijk zou het politiekantoor van Berendrecht als uitvalsbasis dienen, wat betekende dat hij extra uren zou kunnen kloppen en niet aanwezig kon zijn bij de feestelijkheden. Tenslotte vreesde hij een beetje de spot en de hoon van de collega's, als zou blijken dat een onwaarschijnlijk verhaal dat door hem op papier was gezet, zou leiden tot een megaoperatie. Het besluit van William stond vast. Vandaag zou hij niets meer ondernemen, maar maandag of dinsdag zou hij gewoon eens telefoneren naar de speurders van de Federale Politie en hen de weg tonen naar de Gekke Weduwe. Als er dan een operatie op volgde, dan was het hun verantwoordelijkheid. Voldaan en met een brede lach stapte hij het café aan de Solftplaats, waar de duivenmelkers samen-kwamen, binnen en een kwartier en drie pinten later was hij Maria al vergeten.

13.06 uur – dienst Agressie – Antwerpen

"Godverdomme. Het hoerenjong. De bastaard." De ene verwensing na de andere kwam uit de mond van Luc, de speurder van de dienst agressie van de Federale Politie te Antwerpen. Het neonlicht op de achtste verdieping brandde er al de ganse dag en in de rechthoekige vergaderzaal van zeven meter bij drie meter zaten hij, Steve, Nadia en twee analisten samen. Een tijdslijn was uitgeprint op papier en nam drie vierde van de muur in beslag. Op de tien grote tafels die haastig aaneen geschoven waren, lagen tientallen dossiers, duizenden bladzijden, goed voor uren horror en gruwel die zich de afgelopen jaren hadden afgespeeld in en rond de molen van Berendrecht.

In een straal van zeven en een halve kilometer waren er in de laatste drie jaar in totaal honderdvierenvijftig feiten gebeurd van allerlei aard. Kruimeldiefstallen, gewone diefstallen, overvallen, drugsgebruik, moordpogingen, zedenfeiten en geweldsdelicten. In achtentachtig van de gevallen waren de politiediensten er, ondanks veel inzet van manschappen en materieel, niet in geslaagd om een sluitende oplossing te vinden. Na eliminatie van feiten die gerelateerd waren aan inbreuken op de drugswetgeving, schoten er nog negentien zaken over. Hiervan waren er zeventien die toe te schrijven waren aan "een zwerver, landloper, pezige lichaamsbouw, tussen de vijfendertig en vijfenveertig jaar oud, met een geweldige kracht en niets ontziend geweld." Dat was de zwerver, het beest van de molen, de ongrijpbare demon die de streek al geruime tijd terroriseerde. Alle feiten samen waren goed voor minstens tweehonderdentachtig jaar cel in Amerika, hier voor een proces voor het assisenhof gevoerd, met hopelijk levenslang tot gevolg.

"Verdomme". Nogmaals bulderde de doorgaans kalme case-officer, terwijl hij met gebalde vuist op de tafel sloeg. Steve en Nadia moesten glimlachen bij het zien van zoveel verbaal geweld, wetende dat zij de oorzaak waren van de kleine storm die nu raasde in het glazen gebouw van de Federale Politie aan de Noordersingel te Antwerpen. Die morgen waren beiden naar de burelen gekomen om in alle stilte de duizenden bladzijden te herkauwen, in een oase van rust, doorgaans op zaterdag en zondag terug te vinden, daar langs de Antwerpse ring. Steve was al om half vijf gearriveerd, Nadia een half uurtje later. Na de obligate tas thee met citroen en de kan sterke koffie, hadden beiden zich aan een kant van de vergaderzaal genesteld en met een schrijfblok in de hand waren ze gestart met het doorploegen van de immense stapel papier. Omstreeks kwart voor negen was er een eerste lichtpuntje geweest en op voorstel van Nadia werden de analisten opgetrommeld om hun mening te vragen.

Het was veiliger dat derden ook hun mening gaven, vooraleer de slapende honden wakker te maken. Dat was het tegenovergestelde van Doc en Sloompie die in het verleden zich meerdere malen hadden vergaloppeerd, alleen al door hun ego dat hen de weg had gewezen. Nu kwamen de gevolgen meer en meer naar de oppervlakte, want in twee maanden waren er enkele belangrijke processen door justitie verloren door het toedoen van briljante strafpleiters die de hiaten in de dossiers konden aantonen. Steve en Nadia waren niet van plan in de val van het egoïsme en de zelfzucht te trappen en wachtten geduldig op de komst van de analisten.

Een tweetal uren later bevestigden die de theorie van de twee ervaren speurders, die ondertussen al een zestal uren aan het werk waren. Hierop werd Luc gevraagd dringend naar de Noordersingel te komen waar hij met een grijns door het jonge geweld werd ontvangen. Hij las het nieuwe rapport dat pas was opgesteld en vol ongeloof begon hij de stukken te zoeken en te herlezen waarnaar werd verwezen. Drieëntwintig minuten later volgde het salvo van verwensingen, als teken van opluchting enerzijds, van ongeloof anderzijds. Het stond daar zwart op wit te lezen en tot nu toe had niemand de verbanden gezien. Uit het dossier bleek dat de dader iemand uit de streek moest zijn, iemand die Berendrecht en omgeving op zijn duimpje kende, maar ook kennis had van het havengebied. In sommige gevallen was de dader herkenbaar geweest, in andere gevallen niet. Uit stuk driehonderdtwintig bleek dat ene Samantha bijna het slachtoffer was geworden van een aanranding, maar de dader door haar geroep had verjaagd. Wat er gebeurd was, maar vooral het hoe, leerde de speurders dat de dader iemand moest zijn die de omgeving en de woning goed kende. En daar kwam de verdachte naar voor: Raoul, oom van het meisje. Stuk vierhonderd en twintig leerde dat hij in het bezit was van een rode Opel Kadett. Verder toonde het beknopte moraliteitsverslag aan dat de vrouw van betrokkene in andere zaken al valse getuigenissen had afgelegd, ten gunste van haar echtgenoot. De winkelier was één maal verdacht van perversiteiten, een zaak die zonder bewijzen was geseponeerd. Maar wat belangrijker was: in zeven van de aanrandingen in de voorbije drie jaar had betrokkene geen alibi.

Luc kreunde bij het zien van het rapport. Zijn vrees die hij al enkele maanden had, maar tot op heden aan niemand had verteld werd bewaarheid. Het ergste scenario dat een speurder zich kon voorstellen, was realiteit geworden. Er waren twee daders, die onafhankelijk van elkaar aan het werk waren. Blijkbaar hadden de speurders te doen met een copy-cat, twee verschillende personen, waar de tweede toesloeg, gebruik makend van de verwarring die ontstond door de gewelddaden die de eerste pleegde. Het was in Amerika meerdere keren voorgevallen bij seriemoordenaars, dat de politiemensen bij aanvang dachten te doen te hebben met één geweldenaar, omwille van hetzelfde patroon en dezelfde modus operandi bij de gepleegde moorden. Maar na verloop van tijd bleek dat er meerdere moordenaars aan het werk waren, waarbij de tweede de eerste dader als het ware imiteerde en zodoende op een vakkundige manier zijn sporen kon verbergen. Luc was er nu meer dan ooit van overtuigd dat een deel van de aanrandingen opgehelderd zou worden, het eerste Beest was in de netten van de Federale Politie verstrikt geraakt en men zou de buit deze keer niet laten ontsnappen.

Hij complimenteerde de speurders die het beste van zichzelf hadden gegeven, maar vervloekte zichzelf dat hij de mogelijkheid die al geruime tijd in zijn hoofd sluimerde, nooit daadwerkelijk had onderzocht. Meer en meer puzzelstukken begonnen nu in elkaar te passen. Het alibi van Raoul bij de laatste aanranding kwam op losse schroeven te staan, wetende dat zijn vrouw als onbetrouwbare getuige kon worden gecatalogeerd. De vondst van de aarde in zijn wagen, kreeg ineens ook een andere betekenis en werd als het ware een goudklompje in de bewijsvoering. Het feit dat hij niet was herkend door Lynn, de bouwvakker of door de marginale vrouw uit het Stabroeks café, bevestigden de stelling dat er waarschijnlijk twee daders aan het werk waren. Tot slot was uit een buurtonderzoek al gebleken dat Raoul niet de man was die in het café aan de Berendrechtse kerk had gezeten, voorafgaand aan de verkrachting van het Aziatische meisje. Het was duidelijk: het Beest van de Molen had een concurrent.

Om 15.17 uur verwittigde Luc de onderzoeksrechter van de doorbraak in het onderzoek en drong hij aan op een snelle interventie, liefst nog in de loop van de avond. Met een beetje geluk zouden tegen de volgende morgen de eerste bekentenissen al op papier staan. Maar de speurder moest bakzeil halen. Principes en beslissingen van hogerhand, evenals de persgeilheid van de vertrouwensmagistraat, die nog het een en ander goed te maken had bij de heren van het Hof van Beroep, dwarsboomden elke mogelijkheid tot een arrestatie. Om 16.04 uur was het bericht formeel. De operatie zou pas doorgaan op maandagmorgen, zoals voorzien en afgesproken met de top van de interventie-eenheden. Knarsetandend moest Luc toegeven, inwendig razend omwille van zoveel onkunde van mensen die moesten waken over de veiligheid in het land, maar in werkelijkheid in een ivoren toren leefden. Hij keek op zijn uurwerk: nog zes en dertig uren scheidden hem van de operatie, anderhalf etmaal hopen dat het beest niet zou toeslaan.

Besef,

dat niemand je tranen verdient,

want hij die ze verdient,

laat je niet wenen.

Besef,

dat je voor de hele wereld misschien maar een gewoon mens bent.

Maar voor vele gewone mensen,

ben je de wereld.

Besef,

dat je nooit moet wenen om iets dat beëindigd is.

Maar glimlach omdat het plaats heeft gehad.

Pas dan

weet ik dat je tranen gemeend zijn,

weet ik dat ik altijd in je gedachten zal zijn,

pas dan ben je een mens.

Solftplaats – Berendrecht – 15.43 uur

De oorverdovende muziek schalde door de bijna versleten boxen van de dito geluidsinstallatie in het veel te kleine café te Berendrecht, waar de rook te snijden was. De twee overjarige, gerimpelde diensters genoten van de wellustige blikken van de voornamelijk mannelijke klanten waarvan enkele al duidelijk boven hun theewater waren. Onder hen Raoul en Guido, de twee marginale broers die er weer een wedstrijd van maakten om zoveel mogelijk alcohol te drinken, liefst op rekening van een ander. Voor hen was elke gelegenheid goed om zich te laten vollopen. Naarmate de tijd vorderde, kregen de verhalen aan de toog onwaarschijnlijke afmetingen en op een bepaald ogenblik vertelde Raoul voor de zoveelste keer het relaas van zijn arrestatie enkele weken daarvoor. De toehoorders kregen als het ware een parabel voorgeschoteld, waarbij Raoul blijkbaar een volledig, tot de tanden gewapend arrestatieteam, de daver op het lijf had gejaagd en hen gedwongen had zijn woning te verlaten. Pas nadat de onderzoeksrechter hem persoonlijk gesmeekt had om zich aan te bieden in de kantoren van de Federale Politie voor verhoor, had hij zich verwaardigd om zich om te kleden en de speurders te vergezellen naar de Noordersingel te Antwerpen.

De realiteit, dat hij in feite uit schrik in zijn broek had geplast en met een zak over zijn hoofd, geboeid werd weggeleid door bomen van kerels, was niet meer van belang. Het tot een sprookje herleid avontuur van één dag werd echter gesmaakt door enkele even marginale drinkebroers, van wie de aandacht al gauw werd beloond met enkele gratis pinten verschraald bier. Ondertussen keek Guido vol begeerte naar de ronde vormen van de dienster, een alleenstaande dame die af en toe een centje bijverdiende tijdens de kermis of bij andere festiviteiten. Ze kende de kneepjes van het vak en wist hoe ze de pappenheimers van het dorp de nodige aandacht moest schenken, zodat de fooienbokaal op het einde van de avond goed gevuld zou zijn. Guido was één van de malloten die dacht door zijn, volgens hem, blitse houding elke vrouw te kunnen versieren en hij aarzelde niet om bij elk rondje een fikse tip toe te stoppen. Dat hij zich oeverloos belachelijk maakte en zelfs meewarig werd bekeken door de andere klanten, begreep hij niet. Daarvoor was zijn ego te groot. Zelfs in het bijzijn van Mireille of de twee tienerdochters, had hij geen schroom om als een perverseling, zonder enige gêne, wellustig de vrouwen te bekijken. Meerdere malen had Mireille zich ontzettend beschaamd gevoeld, wanneer hij weer al eens dronken, probeerde één of andere dienster onwelvoeglijk aan te raken en soms letterlijk op zijn vingers werd getikt. Op dergelijke momenten droomde ze van een ander en een beter leven, zonder haar Guido op wie ze ooit eens verliefd was geweest.

De tweeëntachtig jarige echte uitbater van het café had het geld al lang niet meer nodig, maar hield de herberg alleen nog draaiende om de leden van de duivenmaatschappij nog een plezier te doen. Al tientallen jaren kwamen ze op zaterdag en zondag bijeen en werden de wedstrijden druk becommentarieerd. De duivenmelkers waren niet alleen klanten van hem, maar door de jaren heen ook vrienden geworden en samen vormden ze een hechte groep in het kleine dorp langs de majestueuze Schelde. Het waren allemaal blauw geschelpte kampioenen, die ze in hun bezit hadden en moest je hen geloven dan had iedereen wel een wereldtopper in zijn duiventil. Maar de waard wist wel beter en gezeten bij de oude Leuvense stoof grinnikte hij regelmatig bij het aanhoren van zijn klanten, die hij al jaren kende.

Als een koning monsterde hij de zaal gezeten op zijn houten troon met vier poten, een stoel die zijn beste tijd al lang had gekend. Iedereen in het dorp wist dat men van de plaats van Jeanke moest afblijven, want ondanks zijn hoge leeftijd was hij nog scherp van geest en zeker rad van tong. Een onverlaat die het riskeerde op de stoel naast de Leuvense stoof te zitten, kon er op rekenen dat hij een reeks verwensingen naar het hoofd geslingerd kreeg, die hem nog lang in de oren zou nazinderen. Iedereen vond de oudere man nog kranig voor zijn leeftijd en er was niemand in het dorp die hem dan ook niet kende. Soms werd hij lachend de echte burgemeester genoemd, omwille van het feit dat hij het reilen en het zeilen van de kleine gemeenschap op zijn duimpje kende. Hijzelf kende de honderden families allemaal persoonlijk, behalve de nieuwkomers die er de laatste jaren gebouwd hadden en geen echte binding meer hadden met de polderdorpen. De obligate jenever, elke dag voor het slapengaan, was zijn geheimpje, zijn medicijn die er voor zorgde dat hij nog een lang leven beschoren was. Iedereen hield van Jeanke en trakteerde hem op een glaasje rode wijn, zijn tweede middel om gezond te blijven. Zijn vrouw was jaren geleden gestorven en dit verlies had bij hem de doorslag gegeven om haar levenswerk voort te zetten. Nu was hij "*onder de mensen*" en verveelde hij zich niet meer.

Met een heldere blik monsterde hij de vele aanwezigen, die er voor zorgden dat zijn karig pensioentje toch op tijd werd aangedikt. De vele verhalen die aan de toog werden verteld, had hij al tientallen malen gehoord en soms schudde hij medelijdend het hoofd bij het horen van zoveel onzin. Zijn blik werd getrokken door de verschijning van Mireille, die er zoals altijd op haar best uitzag. Haar modieuze mantelpakje van een dure couturier, was in tegenstelling tot de wilde, geblondeerde haardos die er haar jonger deed uitzien. Iedereen kende Mireille, maar niemand wist wat er echt in haar omging. Haar hart was voor iedereen gesloten, behalve voor Shana en Samantha die af en toe de sleutel mochten omdraaien en kijken wat er schuilde in die soms mysterieuze vrouw uit Berendrecht. Fanny, tante genoemd door de twee tieners, was de enige persoon die haar zus echt kon bereiken en die meerdere keren deelgenoot was geworden van haar geheimen. Zij en haar sympathieke man, probeerden haar altijd met raad en daad bij te staan, wat niet gemakkelijk was bij deze vrouw. Mireille wilde niet dat iemand zich om haar bekommerde. Ze was door de jaren heen zelfstandiger geworden en had door de tegenslagen in haar leven geleerd hard te zijn als het moest. Niemand besefte dat achter de stralende blikken in haar ogen, een wereld van oeverloos verdriet heerste. De klanten kenden haar als Mireille, vrouw van Guido, maar niemand stond er bij stil dat ze ongelukkig was. Raoul was de eerste die haar opmerkte en brallend keerde hij zich naar haar toe. Ondanks het feit dat het zijn eigen schoonzus was, monsterde hij haar met een vuile, perverse blik en hij had geen schroom om te proberen haar borsten te strelen. Met een elegant gebaar duwde ze de drinkebroer terug op zijn stoel, wetende dat ze van haar even dronken echtgenoot toch geen hulp moest verwachten, en ging ze aan de andere kant van de toog staan, in de nabijheid van Jeanke wiens ogen glinsterden.

Shana en Samantha bleven weg uit de herberg en slenterden tussen de enkele kraampjes die er ter gelegenheid van de kermis waren opgesteld. Mireille was als een Goddelijke verschijning tussen de boeren en marginalen in het café. Haar zwarte mantelpakje accentueerde de schoonheid van die vrouw en de lederen laarzen, met een scherpe punt en hoge hakken, deden haar enkele centimeters groter lijken dan ze in werkelijkheid was. Enkele bewonderaars vochten bijna om haar gunsten en al gauw had de ene haar jas weggehangen, terwijl de andere haar een drankje aanbood. Haar keuze viel op een rode port, een Sandeman, die in een passend glas werd geserveerd. Haar verschijning bracht weer leven in het café en al vlug schalde haar heldere lach door de instelling, wanneer weer eens iemand een of andere mop vertelde. Mireille kwam weinig in de café's in het dorp, bang als ze was over de tong te gaan of als een slechte vrouw te worden aangezien. In tegenstelling tot Guido was ze er geen vaste klant, maar de enkele keer dat ze zich daar voor bijzondere gelegenheden toch vertoonde, ging niet onopgemerkt voorbij. Mireille, in tegenstelling tot de gezonde boerendochters of de zuiplappen aan de toog, betekende klasse, een vrijgevochten vrouw die durfde choqueren met haar kledij, maar genoeg levenservaring had om te weten wat ze deed. De kleinburgerlijke dorpsmentaliteit bij sommige inwoners, zorgde er echter voor dat ze soms toch ongewild over de tong ging.

Ondertussen werd het stilaan avond en Guido keurde zijn vrouw geen blik waardig. Hij negeerde haar volkomen, in al zijn boersheid die hij had, en vertoonde geen schroom om Riska, die ondertussen ook het café was binnengekomen, bij zich te roepen en haar in het gezelschap van zijn broer en de andere stamgasten over haar bil te strelen. Ondanks de staat van dronkenschap waarin hij verkeerde, voelde hij toch lustgevoelens opkomen en al gauw zonderde het vreemde stel zich af in de achtergelegen toiletten met minder eerbare bedoelingen. Een drinkebroer die ook al meer op had dan hem lief was, maakte Mireille er op attent, dat haar man aan het flikflooien was met de del van het dorp. Hij deed dat op een dusdanige luidruchtige toon dat bijna elke aanwezige haar onmiddellijk aankeek. De fiere vrouw bleef kaarsrecht staan en nipte behoedzaam aan haar port. Tranen schoten in haar ogen, niet omwille van het feit dat ze bedrogen werd door een overspelige man, maar door de ultieme, zware vernedering die ze opnieuw moest slikken in het bijzijn van vreemden. Het geluk van vroeger had al lang plaats gemaakt voor ongeluk, beproevingen en rampspoed. Guido was het symbool geworden van lafheid en achterlijkheid, de ridder van weleer was haar kwelduivel geworden.

Enkele minuten later kwam Riska als eerste uit de gang die naar de toiletten leidde, giechelend als een schoolmeisje dat haar eerste reisje zonder haar ouders had gemaakt. Toen Guido de gelagzaal betrad, merkte hij niet eens de beklemmende stilte die ondertussen was gevallen. In zijn alles overheersend egoïsme schoof hij opnieuw aan de toog bij en dronk twee grote slokken van zijn ondertussen warm geworden pint bier. Pas toen viel hem de veranderde houding op van de andere aanwezigen en van Riska die met bloedrode wangen naar beneden keek, naar de punten van haar schoenen. In enkele woorden bracht Raoul zijn broer fluisterend op de hoogte van wat er kort daarvoor was voorgevallen. Wankelend door de vele alcohol die hij al gedronken had, draaide Guido zich om en hij keek recht in de ogen van Mireille die vuur spuwden. Als blikken konden doden, dan was hij er niet meer. Het werd nu voor iedereen duidelijk dat hij geen enkel schaamtegevoel kende en zelfs de confrontatie zocht. Voor iemand kon ingrijpen sprong hij overeind, verbazingwekkend snel rekening houdend met zijn toestand. Onverwacht trok hij Mireille bij de haren naar het midden van het café. Twee stoere dokwerkers snelden te hulp en met enkele welgemikte klappen werd de lafaard gevloerd. Raoul boog zich over zijn broer, die als een geslagen hond, als een hoopje zielige ellende met een bebloede lip op de grond lag, zonder enig besef van schuld. Mireille keek om zich heen en hete tranen rolden over haar wangen, sporen achterlatend op de voordien zorgvuldig aangebrachte mascara. Langzaam bewoog ze zich als in een droom naar de deur van het café. Een wandeling, alleen, in de frisse lucht zou haar deugd doen. Haar besluit stond nu vast. Dit weekend zou het laatste worden dat ze doorbracht met Guido. Maandag zou ze vrij zijn.

Langzaam viel de nacht over Berendrecht. In het kleine café op de Solftplaats was iedereen de gebeurtenissen van enkele uren daarvoor vergeten. Guido was na zijn uitbarsting nuchter geworden, mede dankzij de zorgen van zijn broer die er op toe zag dat hij geen alcohol meer dronk. Langzaam maakten de sterren hun opwachting aan de hemel. In het heldere maanlicht vloog een eenzame kraai die nacht een laatste maal rond de molen.

Zaterdag – Solftplaats – 23.32 uur

Een zilverkleurige Audi A6 komt Berendrecht binnengereden. Ter hoogte van de kerk houdt de wagen stil en eventjes is er overleg tussen de twee inzittenden. Luc en Steve verlaten het anonieme dienstvoertuig van de Federale Politie te Antwerpen en gaan naar het plein waar de festiviteiten in volle gang zijn. Omstreeks tien uur die avond had Luc zijn vriend en collega gebeld, met verzoek naar het bureel terug te keren. Steve was niet verrast, want hij kende de oudere speurder als een zeer gedreven man, die het niet altijd eens was met de hiërarchische overheden. Het waren meestal pilarenbijters die hun leven lang hadden doorgebracht tussen vier muren, maar nog nooit een lijk op straat hadden gezien. Deze papieren soldaten, zoals Luc ze steevast noemde, waren alleen maar tevreden als ze hun neus tussen vergeelde papieren en muffe dossiers konden steken, maar hun gebrek aan terreinervaring zorgde er alleen maar voor dat ze meestal verkeerde beslissing namen. Ook Steve had het niet hoog op met die omhoog gepromoveerde ex-luitenanten van de vroegere Rijkswacht, die hun leven lang in studielokalen hadden doorgebracht en nu in het nieuwe systeem hoofdcommissaris waren geworden. Eén van hen kende hij persoonlijk, een lid van de Rijkswacht, die niet voldeed aan de eisen om vroeger bij de Gerechtelijke Politie of de lokale Politie tewerkgesteld te worden, maar die door zijn vermogen om grote delen leerstof te bevatten, geslaagd was in de diverse examens van de vroegere officierenschool van deze politiedienst. Zijn kruiperige houding tegenover zijn meerderen, gecombineerd met een slaafs volgen van elk bevel, hoe onzinnig ook, hadden hem in staat gesteld de ene promotie na de andere te maken. Zo ook Doc, die met moeite lager middelbaar onderwijs had gevolgd, maar door diezelfde houding en een lange politieke arm, er in geslaagd was op te klimmen tot de rang van commissaris binnen de nieuwe Federale Politie.

Luc en Steve wandelden tussen de tientallen feestvierders naar de Solftplaats, waar de verschillende café's stampvol zaten met allerlei fuifnummers. Hun missie was dodelijk eenvoudig: de sfeer opsnuiven, de vijand leren kennen in zijn natuurlijke biotoop in afwachting van de operatie negenentwintig uren later. Ze hadden geen toestemming gevraagd van een meerdere om naar Berendrecht te gaan, goed wetende dat dit toch zou worden afgeketst door de angsthazen die alleen maar werkten in functie van hun eigen carrière en zich in feite niet bekommerden om de mensen, de slachtoffers. Luc wilde vannacht zijn prooi lokaliseren en observeren, geruisloos, als een dief in de nacht. Steve wist dat het niet de bedoeling was Raoul vannacht aan te pakken, maar het gedrag van iemand kennen, kon in bepaalde omstandigheden een voorsprong geven tijdens het verhoor.

In één van de kazernes te Elsene, waar de Federale Politie was gehuisvest, werden de agenten dagelijks getraind in bijzondere verhoortechnieken. Zo hadden ook Steve en Luc zich al jaren geleden verder bekwaamd in die materie en ze wisten maar al te goed dat een bekentenis kon vallen of staan met één enkele hoofdbeweging, één enkel woord. Het was jammer genoeg niet altijd zo eenvoudig, maar de jarenlange ervaring had hen geleerd dat het non-verbale gedrag van de verdachte soms meer vertelde, dan wat hij verklaarde op papier. De missie die ze nu zouden volbrengen had veel nut. Door het bestuderen van het gedrag van Raoul, hoopten ze meer te weten te komen over zijn karakter. Na overleg met de cel Gedragswetenschappen zouden ze eventueel nog in staat zijn vooraf een scenario te bedenken op welke manier hij op de rooster zou worden gelegd. Een ander voordeel was dat, wanneer ze hun prooi in observatie hadden, ze dan ook onmiddellijk konden ingrijpen wanneer er iets onverwacht zou gebeuren.

Wanneer je de twee speurders zag lopen, dan was er niets dat deed denken aan het feit dat het hier om twee leden van de dienst Agressie ging van de Federale Politie te Antwerpen. Beiden droegen een zwarte jeansbroek, een dikke trui en daarboven een loshangend, kort vest. In de broeksband, op de rug, verborgen onder de trui, stak een dodelijk vuurwapen, de Glock geladen met tien patronen per lader en één in de kamer, zoals voorgeschreven door de vuurwapeninstructeurs.

De foto van Raoul hadden ze opgeslagen op hun netvlies en de bedoeling was hem te kunnen lokaliseren en op een dusdanige manier te observeren, dat hij hen zelf niet herkende. Wat Luc vermoed had, werd bewaarheid. Ze wisten dat noch hij, noch zijn broer in andere café's kwam dan die gelegen aan het pleintje. Ze wisten ook uit enkele vroegere gesprekken met de wijkagent, dat beiden samen op stap gingen en meestal wel ergens aan één of andere toog te vinden waren. Ze troffen de ondertussen zwaar beschonken man inderdaad aan in een klein langwerpig café op de Solftplaats. Het was een meevaller dat er twee ingangen waren en door het vele volk dat er nog was, slaagden de speurders er zelfs in onzichtbaar te worden in de massa. Ze zagen hoe Raoul op een flirterige manier omging met de twee diensters en naast hem herkende Steve, de pleegvader van de tiener die aangifte was komen doen. Geen van beide zuiplappen stoorde zich aan de aanwezigheid van de twee flikken.

Ze hadden hun komst zelfs niet opgemerkt en vergemakkelijkten zo de taak van de beide speurders. Een nieuwe aanranding hoefden ze niet te vrezen de komende uren, want Raoul bewoog zich alleen nog langzaam, zwaar waggelend door het café, als hij van zijn kruk opstond en heel waarschijnlijk zouden zijn bedprestaties, of de lust daartoe, op een heel laag pitje staan. Wat ze nu leerden over hem, was nuttig. Raoul was een spraakwaterval, wanneer de toehoorders hem het forum gaven waarop hij meende recht te hebben. Steve merkte op dat, wanneer hij onderbroken werd tijdens een verhaal, plotseling humeurig werd en het gesprek afbrak. In het andere geval was zijn woordenvloed niet meer te stuiten. Dat was iets om rekening mee te houden. Verder konden ze duidelijk zien dat het ego van de man oneindig groot was en dat een beetje gevlei of een stimulerend woord, meer dan voldoende was om hem over van alles aan de praat te krijgen. Hij besefte dat het een leerrijke ervaring was, iets waar ze zeker tijdens het verhoor rekening mee moesten houden.

Omstreeks kwart voor twee werd de deur van het café geopend. Een kleine, slonzige vrouw, met vettig lang haar dat al blijkbaar weken niet was gewassen, stevende in haar vol met vetvlekken besmeurde ouderwetse kleed en dito mantel, recht naar Raoul en Guido. Luc herkende in haar onmiddellijk 'de Draak', het eigenzinnige wijf dat getrouwd was met hun prooi. Een korte hevige discussie brak uit aan de toog, zonder dat de speurders konden horen wat er gezegd werd. Maar het pleit was vlug beslecht en een tweetal minuten later verlieten de twee broers, als geslagen honden de instelling, waarbij het hoongelach van de andere nog aanwezige klanten, hen niet bepaald als muziek in de oren klonk. Luc en Steve slaagden er in onopgemerkt de herberg te verlaten en ze zagen nog net hoe de anderen in de rode Opel Kadett wegstoven richting van de Kerk.

Een tiental minuten duurde het vooraleer ze zich zelf naar hun Audi A6 begaven. Zoals het hen was geleerd bij de cursussen observatietechnieken, maakten ze eerst een omtrekkende beweging om zeker te zijn zelf niet gevolgd te worden. Hierbij maakten de speurders gebruik van beide kanten van de straat, zodat ze ook elkaar in het oog konden houden, wat bij sommige gevaarlijke operaties zeker geen luxe was. Niemand van de wandelende feestneuzen had echter erg in de speurders en even later reden ze langzaam richting van het kruidenierswinkeltje en de woonst van Raoul, ongeveer één kilometer verderop. Voor de deur zagen ze het voertuig staan en er brandde alleen nog licht in een kamer op de eerste verdieping. Het nest was weer veilig, Berendrecht kon rustig ademhalen.

Langzaam reed de zilverkleurige Audi A6 over de Noorderlaan in de richting van de Metropool, met aan boord twee stilzwijgende rechercheurs, elk in hun eigen gedachten verzonken. De verkenning had nuttige informatie opgeleverd wat betreft de houding van hun verdachte, inlichtingen die bepalend zouden zijn voor de manier waarop het verhoor zou plaatsvinden. Nog minder dan zevenentwintig uren scheidden hen van de ultieme strike, de bevrijding van de polderdorpen van minstens één geestesgestoorde psychopaat, die al verschillende slachtoffers had gemaakt. Iets meer dan een etmaal en ze zouden hard toeslaan, op enkele kilometers van de beruchte molen.

De volle maan, die als een lichtbaken was verschenen, zorgde voor een spookachtig beeld van de velden rond de molen. De rust keerde terug in de Polderdorpen, waar de Demon zich opmaakte om toe te slaan. Hij was er klaar voor en zou het ultieme offer brengen. Eén etmaal scheidde hem van de ultieme daad, één etmaal scheidde de speurders van de grootste operatie aller tijden na de zaak Dutroux. De Prins van de Duisternis had zijn zonen uitgezonden, de poorten van de Hel waren geopend, niets of niemand kon het Kwade nog stoppen.

Ergens in Berendrecht luisterde een man naar de door Satan geïnspireerde verzen van een Duivels lied, 'the heart of darkness'. Dit lied was zijn bijbel, deze tekst verwoordde wat omging in zijn hart. Hij was er klaar voor. Hij zou de Meester dienen. Nog één dag.....

Zandvliet – 03.16 uur

Met een groeiende verbazing luisterde Boris naar het beklemmende verhaal dat Mireille hem deed via de telefoon. Ze was wakker geworden van het lawaai dat Guido maakte, toen hij waggelend de woonkamer had betreden en even had ze opnieuw een tomeloze schrik gekregen. Maar diep in haar binnenste wist ze dat hij, na een dergelijke woede-uitbarsting, meestal weer enkele weken kalmer zou zijn, alsof hij zich aan het bezinnen was over hetgeen hij haar had aangedaan. Een poosje later hoorde Mireille een gesnurk, alsof een stoere houthakker enkele forse eiken aan het doorzagen was, een teken dat hij beneden op de divan in slaap was gevallen. Het was altijd hetzelfde liedje. Na een avond vol zuipen in één van de herbergen op de Solftplaats, kwam hij meestal straalbezopen en blut thuis. In de toestand waarin hij zich dan bevond was hij niet meer in staat de trap te beklimmen en in bed te kruipen. Vroeger was Mireille nog ongerust geweest, wanneer Guido om middernacht nog niet thuis was. Maar de tijden waren veranderd, zoals het gedrag van de man die ze ooit had liefgehad. De volgende ochtend zou hij opstaan en doen alsof er niets was gebeurd, alsof hij zich van het hele voorval niets meer herinnerde. Dat Mireille of één van de dochters regelmatig gezwollen ogen hadden, van de huilbuien tijdens de nacht, bleek hij niet op te merken. Onder de ogenschijnlijke joviale figuur die aldus was gekend in de herbergen, schuilde in feite een koele kikker, een egoïst die geen medelijden had met zijn naasten.

Nu ze zeker wist dat hij in een diepe slaap was gevallen, durfde Mireille het aan naar haar enige echte vriend te telefoneren, op wie ze dag en nacht een beroep kon doen. In de loop van de avond had ze al getracht hem te bereiken, maar de constante bezettoon duidde aan dat Boris waarschijnlijk andere katjes te geselen had op een zaterdagavond. Tenslotte ging het belsignaal toch over en nu luisterde die reus uit de polders, met ingehouden woede, naar het relaas van zijn beste vriendin en zwoer dat hij de benen van Guido zou breken als hij het ooit nog eens aandurfde haar aan te raken. De bink uit Zandvliet, met handen als

166

kolenschoppen, had een erecode: aan vrouwen raakte men niet, nooit, in geen enkele omstandigheid. Voor Guido had hij nooit respect gehad. Hij beschouwde hem als een niemendal, een luie sufferd die het niet waard was de echtgenoot van Mireille te zijn. Vol verbazing luisterde hij verder naar wat die vrouw uit Berendrecht hem vertelde. Ze had het over de zware financiële moeilijkheden die ze hadden door de gokzucht van Guido. Niemand uit de buurt, zelfs haar zusje Fanny niet, wist dat de deurwaarders kind aan huis waren en dat het al enkele keren weinig had gescheeld, of hun inboedel was openbaar verkocht. Guido had haar altijd gedreigd overal te verkondigen dat zij geen geld kon beheren en de schuld was van alles, als ze het ook maar aandurfde iemand iets te vertellen over hoe Spartaans ze soms moesten leven. Zijn eigen gokzucht en verkwisting waren, volgens hem, niet de oorzaak van het kwaad.

Boris leerde door Mireille nu een andere Guido kennen, een lafaard die het niet waard was haar echtgenoot te zijn. Wanneer hij dronken was, durfde hij al eens fysiek geweld te gebruiken tegen haar en meer en meer voelde ze zich een gevangene in haar eigen huis. Op haar ouders kon ze niet meer rekenen, want die geloofden steevast in de onschuld van Guido, die hen door zijn lieve woordjes om zijn vinger had gewonden. De mond van Boris viel open, toen hij vernam dat Mireille zelfs al met de dood was bedreigd door die nietsnut die bij haar woonde en hij werd zowaar bleek toen hij hoorde in welke hel ze leefde. De bedreigingen nam hij met een korreltje zout, want hij geloofde nooit dat die tenger gebouwde, meelijkwekkend figuur in staat zou zijn, de fysiek sterkere Mireille te overmeesteren en haar iets aan te doen. Maar toch gebood hij haar voorzichtig te zijn.

Het deed Mireille deugd haar verhaal eindelijk eens kwijt te kunnen aan een vertrouwenspersoon op wie ze altijd kon rekenen. Eindelijk, na al die jaren van kommer en kwel, vlogen de woorden uit haar mond. Drieënvijftig minuten duurde het gesprek, een waterval van zinnen, die een duidelijk beeld gaven van hoe het sprookjeshuwelijk langzaam was veranderd in een nachtmerrie, hoe de prins van weleer was veranderd in een egoïstische etter. Alleen meneer Paul had tot nu toe het hoofd koel gehouden en deze gedistingeerde zakenman hielp haar en bood een reddingsvest aan in deze moeilijke tijden. Morgen zou ze vrij zijn, morgen zou het leven er totaal anders uitzien. Alles zou veranderen in het gezinnetje en een nieuwe toekomst zonder zorgen zou aanbreken voor Shana en Samantha. Deze geruststellende gedachte deed Mireille weer kalmer worden en het feit dat Boris vooral had geluisterd naar haar verhaal, deed die prachtvrouw duidelijk deugd. Toen ze het gesprek afbrak, hoorde ze nog altijd het gesnurk van Guido, als teken van de diepe, bijna comateuze slaap waarin hij was gesukkeld. Ze verachtte hem meer en meer, maar moest nog één etmaal geduld hebben. Nooit nog zou een man er in slagen haar te doen wenen, haar tranen zouden altijd verborgen blijven. Niemand in deze wereld was het waard haar verdriet aan te doen. Nog één dag en alles zou er anders uitzien...

Zondag – Berendrecht – 05.58 uur

De Demon is klaarwakker en denkt na over zijn daden. Hij glimlacht bij de herinnering aan de weerloze Lynn en weet dat hij vers bloed nodig heeft. Vandaag, in de loop van de avond, zal hij toeslaan. Hij zal aan Satan de bruid offeren die hij zelf al zo lang begeert.

Oh Shaitan
Prins der Duisternis,
Meester van het Kwade,
Koning van het Ondergrondse Rijk.
Aanhoor uw dienaar,
Aanvaard zijn offer en het bloed van het lam.
Laat hem één worden met uw geest,
Laat hem toe in het rijk der duizend zuchten.
Oh Shaitan,
Laat uw volgeling uw gezicht aanschouwen,
Laat hem toe in uw wereld.
Oh Shaitan,
Open de Poorten van de Hel.

Hij prevelde de woorden, een zelfgemaakte ode aan de Duivel, zinnen die voor de Demon zelf verlichting en geluk betekenden. Hij was ooit een mens geweest, een schepsel Gods, maar stond op het punt alles te verloochenen en dat te verraden waarvoor zijn ouders, zijn grootouders hadden geleefd. De mens werd een Jinn, een volgeling, een gevallen engel. De bijbel had plaats gemaakt voor de heidense verzen, voor de strijd tegen het Opperwezen. De sleutel van de poorten werd langzaam maar zeker omgedraaid. God noch Gebod zouden het Kwade nog kunnen tegenhouden, dat als het gif van een slang, langzaam maar zeker bezit had genomen van zijn hart, zijn lichaam, zijn ziel. De Demon voelde zich rustig worden, in de aanloop naar de gruwel, het ultieme offer. Twee kraaien vlogen op en draaiden hun toertjes rond de molen. Het schorre geluid dat uit de bek ontsnapte, klonk als een waarschuwing van wat komen zou. Het einde was nabij. Het lam was gekozen, het altaar van het Kwade was klaar. Nog enkele uren en de dag zou nacht worden. De Demon was klaar voor zijn meest Goddeloze reis...

Zondag – Berendrecht – 08.43 uur

De dag kondigde zich stralend aan. De zon was al vroeg aan de blauwe hemel en slechts kleine schapenwolkjes waren af en toe aan de horizon te zien. Vanuit de keukentafel hadden Mireille, Shana, Samantha en Guido een onbelemmerd zicht op de mooi aangelegde tuin die ondertussen de eerste sporen van de ontluikende lente droeg. Allen waren goedgezind en niets wees er nog op, wat zich de dag voordien in de herberg had afgespeeld. Guido zat als een volleerde toneelspeler te doen alsof er niets aan de hand was en slaagde er zelfs in enkele flauwe afkooksels van moppen te produceren. Mireille had zich extra mooi opgemaakt, als het ware om aan te tonen dat haar wil, haar zelfstandigheid niet gebroken was. Ze glimlachte bij de gedachte dat ze morgen vrij zou zijn. Haar plan was heel eenvoudig. Zodra Guido om kwart voor zes de woning had verlaten om te gaan werken, zou ze beginnen te pakken. Omstreeks tien uur zou Boris haar komen oppikken aan de woning en haar wegbrengen naar de anonimiteit van de grote stad, Antwerpen. Samantha zou haar helpen en vergezellen. Shana logeerde straks toch bij een vriendinnetje in Stabroek en zou later opgehaald worden. Beide tieners waren op de hoogte van de naderende vlucht en steunden hun moeder. Alles was immers beter dan de hel waarin ze nu vertoefden. Het feit dat beiden toch een dag vrij hadden op school zou de zaak maar vergemakkelijken. Nog één dag en de relatie tussen Guido en de rest van de familie, zou alleen nog bestaan uit brieven tussen advocaten en beslissingen van rechters in het Antwerpse Paleis van Justitie.

Shana keek voortdurend uit het raam, over de heg, wachtend op Isabelle, haar beste vriendin waarmee ze al jaren op dezelfde school zat. In tegenstelling tot de Berendrechtse tiener, was Isabelle veel rustiger en een vriendje had ze ook nog niet. Dat kwam vooral door de strenge opvoeding die ze kreeg van haar ouders, die trouwens in elk mannelijk gezelschap een potentiële bedreiging zagen voor de maagdelijkheid van hun dochter. Shana was blij dat ze dit weekend het huis kon ontvluchten, want in tegenstelling tot de andere leeftijdsgenoten in het dorp, vond ze het ganzenrijden op zich maar een barbaarse en ouderwetse bedoening. Een jonge kerel zou bij haar zeker geen indruk kunnen maken met het presenteren van het verminkte kadaver van de gans, dat even voordien aan een koord had gebungeld. Ze begreep niet hoe het kwam dat mensen van heinde en verre naar de Polderdorpen kwamen, om dolenthousiast de moderne ridders op hun boerenpaarden aan te moedigen. Wat haar betrof was het een belachelijk feest, alleen nog in stand gehouden om de horeca te steunen. Haar kritiek spuide ze echter niet luidop, wetende dat de verschillende gilde's die deelnamen het geheel heel ernstig opvatten en de titel van Keizer als een grote eer zagen. Omstreeks kwart over negen, zag ze de zwarte lokken van Isabelle boven de heg verschijnen en de glimlach die automatisch haar gezicht begon te sieren, gaf haar natuurlijke schoonheid nog meer uitstraling dan anders. Binnen vijf minuten was de tiener met haar klasgenootje naar buiten verdwenen, een valies onder de arm met de nodige spullen er in om te blijven overnachten, ondertussen kwebbelend als een eend over van alles en nog wat. De wervelwind die vertrokken was, had met moeite nog de tijd om Mireille en Samantha te groeten en gehaast liepen de twee vriendinnen nu naar de wagen van de vader van Isabelle. Mireille keek lachend naar haar jongste dochter die de deur uit was en ze voelde zich nu beter dan ooit. Alles verliep volgens plan en Guido had zelfs met moeite opgemerkt dat Shana weg was. Luid slurpend aan zijn hete tas koffie, had hij haar tot ziens geknikt, maar in gedachten was hij al bij de braspartij die er straks vermoedelijk weer zou volgen in de omgeving van de Solftplaats. De andere café's zou hij niet bezoeken, dat had hij trouwens nog nooit gedaan. De taverne aan de kerk vond hij maar niks en de waardin zou aan hem zeker geen stuiver verdienen. Ook het naburige Zandvliet was voor Guido maar te min. Alleen in de omgeving van de Solftplaats vond hij zijn toehoorders, zijn kameraden, net als hij, ordinaire zuiplappen. Hij was links of rechts wel eens één keer op bezoek geweest in andere instellingen, maar altijd vond hij wel een reden om het bij het ene bezoek te houden en terug te keren naar zijn stamkroeg bij Jeanke.

Alleen Samantha en Mireille hielden hem nog gezelschap aan de overvolle ontbijttafel. Moeder keek vertederend naar haar dochter die er bedwelmend uitzag. De prinses had een nauwsluitende zwarte jeansbroek aan, met daarboven een zwart T-shirt dat de rondingen van haar mooie borsten perfect tot uiting liet komen. Ze was een ware schoonheidskoningin en de gracieuze manier waarop ze zich kon voortbewegen, zou tientallen mannen het hartje harder doen kloppen. Haar toekomstige echtgenoot zou een gelukkige man zijn, want haar onwaarschijnlijke, verblindende schoonheid koppelde ze aan een ongeëvenaarde intelligentie en een nimmer eindigende werklust. Ze was een plezier om naar te kijken en een kus van haar zou voor haar aanbidders voelen als een beloning, een eerste prijs bij een wedstrijd. Samantha was zich bewust van haar eigen pracht, zonder enige pretentie, maar was af en toe wel eens teleurgesteld dat haar vriendje dit niet volledig begreep. Soms smachtte ze naar die warme knuffel, die tedere zoen, of gewoon de kleine attentie die ze in het begin van hun relatie nog kreeg. Maar nu voelde ze die zwarte gedachten niet. Straks zou ze ook naar het feest gaan en net als tientallen vriendinnen van haar, de stoere boerenjongens ophitsen om het onmogelijke waar te maken. Wie de Keizer zou worden, kon haar in feite niet schelen. In tegenstelling tot haar zusje zou zij wel kunnen genieten van het middeleeuwse tafereel, dat elk jaar opnieuw werd herspeeld.

Omstreeks tien uur vervoegde Raoul zich bij het gezelschap, roodomrande ogen en een stoppelbaard als stille getuigen van de braspartij die zich de dag tevoren had voorgedaan. Hij was nors zoals altijd wanneer hij een kater had, maar het gezelschap van zijn broer deed hem blijkbaar deugd en enkele koppen sterke koffie later was hij er weer klaar voor. Er was de stilzwijgende afspraak dat er die dag niet gekookt zou worden, want de ontelbare eetkraampjes die waren opgesteld rond de Solftplaats en de frituur van vettige Frans boden ook soelaas in geval van een ontembare honger. Het was al na elven toen het bonte gezelschap de woning verliet, twee stugge mannen met maar één doel voor ogen, namelijk liters bier zwelgen. Daarachter de kokette moeder en dochter, duidelijk van plan zich eens volledig te laten gaan en het meerdere mannen moeilijk te maken. Al gauw scheidden hun wegen zich. Raoul en Guido verdwenen in de massa cafélopers die zich verzameld hadden in het duivenlokaal, Mireille en Samantha wandelden op de geïmproviseerde boerenmarkt tussen de kramen die verschillende verse producten uit de streek aanbood. Ze genoten van de aanblik van de verse porties schapenkaas die door de toeristen geproefd werden, de grote bollen Nederlandse jonge Gouda of van de groenten en fruit die in een mooi kleurenpalet op één van de tafels uitgestald waren. Het zonnetje zorgde voor een aangenaam sfeertje en de temperatuur steeg letterlijk en figuurlijk aan het jeneverkraam, naarmate de wijzer richting twaalven kroop.

Willy, de oudere dorpsagent, zag het allemaal rustig aan en genoot van zijn macht, wanneer hij weer eens een wagen kon terugsturen die het toch riskeerde de autovrije zone te betreden. Ondanks het feit dat hij het nooit ver had geschopt, was hij één van die mannen die zich bewust waren van het aanzien van een uniform en hij liet zich dan ook gelden. Dat hij daarbij op vele tenen trapte en meestal niet au serieux werd genomen, snapte hij niet. Net zoals Doc, wiens goede vriend hij trouwens was, was zijn ego te groot om eigen fouten te ontdekken of te verbeteren. Het hoofd van de politie te Berendrecht, een minzame commissaris, die zijn strepen had verdiend door blijk te geven van gezond boerenverstand en diepgaande menselijkheid, kende zijn pappenheimers maar al te goed, maar hij besefte dat het geen zoden aan de dijk zou zetten om die enkelingen in zijn korps op het matje te roepen. Hij wist dat het nog hooguit twee jaar zou duren voor ze toch met pensioen gingen en in die tussentijd kregen ze ongevaarlijke opdrachten, waarbij ze de bevolking niet konden schofferen en voor het hoofd stoten. De nieuwe flikken in het korps werden gebruikt voor de echte interventieopdrachten. Maar vandaag, de dag van de Keizer, was Willy's hoogtijdag. Hij had geen muizenissen aan zijn hoofd, maar genoot van de sfeer. Nog enkele uurtjes en hij kon zelf op zwier gaan. Het gunstige vooruitzicht stemde hem blij en er verscheen zowaar een glimlach op zijn gezicht. Nog enkele uren...

Berendrecht – zondag – 22.47 uur

Samantha lag al ongeveer een uurtje in haar bed, na een vermoeiende dag in het lieflijke dorp waar ze woonde. Echt geslaagd kon ze dit jaar de kermis niet noemen. Het feit dat Shana er niet bij was en dat haar vriendje al vroeg op de avond zwaar dronken een vechtpartij was aangegaan, verpestten de vrolijke stemming en rond negenen hield ze het dan maar voor bekeken. Ze was nog even langs het café van de duivenmelkers geweest, waar ze Guido en Mireille samen aan de toog had gezien, beiden tamelijk onvast op hun benen. Dergelijke situaties vervulden haar met afschuw, want in het verleden was meer dan eens gebleken dat er een heftige ruzie ontstond, als het koppel een avond aan het stappen was geweest. Guido was licht ontvlambaar en wanneer hij te diep in het glas had gekeken zag hij in elke man een rivaal, een bedreiging voor het luilekkerleventje dat hij in feite wel leidde. Zijn eigen fouten zag hij niet in en dat hij Mireille vernederde door openlijk te flirten met elke vrouw die hij leuk vond, was voor hem zelfs normaal. Zijn ego was te groot om zichzelf vragen te stellen.

Samantha vertrok vanaf de Solftplaats, een ontgoocheling rijker, zwerend op alles wat ze lief had, dat haar echtgenoot later nooit van het jaloerse type mocht zijn. De tiener kwam enkele minuten later thuis en genoot nu van een heerlijk bad in een tot de rand gevulde kuip. De geur van wilde bloesems had de bovenverdieping gevuld en de beslagen spiegels in de kleine badkamer waren het bewijs dat er een aangename temperatuur was, bijna te vergelijken met een Turks bad. Tegen half tien was ze in bed gekropen, nagenietend van het verkwikkende, warme water en de belletjes die het overvloedige schuim produceerden. Langzaam maar zeker was ze in een droomloze slaap gesukkeld en de vredige aanblik en flauwe glimlach die op haar gezicht was getoverd, leerde dat de prinses in een andere, misschien wel betere wereld vertoefde.

Een onverwachte, immense klap en een hels geschreeuw brachten de schone slaapster terug tot de werkelijkheid. Ze stond vlug op en zag hoe beneden aan de voorgevel de twee fietsen van Mireille en Guido, schots en scheef op het voetpad stonden, alsof ze er haastig waren neergekwakt. Ondanks de gesloten slaapkamerdeur hoorde ze dat er beneden mensen aanwezig waren en al vlug besefte ze dat het dronken koppel in hun zoveelste ruzie was aanbeland. "Je bent een hoer" schreeuwde een Guido die buiten zijn zinnen leek, waarna een kanonnade van scherpe verwijten volgde. Mireille schreeuwde terug en even later hoorde Samantha een dof geluid, gevolgd door gejammer en getier van haar moeder. "*Klootzak*" tierde Mireille, "*lafaard, een vrouw slaan, hoe durf je, miezerige klootzak*". Het geroep werd gevolgd door een nieuwe klap en het geluid van brekend glas. Een deel van het servies zou opnieuw sneuvelen. Samantha zat rechtop in bed, de donsdeken stijf om zich heen getrokken en langzaam borrelden de eerste tranen op en stroomden in kleine straaltjes langs haar wangen. Weg was het gevoel van geluk en vrede en het maakte plaats voor angst en haat in het hart van de jonge deerne. Angst voor wat komen zou en een diepgewortelde haat tegen haar stiefvader die door de jaren heen alleen maar had bewezen welke perverse, sadistische klootzak hij was. In haar herinneringen keerde ze terug naar een ruzie van drie jaar ervoor, toen hij weer eens dronken was thuisgekomen, veel te laat voor het avondeten. Na een banale opmerking over zijn gedrag en vuile schoenen waarmee hij over de pasgeboende vloer liep, had hij Samantha een pak slaag gegeven met zijn gebalde vuisten en de broeksriem. Op dat ogenblik kwam Mireille thuis van haar werk en zijn immense woede had zich zonder enige aanleiding tegen haar gekeerd. De twee dochters zagen hoe hij hun moeder bij de haren de tuin in sleepte en zomaar midden het grasperk verder met zijn vuisten bewerkte. Plots, drie minuten later was alles over en zonder hen nog een blik te gunnen, was hij naar de slaapkamer gegaan en had zich daar op het bed neergevlijd. De drie vrouwen hadden die nacht bij elkaar doorgebracht, huilend in elkaars armen. Toen had Mireille al de beslissing genomen dat ze ooit op een dag de hel waarin ze terecht was gekomen, zou ontvluchten. Nu was die dag aangebroken, nog enkele uren...

Samantha's overpeinzingen werden onderbroken door een harde klap, gevolgd door een immens gevloek. Ze dacht dat het de voordeur was die ze had horen dichtslaan en haastte zich naar het raam. Ze zag hoe haar moeder wegfietste van de oprijlaan, weg in de richting van Zandvliet, op haar blote voeten, haar jas openwapperend in de wind. Ondanks de hachelijke situatie moest Samantha glimlachen. Door de tranen heen zag ze hoe Mireille zich in veiligheid bracht en ze wist dat de volgende dag alles voorbij zou zijn. Het waren de laatste slagen die ze ooit van Guido had gekregen. Nooit meer zou die klootzak haar nog vernederen. Eindelijk zou een nieuw, kommerloos leven aanbreken en het vooruitzicht van de grote Metropoolstad die haar nieuwe thuis zou worden, deed Samantha ondanks alles toch glimlachen. Ze was blij dat haar moeder vertrokken was. Twintig minuten later zou ze in Zandvliet aankomen en daar wachtte een veilige haven. Boris zou de sterke, moedige vrouw opvangen voor de nacht en de lafaard die beneden was zou er zich wel voor hoeden haar daar nog lastig te vallen.

Samantha was ook blij dat haar jongere zusje Shana geen getuige was geweest van wat zich vanavond allemaal had afgespeeld. Het was in feite allemaal voorspelbaar. Binnen een tiental minuten zou Guido in slaap vallen op de sofa, beneden in de woonkamer, om dan morgenvroeg met stille trom naar zijn werk te vertrekken. Hij zou alles vergeten zijn van wat er zich had voorgedaan. Wat hem betrof veranderde er niets, het gewone leventje zou zijn gangetje gaan. Morgenavond zou echter volledig anders zijn. Dan zaten de drie vrouwen samen in hun nieuwe veilige nest in Antwerpen en was alle miserie voorbij. Heel stil sloot Samantha de deur van haar slaapkamer en ze kroop onder de diepe donsdeken, met op haar hoofd de twee hoofdkussens, zodat ze in een oase van stilte terechtkwam. Niets kon haar nu nog deren en zelfs wanneer een vrachtwagen door de straat zou denderen, dan nog zou dit lawaai haar niet meer storen in haar slaap. De jonge tiener verdween vlug in dromenland, hopend op een nieuwe, onbezorgde toekomst.

Ondertussen fietste een jonge, sterke vrouw de lange Dorpsstraat in en reed in de richting van Zandvliet. Hier en daar waren enkele straatlantaarns kapot en zorgde de aanblik ervan voor een lugubere sfeer. Enkele passanten zagen hoe de tranen over haar wangen rolden en ze begrepen niet waarom ze op haar blote voeten op de fiets reed. Maar niemand zou haar doen stoppen, niemand vroeg haar wat er aan de hand was. Dat hoorde trouwens niet. Elk huisje had zijn kruisje en in het kleine dorp was de gouden stelregel dat men zich niet met andermans zaken bemoeide. Het kwam regelmatig voor dat uit één van de kleine arbeiderswoningen geschreeuw en getier weerklonk, maar de buren draaiden zich om in bed en vergaten wat ze hoorden. Hier waren nooit getuigen, in deze kleine, soms zelfzuchtige gemeenschap. Iedereen was op zichzelf aangewezen. Meter per meter schreed Mireille voort richting Zandvliet. Doordat ze te veel had gedronken die avond, gecombineerd met het feit dat ze geen fysiek had, zorgde er voor dat ze maar langzaam fietste in de richting van haar redder. Duizenden gedachten maakten zich van haar meester, maar één bleef overeind staan: ze haatte de klootzak die haar zoveel ellende en onrecht had aangedaan. Nog enkele uren en hij zou alleen nog op papier bestaan, briefpapier van Justitie en haar advocaat wel te verstaan. Nog enkele uren....

De Demon werd onrustig. Hij had zijn beslissing genomen. Hij vond het wel jammer wat hij Samantha moest aandoen, maar hij wist dat hij via haar het opperste genot zou krijgen. In zijn eigen kleine ruimte, waar alleen de zwerver ooit op bezoek was geweest, had hij eerder de nodige attributen klaargelegd op de tafel, waarop hij een zwart laken had gespreid. Twee paar handboeien, twee koorden, drie vlijmscherpe messen en een grote zakdoek. Straks zou hij één worden met de Duistere krachten die hij aanbad. Hij keek naar de sterrenloze hemel en was in overpeinzingen verzonken. Hij wist dat de tijd was gekomen om aan de Meester het offer te brengen dat die wilde. Nog één hinderpaal scheidde hem van de absolute macht van het Kwade. Die ene persoon zou hem niet meer hinderen in zijn voornemen om Samantha de bruid van Shaitan te maken. Haar lichaam zou zijn beloning zijn voor de geofferde ziel. Niemand merkte op hoe een donkere figuur langs de gevel van de woning sloop. In de lage bungalow bewoog niets en was alles vredig en rustig. Niemand was er getuige van het feit dat de Demon over de oprijlaan van de lage bungalow liep. Eerst zou hij afrekenen met de laatste hindernis en dan was de Prinses van hem.

Maandag 04.55 - Berendrecht

De gitzwarte gepantserde voertuigen slopen als gevaarlijk uitziende stalen monsters de verlaten straat in, als aasgieren op zoek naar hun prooi. De nochtans krachtige motoren ronkten slechts zachtjes en vervoerden elk vijf gemaskerde en tot de tanden gewapende leden van het arrestatieteam. Ogenschijnlijk leken ze kalm, maar inwendig gierden de zenuwen, klaar als ze waren om toe te slaan. Hier werd geen spel gespeeld, dit was bittere ernst. Vanuit de mobiele commandoroom die opgesteld stond op de grote parking ter hoogte van de Hessenatie in de Antwerpse haven, leidde Luc de operatie. Het Communicatie – en Informatiecentrum te Brussel had ter ondersteuning en op verzoek van de collega's te Antwerpen gezorgd voor vlekkeloze radioverbindingen die mogelijk werden gemaakt door het gloednieuwe A.S.T.R.I.D. systeem. Zelfs de meest geavanceerde afluisterapparatuur of scanners konden de digitale boodschappen niet kraken. Vanuit de vrachtwagen waarin alles stond opgesteld vertrok een onzichtbaar signaal dat duizenden kilometers verder door een NASA satelliet werd opgevangen. Eén van de antennes maakte een bijna onmerkbare beweging en enkele seconden later verschenen de eerste beelden die vanuit een helikopter werden doorgestraald naar de kleine schermen. Een groen nevelig beeld werd zichtbaar en toonde, vanuit de lucht gefilmd, de halfopen bebouwing van Raoul, de belendende kruidenierswinkel en een verlaten straat waardoor zich traag enkele voertuigen voortbewogen.

Eén uur voordien hadden de observatieploegen al post gevat rond de woning en geen enkele beweging gedetecteerd. Wat Luc enigszins verontruste was het feit dat de personenwagen van de verdachte nog niet was opgemerkt, maar dat was misschien te verklaren door het feit dat hij in de nabijgelegen garagebox kon zijn gestald. De gesloten poort en de muren zonder ramen, verhinderden dat de ploegen hiervan bevestiging konden geven. Alle café's in het dorp waren omstreeks half twee al dicht gegaan, na een lang en slopend weekend. Nu was alles gehuld in een beschermende mantel van een donkere nacht en alleen de maan en de sterren aan de hemel waren de stille getuigen van wat komen zou.

De portieren van de voertuigen gingen geruisloos open, zevenendertig meter voor het doel. De wagens waren gestopt en hun menselijke lading, zeventien mannen en één vrouw verlieten de benauwde ruimtes en spoedden zich in open lucht naar hun einddoel. Twee minuten scheidden hen van de genadeslag die ze zouden toebrengen aan hem die de tweede Dutroux werd genoemd. Honderdtwintig seconden restten de speurders van de laatste veldslag, die het begin kon betekenen van definitief herstel en verwerking voor de slachtoffers. De strijd tegen het monster van de molen zou op gang komen, het werd dit keer alles of niets. In de nauwe, veel te warme en in feite overbevolkte commanding room, keek Luc naar zijn twee vertrouwelingen, zijn brothers in arms, Steve en Nadia. Net als hij hadden deze ervaren rechercheurs slapeloze nachten achter de rug, maar na een maandenlange speurtocht hoopten ze eindelijk een einde te kunnen maken aan de gruwelen die zich in de polderdorpen hadden afgespeeld. Meerdere keren had de film van het onderzoek zich in hun hoofd afgespeeld en meer dan ooit waren ze er van overtuigd dat ze op het juiste spoor zaten.

Nog minder dan één minuut. Anonieme voertuigen, met aan boord zwaar bewapende rechercheurs, allen voorzien van de verplichte rode armband aan de rechterarm, blokkeerden de beide straatkanten. Het arrestatieteam was de woning tot op een tweetal meter genaderd. Nergens was er een geluid te horen, de lichten bleven gedoofd. Drie snipers controleerden door hun nachtkijkers de ramen van de woning van de verdachte, maar nergens was er beweging te zien. Als een gewapende persoon binnen hun schootsveld zou verschijnen, dan was het hun taak deze met één schot uit te schakelen. Bij de briefing was de 'license to kill' afgeleverd, een verordening die alleen door de hoogste magistraten van het land en slechts in uitzonderlijke omstandigheden, kon worden verleend. Dit was een uitzonderlijke omstandigheid, een onderzoek naar een serieverkrachter, dat al lang werd gevoerd onder het waakzame oog van het Federale Parket. De spanning steeg. De commando's waren in stelling gebracht en de commandant van de D.S.U. meldde een 'all clear situation' aan de commanding room. Nog tien seconden vooraleer de werkelijke aanval zou worden ingezet.

Om precies vijf uur barstte de hel los in de anders zo rustige straat in Berendrecht. "Strike, strike, strike". Het bevel was er. De stilte van de nacht werd ruw verbroken door het geluid van een luide knal, gevolgd door een oorverdovend gerinkel van glas. Zwaarbewapend, voorzien van kleine lampen, drongen de superflikken van de elite-eenheid uit Brussel het pand binnen. Elkaar dekking gevend voor het geval de verdachte weerspannig zou zijn, schreden ze meter per meter vooruit. In de slaapkamer aan de voorkant, op de eerste verdieping, schreeuwde een vrouw als een varken dat gekeeld werd. Raouls echtgenote zat rechtop in bed, alleen, met alleen een laken dat haar naaktheid verhulde. Ruw werd het weggetrokken. Een vluchtige controle leerde de leden van de D.S.U. dat geen wapens waren verborgen. Daar zat zij nu, rechtop in bed, naakt, met haar twee gerimpelde, afhangende, ietwat misvormde borsten, die ze poogde met haar armen te bedekken, niet beseffend wat er gebeurde. Ze was alleen. Raoul was niet in de woning. Binnen twee minuten kreeg de commandant de bevestiging van het ergste scenario: de verdachte was niet aanwezig.

Luc hoorde enkele minuten later de tijding over de radio en inwendig vloekte hij. Alles was nog niet verloren, maar het zou tijd vragen. Ondertussen verliet de interventiegroep de kleine wanordelijke woning. Iedereen was in zijn eigen gedachten verzonken, maar toch hadden de goedgetrainde, sportieve jonge mannen nog oog voor de omgeving. Plots gebeurde het onverwachte. Op het einde van de straat hoorden ze een gebrom van een naderend voertuig, gevolgd door een luid geschreeuw. De zenuwen werden gespannen en de eerste commando's vlogen in de richting van het lawaai. Het geluid van de loeiende motor van het naderende voertuig werd luider, even later onderbroken door een luide knal en het geroep van militaire bevelen. "Stop, do not move". De commandant vloog naar de plaats waar de voertuigen stonden opgesteld die hun werkterrein hermetisch hadden afgesloten. Een viertal gemaskerde leden van het arrestatieteam volgden hem ogenblikkelijk. Wat ze zagen tartte elke verbeelding, hier was de werkelijkheid groter dan de fictie. De rode Opel van Raoul had zich in volle vaart in de flank van één van de gepantserde voertuigen geboord en nu lag de lichtgekwetste bestuurder op de grond op zijn buik, twee Glocks als moordende wapens op hem gericht. Hij had getracht het cordon in een reflex te doorbreken, maar was op de sterke arm van de wet gestoten. Nog voor hij besefte wat er gebeurde, werd hij onmiddellijk na het ongeval hardhandig uit het voertuig gesleurd en nu lag hij geboeid te wachten op wat komen zou.

Anderhalve minuut later hoorde Luc het voor hem toch verlossende bericht. *"The eagle has landed. Strike is over. One captured. Move to base"*. Een glimlach verscheen op zijn gezicht en hij zag hoe Steve en Nadia elkaar omhelsden. Eindelijk hadden ze geluk, de eerste slag was gewonnen. Justitie zou zegevieren. Ze zouden terugkeren naar de kantoren in het glazen gebouw aan de Noordersingel te Antwerpen. De eindsprint werd ingezet. Eindelijk zouden de slachtoffers gewroken worden.

Antwerpen – Noordersingel – 05.58 uur
- bekentenis -

Luc en Steve keken vanachter het donkere spiegelglas, onzichtbaar voor de personen in de verhoorkamer, hoe Raoul werd binnengeleid. Ze bevonden zich op de derde verdieping aan de westzijde van het gebouw, een totaal geïsoleerde ruimte die geen interferenties van buitenaf toeliet. De kleine, bijna onzichtbare microfoons, met moeite een vingernagel groot, zorgden ervoor dat de bevoorrechte getuigen moeiteloos het volledige verhoor konden volgen via de luidsprekers die ingebouwd waren in de bureelmeubelen. De verhoorders zelf hadden jarenlang allerlei cursussen rechercheverhoortechnieken gevolgd en zouden proberen de bevende man uit Berendrecht op zijn knieën te krijgen en hem een bekentenis te ontlokken. Van hen zou het afhangen of er een doorbraak kwam in het onderzoek of niet.

De kleine regiekamer waar de twee ervaren speurders zich bevonden, was volgestouwd met hoogtechnologische apparatuur, die toeliet de gebeurtenissen in de verhoorkamer te filmen en te registreren op twee recorders van een gekend Japans merk. Deze procedure, die door de wet was geregeld, betekende rechtszekerheid voor zowel slachtoffers als verdachten. Achteraf was geen discussie meer mogelijk. Er was geen mogelijkheid meer om politiemensen vals te beschuldigen dat ze te hardhandig met iemand waren omgegaan. Anderzijds waren de verdachten beschermd tegen politionele willekeur of bedrog tijdens het verhoor. De beelden logen niet en gaven perfect alles weer, op elk moment tijdens het verhoor. Het zogenaamd videoverhoor had als bijkomend voordeel dat de onderzoeksrechter aan de opgeroepen gerechtspsychiaters extra materiaal ter beschikking kon stellen, dat hen in staat stelde een perfect profiel op te stellen van de verhoorde persoon. Elke reactie, elke gelaatsuitdrukking werd geregistreerd, ontleed en kon bijdragen tot het achterhalen van de waarheid.

Niets van dit alles vermoedend ging Raoul op de hem toegewezen stoel zitten, wachtend op wat komen zou. Hij was zenuwachtig en besefte nog niet goed wat hem allemaal overkomen was. De drankduivel had de voorbije achtenveertig uur zijn werk goed gedaan en ondanks het feit dat hij niet echt dronken was te noemen, was er toch een zekere loomheid waar te nemen. Met moeite herinnerde hij zich het feit dat hij geprobeerd had het opgestelde politiekordon te doorbreken. In een flits had hij amper gezien hoe gemaskerde en tot de tanden gewapende mannen van overal kwamen opduiken en het volgende moment lag hij geboeid op het koude asfalt, een zwarte kap over het hoofd en met scherpe pijnscheuten in de rechterschouder. Het verhoor startte rustig en in de eerste twintig minuten probeerden de rechercheurs door te dringen tot het pantser dat Raoul rond zich had opgetrokken. Dergelijke zaken maakten ze regelmatig mee en ze wisten dat alleen tijd en kalmte, langzaam maar zeker, de muren van verzet zouden doen afbrokkelen, tot alleen nog de waarheid overbleef. Franki en Lucas die het verhoor tot een goed einde moesten brengen, waren geen superflikken, maar gewoon twee speurders met een analytische geest, een grote dosis gezond boerenverstand, maar vooral met een grote bagage ervaring en kennis.

Langzaam maar zeker begon Raoul te ontdooien. De rustige stemmen van zijn twee toehoorders stelden hem op zijn gemak en het feit dat hij honderduit mocht vertellen over zijn leven, over zijn eigen kleine koninkrijkje brachten hem in een bijna euforische toestand. Hij besefte niet dat hij langzaam maar zeker in een bepaalde richting werd geduwd, maar dacht eerder dat hij de situatie weer volledig onder controle had. Nog enkele uurtjes volhouden en hij mocht gaan. Daar was hij nu stilaan van overtuigd geworden. Wat hij niet wist was dat de speurders ondertussen onverdroten zijn onderbewustzijn aan het aftasten waren en dat elke beweging, elke zin minutieus werd ontleed. Via een klein schermpje dat buiten zijn gezichtsveld stond, konden Lucas en Franki de opmerkingen lezen, die door middel van een interne verbinding vanuit de regiekamer werden doorgestuurd. Steve en Luc ploegden zich door het ruim tien kaften tellende dossier en bij elke opmerking die Raoul maakte, stuurden zij een vraag terug die op een bepaald ogenblik aan hem zou worden gesteld. Het samenspel van de vier mannen gaven de simpele kruidenier uit het polderdorpje aan de Schelde niet de minste kans. Het was een kwestie van uren voor het pad van de waarheid zou worden bewandeld.

Luc schrok op van een zacht geklop op de deur van de regiekamer. Dat was ongewoon. Hij wist dat niemand een videoverhoor zou storen, tenzij de wereld aan het vergaan was of er levensbelangrijk nieuws moest meegedeeld worden. Hij zette een korte boodschap op het scherm, zodat de verhoorders wisten dat ze moesten temporiseren. Gedurende enkele minuten zouden ze immers niet begeleid worden in de ondervraging en hun taak bestond er nu in de vertrouwensrelatie die onmerkbaar was ontstaan, te behouden. Straks zouden nieuwe instructies volgen, hoogstwaarschijnlijk een wending in het onderzoek. De deur van de regiekamer werd geopend en Caroline, een jonge maar toch al ervaren hoofdinspecteur van de Technische Recherche kwam het lokaal binnengestapt. Ze hield twee kleurenfoto's in haar linkerhand, een blad met haastig, bijna onleesbare kriebels in de andere hand. Op gedempte toon bracht ze verslag uit aan Luc en Steve, die naar adem hapten. Samen bekeken ze nog twee maal de foto's en lazen ze het haastig opgestelde verslag door. Er was geen twijfel meer, ze hadden de Demon.

Luc sprong opnieuw naar het toetsenbord dat voor hem opgesteld stond en begon ijverig een korte maar krachtige tekst te typen, die binnen een tiende van een seconde verscheen aan de andere kant, voor de ogen van Franki en Lucas. Beiden keken onverschillig naar elkaar en hoewel ze inwendig kookten van emotie, lieten ze niets blijken. Raoul, zich nog altijd van geen kwaad bewust, vond ondertussen de belangstelling voor zijn persoon zelfs grappig en voelde zich in feite als de Koning die zijn onderdanen monstert. Hij was zich niet bewust van het monster dat nu op hem zou worden losgelaten.

"Bloed, bloed? Dat kan niet, jullie beliegen mij, smeerlappen. Alle flikken zijn hetzelfde, jullie luizen me erin". Raoul riep de ergste verwijten naar de speurders, hevig gesticulerend en met het hoofd schuddend. Hij sprong met gebalde vuisten overeind en vloekte dat het een lust was. Zopas hadden Lucas en Franki hem in kennis gesteld van de resultaten van het sporenonderzoek dat had plaatsgevonden. In de kofferbak van zijn voertuig hadden de ervaren speurders twee donkere vlekken gevonden. Deze waren zorgvuldig van alle kanten bekeken en gefotografeerd. Technische rechercheurs gekleed in steriele hagelwitte kledij, voorzien van een mondmasker en handschoenen, om geen DNA vermenging toe te laten, hadden met een wattenstaafje heel voorzichtig

een staaltje genomen van de vlek. Een uurtje later was het resultaat bekend. De donkere, plakkerige vloeistof die gedeeltelijk al was opgedroogd, bleek bloed te zijn. Haastig werden de foto's van de eerste doorzoeking van de wagen bovengehaald, toen enkele weken daarvoor Raoul al eens was gearresteerd. Het was duidelijk. Deze sporen waren vers, minder dan twee dagen oud. De speurders stonden voor een raadsel - want er waren geen nieuwe feiten bekend bij het A.I.K. - tenzij die slechts enkele uren daarvoor hadden plaatsgevonden.

Geconfronteerd met deze onthutsende resultaten kon Luc zich met moeite beheersen. De bureaucratie en vooral de egotripperij van de magistraat hadden er voor gezorgd dat de verdachte in het weekend niet was geschaduwd. Vermoedelijk had hij een nieuw misdrijf gepleegd, een aanranding die voorkomen had kunnen worden. Hij had zin om de kruidenier, die nu in zijn stoel als een riet zat te beven, voor de kop te slaan, maar hij wist dat hij moest wachten, dat hij zich moest inhouden. Ze waren in een cruciale fase aanbeland. De bange man uit Berendrecht zou nu breken, of voor eeuwig zwijgen. Er was geen weg meer terug. Om exact achttien minuten voor zeven, die maandagmorgen, brak de veer. Roepend naar de andere rechercheurs die zich ondertussen in de vergaderzaal hadden verzameld, bracht Luc hen op de hoogte van de ontwikkelingen. Eindelijk was er een doorbraak, een bekentenis. Er was geen tijd meer te verliezen. De volgende uren zouden cruciaal worden om het beest van de molen op de knieën te krijgen.

Berendrecht – 07.11 uur – het offer

Heil Shaitan, heil Shaitan. Meester, aanschouw deze maagd die aan U zal worden geofferd. Geef mij de kracht, geef mij het eeuwige leven. Heil Shaitan, in uw naam zal deze mens voor eeuwig leven of voor eeuwig sterven. Laat het bloed van de Boze door mijn aderen stromen, geef mij de levenskracht om één te zijn met U. Heil Shaitan, heil.

Samantha hoorde de eenzame, monotone stem terwijl de tranen als zilte druppels over haar wangen rolden. Ze besefte dat ze alleen was op de wereld, overgeleverd aan het Beest van de Molen en van niemand enige hulp moest verwachten. Niemand zou haar vinden op het altaar van het Kwade, niemand was thuis om haar te redden. Shana was de dag ervoor met haar vriendinnetje vertrokken om er het weekend door te brengen en Mireille had ze enkele uren daarvoor zien wegfietsen richting Zandvliet. Al bij al was ze toen vlug in een diepe slaap gedommeld en een zalige rust was neergedaald over de kleine bungalow niet ver van de Schelde. De jonge prinses was wakker geworden van de kerkklokken die door zware gongslagen het juiste uur uitschreeuwden en de boer op zijn akker vertelden dat de nacht plaats maakte voor de zon. Onbewust had ze meegeteld, zeven harde slagen, zoals het aantal dagen in de week en ze had geglimlacht. Ze wist dat Guido om zes uur, terwijl zij nog in dromenland was, naar zijn werk vertrokken zou zijn en dat vandaag de grote dag aangebroken was. Eindelijk zouden ze een nieuw leven starten zonder hem. Maar plotseling, midden haar overpeinzingen, had ze een licht gekraak gehoord op de vliering en, nog voor ze iets kon roepen, was een gemaskerde persoon met een enorme snelheid de kamer binnen gekomen. Hij wierp zich als een waanzinnige op haar en in een oogwenk gleed ze in een donker gat als gevolg van een enorme klap op haar hoofd.

Nu was ze wakker geworden en zag niets, door de blinddoek die elk licht van buitenaf afweerde. Met moeite kon ze ademen door een prop in de mond die haar het schreeuwen moest beletten. De jonge meid uit

Berendrecht wilde zich verweren tegen het naderende onheil. Ze voelde echter alleen de wanhoop, gevoed door de uitzichtloze situatie waarin ze zich bevond. Haar naakte lichaam lag op een plank of een tafelblad voelde ze, haar armen en benen wijd gespreid, vakkundig ingesnoerd, een situatie die haar volledig immobiel maakte. Alleen haar hoofd kon ze nog bewegen en ze schudde het machteloos van links naar rechts, alsof ze hierdoor bevrijd zou worden. Meer en meer besefte ze dat ze overgeleverd was aan de willekeur, de terreur, de zwarte kant van het leven.

De monotone stem was vervormd door de kap die hij droeg en door de gedempte toon waarmee de Demon sprak. Zijn mond braakte woorden uit, die zinnen werden, een ode aan het Kwade, een verheerlijking van de Meester. Samantha besefte dat ze er alleen voor stond en zag het hopeloze van de situatie in. Het Beest van de Molen had al tientallen keren toegeslagen en nog nooit had iemand hem kunnen vatten. Ze wist dat alleen met Gods hulp er vlug een einde zou komen aan deze nacht-merrie. Haar hart bloedde en inwendig prevelde ze enkele gebeden. Waarom had Mireille haar verlaten? Waarom was er niemand in huis? Waarom moest zij het slachtoffer worden? Wat had ze misdaan?

De Demon keek naar het geïmproviseerde altaar waarop zijn grote liefde lag, de jonge vrouw van wie hij altijd had gedroomd. Haar naakte lichaam schitterde tegen het licht van de vele zwarte kaarsen die hij had aangestoken en de bewegingen van haar hoofd zorgden voor een schimmig schaduwspel op het plafond van zijn eigen kleine heiligdom. De armen en benen gespreid leek ze, o ironisch genoeg, op een levend kruis als teken van wat komen zou, de eeuwige strijd tussen Goed en Kwaad. Nog even en hij zou haar bezitten, vooraleer haar te offeren als teken van eeuwige trouw aan Shaitan. In gedachten keerde hij terug naar twee jaar ervoor, toen hij als bij toeval voor het eerst kennis had gemaakt met de leer van de Duistere. Internet en bibliothe-ken hadden hem onbeperkt toegang gegeven tot de kennis van wat verboden was en meer en meer had hij zich verdiept in wat door velen was verafschuwd. Hij schreef zich in bij de Satanische Kerk en leerde gelijkgestemden kennen. Zo was het zaadje gezaaid en ontkiemd en leek het nu op weg een grote plant te worden. Zijn perverse verlan-gens, zijn seksuele driften zag hij niet als een hinderpaal, maar eerder als een stimulans, een teken dat hij op de goede weg was een Jinn te worden. Toen had hij aan Samantha gedacht, als het ultieme offer, als zijn hoop op de perfecte bevrediging van zijn wensen. Hij wist dat ze als toekomstige Bruid van Satan niet verder zou leven in haar wereldse vorm, maar ooit dicht bij hem zou zijn in het Eeuwige Paradijs van Vuur en Verlangens. Hij was een gevallen Engel geworden en voelde de zoete smaak van ongeremde macht op enkele ogenblikken van het ultieme offer. Langzaam naderde hij zijn prooi en vol verlangens keek hij naar het beeldschone, welgevormde lichaam dat op hem lag te wachten. Met zijn rechterhand beroerde hij zachtjes de schaamstreek van de jonge maagd en onmiddellijk voelde hij de spanning in haar lichaam, het samentrekken van spieren, het sidderen als voelbaar teken van wezenloze angst.

Duizenden gedachten, het hele jonge, soms onstuimige leven dat ze tot nu toe had geleid flitsten door haar geest. Ze was overgeleverd aan de genade van de Genadeloze, aan de Goedheid van de Boze, aan het eeuwige Kwaad. Nooit had ze er bij stil gestaan dat haar leven zo abrupt zou kunnen eindigen. Nooit had ze gedacht dat eens de dag zou komen dat ze haar zus niet meer zou zien. Nog hoogstens enkele minuten scheidden haar van de gruwel en de pijn...

De strijd, de eeuwige strijd,

Tussen het Kwaad en het Goede,

Tussen Gevallen Engelen en de Wakers van het Geloof.

De mens, als scherprechter en als prooi,

Gevangen in zijn eeuwige angst,

Hij is de verliezer.

De kerktoren, als toegangspoort,

Als baken van licht,

In de veldslag tegen het ongeloof.

De Polder siddert en beeft,

Het moment is aangebroken,

Wie brengt de verlossing?

Het is nacht.

Hoog boven de molen cirkelt een kraai.

Hij heeft maar één doel.

Hij brengt een ziel naar het paradijs.

Berendrecht – 07.11 uur

De haven van Antwerpen wordt opgeschrikt door het geloei van de sirenes die de akelige stilte doorbreken. Blauwe lichten die met een razende vaart naderen, stalen monsters, iedereen van de weg rijdend die geen doorgang verleent. Gemaskerde, tot de tanden bewapende rekruten van de macht, op weg naar hun lot. In de BMW licht de wijzerplaat op en duidt een snelheid van 186 kilometer per uur aan. Halsbrekende toeren worden uitgehaald om de eenzame fietser te ontwijken, maar het konvooi van geweld en rechtvaardigheid nadert zijn eindbestemming. Steve en Nadia kijken elkaar aan, een verbeten trek om de mond, inwendig vloekend om zoveel verloren tijd. Het bericht zelf kwam als een donderslag, een krakende stem van een politieman uit Berendrecht, over het ASTRID netwerk. *"Er is een vrouwenlichaam gevonden in een grasberm. Sporen van geweld, doodsoorzaak mogelijk wurging."* Het 'monster van de molen', diegene die ze in gedachten 'het Beest' of 'de zwerver' noemden, had toegeslagen. De hypocretie, het administratieve, de logge molen van justitie had gefaald. Het eigenbelang en de egotripperij van politiemensen en één magistraat hadden een mensenleven gekost. Het Kwade had gewonnen. Kermisnacht was Devil's Night geworden in het kleine, doorgaans vreedzame polderdorp aan de Schelde.

Geen snelheid hoog genoeg die het leven van een slachtoffer kan terugbrengen. Woede en verbitterdheid zijn vijanden, geen deelgenoten in de eeuwige strijd. Het is het lot van de politieman, steeds weer strijdend, op de bres en op zoek naar de dam van geluk en rechtvaardigheid. Het verschil tussen de harde realiteit en de fictie. Elke woning die het konvooi passeert, verbergt een potentiële moordenaar, huisvest een mogelijk slachtoffer van meedogenloos geweld. Elke boom in de straat is een teken, een vuurtoren in de onstuimige zee, een signaal aan de hemel, een opgestoken vinger die waarschuwt voor het gevaar.

De colonne is het doel genaderd, de laatste honderden meters worden afgemaald. Blauwe lichten verdwijnen, sirenes worden gedempt, de rust kan weerkeren over het Polderdorpje. Weg met het Kwaad, de ridders van het Goede zijn aangekomen. Wat de uitslag van de strijd zal zijn, kan niemand voorspellen. Luc, Steve, Nadia. Drie nietige, miezerige wezens, in dienst van het Recht, elk op zoek naar hun eigen waarheid. Ze naderden hun lot, hun eindbestemming. Niemand had dit ooit kunnen voorspellen. Ze waren te laat...

Berendrecht – 07.14 uur

Een legende vertelt ons dat de ogen van een dode als spiegels zijn. Wijdopengesperd ziet men de afdruk van de moordenaar, gebrand op het netvlies, als een teken, een waarschuwing dat men zijn straf niet kan ontlopen. Deze menselijke spiegel kijkt dwars door het hart, de starre blik als getuige van de horror en gruwel, de mond opengesperd waarin een stille, maar eeuwige schreeuw vol onbegrip maar zonder haat. Een legende vertelt ons dat deze kreet het verhaal vertelt van wat er gebeurde en alleen kan worden gehoord door de kraai, op weg met de ziel naar het Paradijs. Onzichtbare beelden, stille woorden, het begin van de eeuwige reis.

In het verhoogde gras, langs de kant van de smalle, zanderige weg, op nauwelijks honderd meter van de molen, ligt het lichaam van een mooie vrouw. Haar ogen zijn opengesperd en het verstarde gezicht is het bewijs van de angst die ze de laatste seconden van haar leven had doorgemaakt. Toch speelt een flauwe glimlach nog om haar lippen, als teken van spot aan haar belager, als bewijs van de onverschrokkenheid en haar geloof in de eeuwige rechtvaardigheid. Op haar netvlies weerspiegelt het licht van de flauwe lentezon die door de wolken komt piepen, een eenzame kraai maakt zijn rondjes rond de molen en uit zijn keel komen krassende, schorre geluiden, als een waarschuwing van wat komen zou.

De kraai was de enige getuige van wat zich afspeelde op de heide, langs de wegkant, in het zicht van de Molen, de Poorter van het dorp. Hij vloog zijn rondjes en zag de strijd tussen het Goede en het Kwade, op een boogscheut van de kerktoren van Berendrecht. Het onheil dat vermeden had kunnen worden, was dan toch geschied. Hier had de mens gefaald, had de Boze overwonnen. De mooie vrouw, een vat boordevol toekomstplannen, zag haar leven beëindigd in een draaikolk van woede en geweld, zelf machteloos tegen de brute kracht van het Kwade. Luc en Steve keken neer op het roerloze lichaam, vechtend tegen hun emoties, uiterlijk onbewogen, maar innerlijk razend en vol vuur. Het slachtoffer waar ze naar keken was mooi geweest, als een parel in een lotusbloem, een zonnetje in huis dat levensvreugde bracht. De schoonheid was in schril contrast met de onnatuurlijke houding waarin ze lag, haar hoofd naar rechts gedraaid met duidelijke striemen in de nek, die wezen op wurging door een lafaard die het leven verachtte. De mascara op haar gezicht was doorgelopen en liet strepen na. De kleren die ze droeg waren vochtig door de dauwdruppels en het geheel had iets bovenmenselijks. Eén van haar schoenen lag op een tweetal meter van haar lichaam, wat er op wees dat ze nog een laatste vluchtpoging had ondernomen om aan haar belager te ontsnappen. Enkele blauwe plekken in het gezicht waren het bewijs van de slagen die ze nog had gekregen enkele uren daarvoor. Deze vrouw was door een hel gegaan, haar eindstrijd was het verlengde geweest van de laatste jaren van haar leven. Wie haar aanrander ook was, hij had het recht niet zich op dergelijke manier te vergrijpen, als een dolle lafaard die zijn frustraties botvierde op een gemakkelijk slachtoffer. De leden van het arrestatieteam die gemaskerd de plaats van het delict waren genaderd, slikten. Deze vechtmachines, voor niets of niemand ooit bevreesd, gewoon in hondse situaties de strijd met de criminelen te moeten aanbinden, waren geschokt bij het zien van het resultaat van zoveel zinloos en nodeloze geweld. Een bloem was geknakt in het midden van haar leven. Haar flauwe lach rond de lippen, in tegenstelling met de stille schreeuw in haar ogen, als teken van haar verzet, deed de stoere binken huiveren. De adrenaline schoot pijlsnel omhoog. Het Beest zouden ze vinden. Er mochten geen fouten meer worden gemaakt. Hier was de eindstreep getrokken. Hij was te ver gegaan.

Een schok ging door Luc en Steve, die elkaar verbouwereerd aankeken. Ze staarden geschrokken voor zich uit en wisten dat ze beiden hetzelfde dachten. Ze herkenden het slachtoffer, nog slechts een schim van wat ze ooit geweest was. Het begon hen te dagen, de puzzelstukjes vielen in elkaar. Hier was de ontbrekende schakel. Alles was zo eenvoudig geweest en niemand had het gezien. De Demon hadden ze ontmoet in hun kantoor, hadden ze verhoord en recht in de ogen gekeken. Maar niemand had het pantser kunnen doorboren, niemand had de duivelse blik in zijn ogen gezien. Niemand had ooit beseft dat de bloem die ze omzichtig hadden benaderd tijdens de verhoren wel eens zijn volgende slachtoffer kon zijn. Doc en Sloompie hadden de sleutel in handen gehad, maar die achteloos weggegooid, als een vodje papier dat men door het raam gooit tijdens het autorijden. Ook zij hadden niet gezien wie de Duivel was en zelfs de analisten hadden het raadsel niet kunnen oplossen. Maar hier, op het gras langs de kant, lag de oplossing, een macabere vondst wees hen de weg, de ogen wijd opengesperd, met alleen de rondcirkelende kraai als enige levende getuige van wat zich had afgespeeld.

Berendrecht --- 07.34 uur

Het monotone geluid van de zware stem die de Satanische lofzangen ten gehore had gebracht het laatste halve uur, brachten Samantha tot de werkelijkheid terug. Slechts één maal had Hij haar lichaam beroerd, maar ze wist dat het tijdstip was gekomen. De gestalte, gehuld in een zwart kleed, ontdeed zich van de riem die het kledingstuk op zijn plaats hield. Hij was er klaar voor en zou het offer brengen. Eindelijk zou hij Samantha bezitten op die manier waarvan hij altijd had gedroomd. Hij zou de eerste en de laatste minnaar zijn die haar zo zag. Na de daad die alleen hem de vleselijke lusten zou brengen waar hij al zo lang naar verlangde, zou ze van de Boze zijn, ontdaan van het menselijke omhulsel waarin ze zich nu voortbewoog op deze aarde. Hij werd een Jinn, zij was van hem. Langzaam, centimeter voor centimeter, luidop de gebeden prevelend aan de Meester van het Kwade, schuifelde de gestalte naar het zelfgebouwde altaar. De ogen van de lieve prinses waren wijdopengesperd van angst. Haar hoofd schudde van links naar rechts, maar ze wist dat ze verloren was. Hier hielp niets meer. God had Berendrecht verlaten.

Plots hoorde ze het geluid van piepende remmen, dicht in de buurt. "*Strike, strike, strike*" bulderde een stem. Het geluid van brekend glas, zware laarzen die over losliggende steentjes draafden. Nog meer geroep en getier, een openslaande deur. Hout versplinterde, een geschreeuw, een kreet en kabaal. Even vlug als het gekomen was, werd het weer stil. Een vredige stilte keerde weer in de kleine, zwarte kerk met het geïmproviseerde altaar. Bewust van haar naaktheid, wetende dat ze niet meer alleen was met het Beest, durfde Samantha nog met moeite adem te halen. Ze hoorde gefluister op de achtergrond, een geschuifel van naderende voetstappen en toen was alles voorbij.

Ze werd wakker door het heldere witte licht van de neonlampen boven haar hoofd. Was ze in de hemel? Ze hoorde in de verte het geroezemoes van stemmen, die zacht met elkaar overlegden en durfde nauwelijks te

196

ademen. Haar neusvleugels trilden en ze snoof de geuren op van steriele kamers en ether. Ze voelde zacht met de vingertoppen, harde, waarschijnlijk pas gesteven lakens en een ruwe nachtjapon die haar blootheid verhulde. Ze wist waar ze was: in een ziekenhuis. Langzaam deed ze haar ogen open, onrustig knipperend om gewend te raken aan het felle licht dat van de buislampen in het plafond kwam. Inwendig kreunde ze zachtjes van de pijn en de inspanning die ze deed. Toen keek ze in het gezicht van de twee rechercheurs die ze al eerder had gezien, Steve en Nadia. *"Je hebt de hel overleefd"*, zei Steve, zachtjes over haar voorhoofd aaiend. *"Rust nu maar uit, je bent niet meer alleen."* De zachte stem wiegde haar in slaap en voor het eerst kende ze een rustige, droomloze nacht.

De ontknoping

Het was elf uur in de morgen en aan de andere kant van het dikke spiegelglas van de kleine verhoorkamer keek Luc stilzwijgend toe, diep in gedachten verzonken, naar het monster van de molen, dat ze eindelijk hadden gevangen. Ze waren er zo dicht bij geweest, maar ziende waren ze allen blind geweest.

Die vroege ochtend was het Raoul die hen eindelijk de sleutel had gegeven, de weg naar de eeuwige roem had getoond. Na geconfronteerd te zijn geworden met het aantreffen van de bloedvlekken in zijn wagen, was hij snikkend overgegaan tot een bekentenis die mocht tellen. Eerst ging hij door het lint, er van overtuigd dat de speurders hem een hak wilden zetten. Maar langzaam aan was hij tot het besef gekomen dat zijn koninkrijk uit was. Hij begreep dat hij diegene van wie hij het meest hield aan de galg moest praten. De gewetenloze profiteur dacht er alleen aan zijn eigen hachje te redden. Raoul was totaal niet bekommerd om het wel en het wee van de anderen. Hij zag alleen de moeilijkheden, de storm van verontwaardiging, van niets ontziende narigheid op zich afkomen, als hij zelf niet verraadde diegene die hij liefhad. Hij werd de nieuwe Judas in zijn familie.

Uit het verhoor van betrokkene bleek al gauw dat Guido, zijn lamentabele, achterlijke broertje, de ongekroonde koning van de dronkelappen, regelmatig zijn voertuig leende en dan op de meest onverwachte momenten terugbracht. Hij had zelfs een reservesleutel van de Opel die eigendom was van de kruidenier, een gegeven dat Raoul altijd had verzwegen. Luc kon zich wel voor zijn hoofd slaan. Al die tijd hadden ze zich gefocust op het juiste voertuig, maar in al hun kunde hadden ze er nooit aan gedacht dat er misschien wel meerdere gebruikers konden zijn. De hechte band tussen de twee broers, het feit dat ze onafscheidelijk waren, hadden ze altijd verklaard door het feit dat het drinkebroers waren, beiden leeglopers, verloren voor de maatschappij. Niemand had er ooit aan gedacht dat één van de broers een verschrikkelijk geheim met zich kon meedragen, iets waarvan de andere ongewild getuige was. De Demon was eindelijk ontmaskerd, hij moest aangehouden worden.

Maar nog voor ze de dolle rit naar Berendrecht konden aanvatten, kwam er het nieuws als een donderslag. In de nabijheid van de molen was er een vrouwenlichaam gevonden, vermoedelijk gewurgd, in elk geval sporen vertonend van jarenlange mishandeling. Aan het achterhoofd was bloed te zien, vermoedelijk toegebracht door een stomp voorwerp. Een vroege wandelaar had in de grasberm een hoopje gezien, van wat vroeger een mens was geweest, een lichaam vroeger toebehorend aan een schoonheidskoningin, nu het restant van een leven vol leed. De schok was groot geweest voor de ervaren speurders, toen ze in het zieltogende lichaam Mireille herkenden, de ranke schoonheid die enkele maanden daarvoor samen met haar dochters en de leegloper van een man, Guido, naar hun kantoor was gekomen om aangifte te doen. De puzzelstukken vielen in elkaar, het zielige mannetje dat zich altijd zo hanig en bazig wilde voordoen was de Duivel waarnaar ze al zo lang op zoek waren. Adrenaline had door het lichaam gegierd en vol geweld, als een ijzeren trein die door de verlaten vlaktes dendert, hadden de voertuigen zich begeven naar de lage bungalow enkele honderden meters verder. Het was een secondespel geweest, maar het ultieme offer hadden ze verijdeld.

Luc gruwde nog bij de gedachte hoe hij en Steve als eersten het lage gebouwtje, een kleine chalet op het einde van de tuin betraden, na eerst de deur te hebben ingebeukt. Daar zagen ze een vormeloze gestalte volledig in het zwart gekleed, met in de rechterhand, hoog geheven een dolk die wees naar het midden van de borstkas van een jonge prinses, die er naakt lag vastgebonden op een tafel. Steve had de loop van de Glock gericht op het hoofd van het Monster en hij wist dat de kleinste beweging voldoende zou zijn om diens lot te beslechten. Maar tegen de overmacht wist de lafaard in het zwart zich geen raad en hij zonk op zijn knieën, in zichzelf prevelend, vol walging, maar dan wel over het feit dat hij gestoord was in zijn bezigheden. Met zijn slachtoffer hield hij geen rekening. Alleen een gevoel van spijt dat hij zijn werk niet kon afmaken overheerste bij hem. Hij wierp nog een laatste blik op het mooie lichaam van de ondertussen bewusteloos geraakte Samantha, vooraleer één welgemikte stamp tegen de zijkant van zijn hoofd hem eventjes in dromenland liet belanden. Luc keek op van de reactie van Steve, maar hij begreep dat deze niet toegelaten methode een ontlading was geweest, een uiting van opgekropte woede voor de daden van het huiveringwekkende beest. De strijd was voorbij. Justitie had gezegevierd. Maar tegen welke prijs?

Het eerste verhoor

Twee leden van de Federale Politie te Brussel, opgeleid in de Rechercheschool, bijgestaan door de cel gedragswetenschappen, keken vol walging naar het hoopje ellende dat daar voor hen zat, op een houten stoel. Hij was geketend aan een ijzeren ring die uit de betonnen vloer stak en twee gewapende bewakers van het Speciale Interventie Eskadron hielden de smeerlap nauwlettend in de gaten. Guido genoot zichtbaar van de belangstelling rond zijn persoontje dat hij ten overvloede demonstreerde met een zelfvoldane grijns op zijn gezicht. Voor velen was hij niet meer dan een psychopaat, een gewetenloze killer die genoegen schepte in het lijden, de pijn van derden. Maar de ondervragers wisten dat de persoon die voor hen zat nooit zichzelf zou zijn tijdens de vele verhoren, maar er alles zou aan doen om een muur van onverschilligheid op te bouwen. Guido werd een harde noot om te kraken. Het eerste verhoor draaide op niets uit. Inwendig vloekten de rechercheurs omwille van zoveel onwil, weerstand en onuitstaanbaar gedrag van de gewetenloze schurk die zichzelf meer als een filmster zag.

"Guido, daarstraks hebben wij U aangetroffen in het tuinhuis van de woning waar U verblijft, in het gezelschap van Uw oudste stiefdochter, die op dat ogenblik gekneveld en naakt op een tafel lag. Hoe verklaart U dat?"

"Ik wens geen verklaring af te leggen, of toch wel. Ik ben hier wel het slachtoffer. Al maanden aan een stuk word ik uitgedaagd, smeekt zij mij om een relatie te beginnen, want ze wil thuis weg. Mireille is een slechte moeder voor haar en bij mij vindt Samantha tenminste nog genegenheid en echte liefde. Zie je, dat meisje moet een betere opvoeding krijgen en moet ingewijd worden in de echte dingen van het leven. Wie beter dan ik, kan die taak op zich nemen. Trouwens, waarom zou ze het vragen aan haar moeder, die is toch altijd op stap."
"Waar is Mireille nu?"

"Hoe kan ik het weten, ik heb de ganse nacht geslapen. Ik ben gisterenavond naar huis gekomen, samen met Mireille en ik ben onmiddellijk naar de woonkamer gegaan. Vanmorgen rond zes uur dertig werd ik wakker op de sofa beneden. Samantha was al in de keuken en vroeg me om met haar de liefde te bedrijven. Aangezien ik dacht dat Mireille toch nog in bed lag, zijn we dan maar naar het tuinhuisje gegaan. Jullie kunnen dat trouwens bevestigen, want jullie zijn er zelf binnengeweest en hebben ons daar gevonden."

"Maar Samantha zegt dat ze tegen haar wil in het tuinhuis was. Dat kan trouwens toch aangetoond worden door het feit dat ze gebonden was en haar mond dichtgeplakt met tape, of niet soms? Heeft U daar dan een andere uitleg voor?"

"Oh ja, je weet toch zelf hoe die jonge poezen zijn. Ze willen ervaring opdoen, hun grenzen verleggen, maar durven het niet vragen aan hun debiele vriendjes die zelf nog onervaren zijn. Maar wanneer het dan ontdekt wordt, dan roepen ze moord en brand, dan weten ze van niets. Controleer zelf of ze gepenetreerd is. Vraag misschien eens aan haar of ze masturbeert als ze alleen thuis is en of ze wilde fantasieën heeft. Het is gemakkelijk een man te beschuldigen, toevallig omdat zij een schoonheid is en een vrouw, zeker? Misschien wil ik niets meer verklaren, misschien wil ik alleen nog met mijn advocaat praten in plaats van met een stelletje leugenaars."

Aan de andere kant van de doorkijkspiegel zagen Luc en Steve hoe ogenschijnlijk rustig Guido kaarsrecht in zijn stoel zat. Op elke vraag antwoordde hij zonder enige aarzeling en op een dergelijke manier alsof hij zich al lang had voorbereid op wat komen zou. Er was geen greintje emotie te bespeuren op het staalharde gezicht van de psychopaat, een man die goed wist dat elke beweging met zijn handen hem kon verraden. Het was duidelijk dat hier een waardige tegenstander zat, een echte crimineel die leefde in zijn eigen wereldje en niet van plan was zomaar iedereen daarin toe te laten. Nu al begrepen de speurders dat het hen moeite zou kosten om de leugens te doorprikken, omdat die idioot zo in zichzelf was gekeerd, reagerend als een mythomaan die zijn verhaaltjes zorgvuldig opbouwde en ze waarschijnlijk nog zelf geloofde ook. Hij keek recht in de ogen van zijn ondervragers, uitdagend, wachtend op wat verder komen zou.

"We herhalen nogmaals onze vraag waar Mireille is."

"Waarschijnlijk bij haar vriendje in Zandvliet, of bij die andere daar, waar woont hij, in Brasschaat of zo? Wat moet ik dat weten. Beseffen jullie nog niet dat ik het slachtoffer ben? Ik ben gehuwd uit liefde met haar, heb steeds het beste van mezelf gegeven en haar kinderen aanvaard alsof ze van mij waren. Dag en nacht heb ik gewerkt om geld binnen te brengen voor de opvoeding van die twee en wat krijg ik? Stank voor dank. Jullie beseffen niet wie zij was. Neen, het is geen welopgevoede vrouw, het is een del. Maar ik zal toch altijd van haar houden en als ze straks terugkomt, zal ik het haar vergeven. Weet je waarom? Omdat ik een zodanige goede opvoeding heb gekregen van mijn ouders. Welke man zou anders verdragen dat zijn vrouw vreemd gaat en ondertussen braaf de kinderen verder opvoeden? Wie zou blijven werken om de schulden van een ander af te betalen?"

"Samantha verklaarde tijdens haar verhoor aan de collega's, dat jullie deze nacht een zware discussie hebben gehad, meer nog, dat er gevochten is geweest en dat ze gezien heeft hoe Mireille letterlijk uit de woning vluchtte. Wat is uw commentaar hierop? Waarover ging die ruzie dan? Waarom is uw vrouw gevlucht uit de woning, als U toch zo'n liefhebbende echtgenoot bent?"

"Samantha heeft waarschijnlijk gedroomd. Vergeet niet dat ze laat in bed lag en op de kermis zelf wel iets gedronken heeft. Misschien zelfs een beetje weed gerookt, je weet hoe dat gaat met die jongelui. Ze weet niet goed wat ze zegt. Ze lag trouwens al in bed toen wij thuiskwamen. Mireille en ik hebben samen nog een glaasje gedronken en per ongeluk liet ik de fles cognac uit mijn handen vallen, op de tegels in de keuken. Dat maakt natuurlijk lawaai. Mireille praat ook met een luide stem en het is dus logisch dat een tiener in zijn eerste slaap misschien denkt dat er een ruzie is. Trouwens, dat Mireille gevlucht is, zou ik niet durven zeggen. Er was toch geen reden voor. Wat zou ze beginnen zonder mij? Ik ben in slaap gevallen in de woonkamer en zij was ondertussen al naar bed gegaan. Ik dacht trouwens dat ze nu nog in bed lag. Misschien is ze met het hondje gaan wandelen, het is toch mooi weer?"

"Guido, nochtans hebben wij een andere versie over wat allemaal is gebeurd. Ze is met de fiets vertrokken en zoals Samantha beschreef was ze aan het roepen en weende ze. U hebt nog iets terug geroepen vanuit de woonkamer, toen ze vertrok. Trouwens, tijdens de huiszoeking die we daarstraks hebben uitgevoerd is er bloed aangetroffen in de badkamer. Eveneens hebben we sporen van een vechtpartij ontdekt en gezien hoe één van de stoelen kapot is geslagen. Wat kan U hierop zeggen? Is het niet zo dat er hier iets gebeurd is?"

"Ik weet alleen dat ik in de woonkamer geslapen heb. Ik had wel een beetje te veel gedronken, maar Mireille ook. Vanmorgen heb ik me gesneden tijdens het scheren, maar het kan ook gisteren al zijn geweest. Ik heb inderdaad gebloed, maar verwacht nu niet dat zij alles direct zou schoonmaken. Neen, jullie vergissen zich, ik ben wel het slachtoffer. Begrijpen jullie niet in welk een hel ik leef? Vraag het maar aan mijn broertje, die kan dat bevestigen. Kijk maar naar de deurwaardersexploten. Waaraan heb ik dat verdiend? Waarom zijn jullie zo tegen mij? Ga haar halen, zij zal het zelf wel bevestigen."

"Maar is het niet zo dat Mireille vandaag juist van plan was U definitief te verlaten? Samantha zegt zelf dat alles klaar stond om weg te lopen en dat ze al een appartement hadden geregeld in het Antwerpse. Is het niet zo dat Mireille van u wilde scheiden, omwille van het feit dat ze door U werd getiranniseerd, omwille van de vele slagen die ze kreeg? Is het niet zo dat U zich naar buiten gedraagt als de perfecte gentleman, maar in feite gewoon iemand bent met losse handjes? Is dat de reden van jullie ruzie's, Guido?"

"Jullie vergissen zich. Wij hebben geen ruzie's, soms eens een woordenwisseling, maar dan meestal omwille van het feit dat ze weer eens te laat thuis kwam of niet had gekookt. Is het zoveel gevraagd dat ik na een harde werkdag een warme maaltijd voorgeschoteld krijg? En wat die scheiding betreft. Neen, wij gaan nooit scheiden, daarvoor zien we elkaar nog veel te veel. Ik ga nog liever zelf dood. Vraag het trouwens aan Mireille zelf. Zij zal het zelf zeggen hoe goed we het samen hadden."

"Guido, daarstraks hebben wij uw echtgenote gezien."

"Wel, waar is ze, die hoer. Vraag het haar zelf. Vraag haar zelf wie hier de kostwinner is, wie alles doet in huis, hoeveel liefde ze van mij krijgt. Waar is ze nu? Bij haar vriendje, bij één van haar beschermers? Of zit ze misschien ergens nog in een kroeg te zuipen? Zeg het maar. Of zit ze misschien in Zandvliet, bij Boris, de man die haar altijd zal *beschermen zoals hij zegt. Beschermen tegen wie of wat? We leven hier wel in een polderdorp."*

"Wij hebben Mireille daarstraks levenloos aangetroffen, niet zo ver van hier. Ze is vermoord. Haar lichaam toont sporen van geweld en het tijdstip van de moord situeert zich kort nadat ze de woning heeft verlaten. Ze heeft ook enkele snijwonden, vermoedelijk van gebroken glas. Wat is uw commentaar?"

"Dat kan niet. Ik heb daar niets mee te maken. Ik herhaal het, ik heb hier de ganse nacht geslapen en ben gewekt door Samantha die met mij naar bed wou. Ik zeg niets meer tegen jullie, ik wil mijn advocaat."

De speurders merkten de trilbeweging op ter hoogte van de bovenlip en zagen hoe Guido met moeite een grimas kon bedwingen. Hij voelde zich heer en meester, de morele overwinnaar van het woordenspel dat ze zojuist hadden opgevoerd. Wat zouden die flikken hem doen? Ze wisten niets, konden trouwens niets bewijzen. Hij besefte wel dat het geval met Samantha iets moeilijker te verklaren was, maar behalve het feit dat ze naakt op een tafel lag, weliswaar vastgebonden, zouden die honden hem toch niets kunnen maken. Hij verafschuwde de twee mannen in een maatkostuum, die hem met hun geleerde woorden in de val probeerden te lokken. Hij zou ze wel leren. Hij was een Jinn en de Meester zou hem voldoende kracht geven om overal door te spartelen. Hij sloot zijn ogen en mijmerde over die mooie dagen van weleer, over de aanblik van het lichaam van Samantha en voelde plots een golf van spijt door zijn lichaam trekken. Waarom had hij zijn werk niet kunnen afmaken? Waarom was zijn plezier hem alweer ontnomen?

De speurders zagen de gelaatsverandering van Guido en merkten de lichte siddering op toen hij de ogen had gesloten. Wat zou er omgaan in het brein van een dergelijk Beest? Wanneer zou hij zijn pantser afleggen en eieren voor zijn geld kiezen? Nu al was duidelijk dat Guido niet zomaar een gewone misdadiger was waarmee ze van doen hadden. Voor hen zat een zware crimineel, zonder enig normbesef die de draagwijdte van zijn daden niet wilde begrijpen en alle bezwarende elementen stelselmatig uit zijn gedachten verdrong. Zelfs geconfronteerd met de meest overtuigende bewijzen zou hij met moeite zwichten en steeds blijven vasthouden aan zijn eigen onschuld. Alleen veel tijd, geduld en tientallen verhoren zouden enig soelaas bieden en mogelijk de man die zoveel ellende veroorzaakt had kunnen breken.

Het Beest werd weggeleid uit de witte verhoorkamer op weg naar zijn grauwe cel in de overvolle gevangenis in de Antwerpse Begijnenstraat. Hij zou er hopelijk nog vele jaren doorbrengen. Op de achtste verdieping in de burelen van de Federale Politie te Antwerpen, was er die avond een crisisvergadering. Over vier dagen was er de eerste Raadkamer die zou moeten beslissen over het feit of er voldoende bezwarende elementen waren om Guido nog een maand langer in voorarrest te houden of niet. Gelet op de ontdekking op heterdaad van een geknevelde Samantha en haar verklaring hieromtrent, kon dit zeker geen probleem zijn. Maar de rechercheurs beseften dat ze het volle pond zouden moeten geven om Guido te kunnen overtuigen de waarheid te spreken, niet alleen hierover, maar eveneens over de vele andere onopgeloste zaken en vooral over de moord op Mireille. Er moest een vertrouwensrelatie worden opgebouwd en zijn muur van stilzwijgen kon slechts langzaam, steen voor steen worden afgebroken, tot alleen nog de waarheid restte.

Omstreeks middernacht, de vergadering was al een uurtje voorbij, zaten Luc en Steve op het verwarmde terras van de taverne Karbonkel, gelegen aan de Groenplaats te Antwerpen. Luk, de eigenaar en hun beste vriend was komen aanschuiven en samen genoten ze van een gekoelde fles Chablis 1996. Onbewust keek Steve naar de sterren die de hemel versierden en hij zag een wirwar van beelden. Eén ster bleef schitteren aan het firmament en leidde als het ware de maan naar zijn juiste bestemming daar in de nacht. Hij besefte dat ze meer dan een lichtbaken nodig zouden hebben om Guido door een verhaal van gruwel en pijn te leiden. Steve zag de nietigheid van de mens in, wanneer deze geconfronteerd wordt met het opperste Kwaad. Maar ze waren er klaar voor. Ze zouden strijden voor rechtvaardigheid, voor antwoorden op de vele vragen van de slachtoffers en hun familie. Daarop hadden die recht. Justitie mocht niet meer falen, maar moest haar werk doen, als eerbetoon aan een mooie vrouw die hen had verlaten: Mireille.

Het tweede verhoor

Twee dagen na zijn aanhouding werd Guido de verhoorkamer binnengeleid door dezelfde bewakers als de vorige keer. Niets leek veranderd in de kleine, hagelwitte ruimte die alleen maar rust uitstraalde. Geen schreeuwerige posters aan de muur of kitscherige tapijten op de vloer. Alleen drie stoelen, twee aan de ene kant, één aan de andere kant en naast één van die stoelen een computertafel met daarop een laptop. Aan de ene zijkant bevond zich een gepantserde deur die elk geluid van buitenaf weerde, aan de andere kant een doorkijkspiegel waarachter Steve en Luc nerveus plaats hebben genomen. Ze hoopten getuige te worden van een afbrokkeling van de weerstand van Guido, maar beseften eveneens dat ze misschien nog dagen in de regiekamer zouden moeten plaatsnemen. Het schimmige spel begon en al gauw waren ze in de ban van de verbale strijd tussen twee ervaren speurders uit Brussel en een Guido die elk woord, elke beweging zorgvuldig overdacht, alsof hij de controle over het spel niet wilde verliezen.

" Waarom had je die avond ruzie met Mireille?"

"Ik had geen ruzie, nou ja, een kleine woordenwisseling misschien. Waarom zou ik trouwens ruzie maken? Ik heb een goede job, een huis en onze relatie was niet meer dan een LAT relatie. Ik blijf er bij dat ik met haar dood niets te maken heb. Wat kon het mij trouwens schelen dat ze vertrok naar haar Boris. Ik had er schoon genoeg van altijd naar haar pijpen te moeten dansen. Weet je, soms ben je beter af zonder een vrouw. Ik heb haar niet nodig, zij had mij wel nodig, of toch zeker mijn geld."

"In je eerste verklaring zeg je dat er geen ruzie is geweest, dat alles koek en ei was tussen jullie. Meer nog. Ondanks de verklaring van Samantha stelde je dat Mireille de woning niet was ontvlucht, maar dat ze integendeel de avond van haar overlijden naar bed was gegaan. Waarom die plotselinge verandering?"

"Wil je het weten? Ik heb gepraat met mijn advocaat, meester Nix. Hij heeft me gezegd alles te moeten zeggen zoals het is. Ja, ik heb een kleine ruzie gehad met Mireille, maar wie heeft geen ruzie in zijn huishouden? Ik was alleen beschaamd voor de buren dat ze zouden roddelen. Welke man laat nu zijn vrouw midden de nacht vertrekken? Je zou het wel horen in dit strontdorp. Denken jullie misschien dat dit hier de grote stad is? Hier weet iedereen alles van iedereen. Hier is het een schande als een man zijn vrouw niet de baas kan."

"Hoe weet je dan dat Mireille naar Boris vertrokken was? Heeft zij dit misschien voor haar vertrek verteld?"

"Heb ik dit gezegd? Ik bedoelde misschien naar Boris of naar één van haar andere vriendjes, wat kan het mij schelen? Denk je nu echt dat ik daar van wakker lig? We zijn volwassen mensen en ik weet ook wel dat ze er verschillende vriendjes op na hield. Zolang ze mij niet lastig vallen, is alles in orde."

"In de wagen van Raoul zijn bloedsporen aangetroffen in de kofferbak. Wat is hierop je commentaar?"

"Dat moet je aan hem vragen. Je zegt het toch zelf dat het zijn wagen is. Ben ik misschien verantwoordelijk voor alle misdaden van deze wereld? Ben ik een tweede Dutroux misschien?"

"Waarom associeer je het bloed onmiddellijk met een misdaad?"

"Ik zie wel waar jullie naar toe willen, klootzakken. Ik heb Mireille niet vermoord en in de kofferbak gelegd. Waarom zou ik haar het hoofd ingeslagen hebben? Denken jullie nu echt dat ik hiermee iets te maken heb. Ik blijf er bij dat ze van huis is vertrokken, misschien om een wandeling te maken, in elk geval zonder mij. Ik was dronken, ben in slaap gevallen op de sofa en verder heb ik hier niets aan toe te voegen. Ik weet ook niet waar dat wijf naar toe is gegaan. Zoek het zelf uit, maar beschuldig me niet van zaken waar ik niets mee te maken heb."

De speurders in de regiekamer zagen de veranderde gelaatsuitdrukking bij Guido en wisten dat hij meer en meer geagiteerd raakte door de onverwachte wending die het verhoor had gekregen. Hoe kon hij weten dat er een hoofdwonde was toegebracht? Dit gegeven was tot op dat ogenblik in geen enkel proces-verbaal vermeld, meer nog, zelfs de journalisten hadden er geen lucht van gekregen. Luc en Steve begrepen dat dit misschien de grote doorbraak was en seinden de ondervragers in via het interne netwerk. Zouden ze eindelijk de Beul kunnen doen bekennen?

"Guido, tot op heden heeft niemand iets gezegd over de doodsoorzaak van Mireille, behoudens het feit dat ze met geweld om het leven is gebracht. Hoe komt U er bij dat ze de schedel is ingeslagen?"

"Euh... dat zal wel zo zijn zeker? Weet ik veel, trouwens, ik heb dat niet gezegd zoals jullie het bedoelen."

"Is het niet zo dat u aanwezig was toen ze vermoord werd?"

"Dat is belachelijk, welk motief zou ik hebben? Alles ging goed tussen ons. Nooit hadden we ruzie, behalve die avond. Ik ben geen geweldenaar. Waar halen jullie het vandaan?"

"Uit de verklaringen van Shana en Samantha, uit de verklaringen van Fanny en haar echtgenoot en eveneens uit de verklaring van Boris is gebleken dat er zich al meerdere geweldplegingen hebben voorgedaan in jullie gezin. Meer nog. Uit verschillende getuigenissen is gebleken dat je een persoon met losse handjes bent, liever lui dan moe, een dominante figuur die geen tegenspraak duldde. Wat is uw commentaar hierop?"

"Jullie weten even goed dat dit wraak is. Samantha is verliefd op mij en het feit dat ik niet wilde toegeven aan haar grillen heeft de stoppen bij haar doen doorslaan. Als jullie een tiener willen geloven, mij best. Maar als ik toch een zodanige geweldenaar ben, waarom heeft dan nooit iemand aangifte tegen mij gedaan? Waarom zijn ze nooit gaan klagen bij hun vriendjes van de politie? Wat ik zie, is dat jullie die moord helemaal niet kunnen oplossen en hem gewoon maar in mijn schoenen willen schuiven."

"Waarom was Samantha vastgebonden als je toch maar alleen goede bedoelingen had? Waarom geweld gebruiken als zij zelf een seksuele relatie wilde?"

"Het was haar idee."

"Waarom zou Mireille willen vluchten uit een huwelijk zonder zorgen, met een attentvolle man? Is het niet zo dat zij en de kinderen bang van u waren?"

"OK, wat Samantha betreft kan ik zeggen dat ik inderdaad te ver ben gegaan. Het is begonnen als een spelletje en ik moet toegeven dat ze misschien niet helemaal akkoord was. Ik heb haar graag, maar ik kon haar niet krijgen, want ze was toch mijn stiefdochter. Ik kon er niet aan weerstaan. Weet je, ik had veel gedronken, bier en cognac en ik voelde een drang opkomen. Echt waar, ik wilde haar geen kwaad doen. Toen jullie binnenkwamen wilde ik haar net losmaken. Ik wilde helemaal geen relatie met haar. Ik ben geen pedofiel of zo. Ik ben te ver gegaan, ik mocht haar niet vastbinden, maar behalve dat is er nooit iets gebeurd. Mireille is altijd een lieve vrouw geweest en ik blijf van haar houden, maar met haar dood heb ik niets te maken. Mireille was van mij. Weet je, die andere mannen, daar speelde ze mee, die hadden misschien haar lichaam, maar niet haar liefde. Ik wel, waarom zou ik haar ooit willen kwaad doen?"

"Guido, is het niet zo dat je zo jaloers was, zo bezitterig, dat je haar heb gedood omdat ze dan inderdaad alleen van jou zou zijn?"

"Ik heb er niets mee te maken. Doe me maar weer naar de cel, ik zeg niets meer."

Luc slaakte een zucht in de regiekamer. Het tweede verhoor van Guido sterkte hem in de overtuiging dat de man uit Berendrecht inderdaad te maken had met de moord op Mireille. Hoe kon hij anders weten dat er een hoofdwonde was? Hij keek naar Steve, die onbewust knikte. De speurders beseften dat het moeilijk zou worden deze kerel te doen bekennen, dat ze stap voor stap verder moesten gaan en hem langzaam maar zeker moesten doen inzien dat hij met verder te blijven liegen niets zou bereiken. Ze vingen in de wandelgangen nog een glimp op van een onverstoorbare Guido die weggeleid werd naar zijn nieuwe verblijf-plaats voor de komende jaren, een betonnen kamer van nauwelijks vier vierkante meter groot. Het leek hem allemaal niet te deren en zelfs de onthulling van de bloedsporen die waren aangetroffen in het voertuig waren niet voldoende geweest om hem te doen bekennen. De volgende dag zou hij toch voor de Raadkamer verschijnen en in het dossier waren genoeg aanwijzingen van schuld om de rechter te overtuigen zijn voorlopige hechtenis te verlengen. Steve en Luc liepen naar de Mercedes Cabrio die geparkeerd stond op de parking van de Federale Politie te Antwerpen. Ze zouden de laatste stukken naar de onderzoeksrechter brengen en achteraf nog vlug een korte wandeling maken langs de Groenplaats te Antwerpen. De eerste veldslag tegen het Beest hadden ze gewonnen, maar ze beseften dat de oorlog nog lang niet voorbij was.

Verankerd in zijn eigen leefwereld, tolden bij Guido de gedachten rond als een razende storm. Hij besefte niet waarom die speurders zo'n heisa maakten. Hij overdacht nog eens het verhoor en een grijns verscheen op zijn gezicht. Wat konden ze hem maken, wat zouden ze doen? In België kreeg je toch de doodstraf niet voor het vastbinden van een tiener. Meester Nix had het hem altijd verteld: nooit bekennen, behalve datgene dat de speurders konden bewijzen. Wat zou hij bekennen? Dat hij verliefd was op Samantha? Dat Mireille hem al jaren niets meer deed? Neen, achterlijk was hij niet. Dat die flikken hun spelletje maar verder speelden. Ze moesten er maar zelf achter komen. Gesterkt door die laatste gedachte viel hij in een diepe slaap, dromend over het offer dat hij aan de Meester wilde brengen.

Het dertiende verhoor

Maanden waren ondertussen voorbijgegaan en langzaam maar zeker kondigden de gure wind en striemende regenbuien, de naderende winter aan. Steve en Luc stonden peinzend op de twaalfde verdieping van het glazen gebouw aan de Noordersingel te Antwerpen. Van hieruit hadden ze een onbeperkt uitzicht over alle hoeken en kantjes van de Metropool. In de verte zagen ze nog de top van de Boerentoren en als ze vanaf het dak van het Sportpaleis een denkbeeldige lijn trokken, waren ze in de Polders beland waar twee en een half jaar geleden de horror was begonnen. Het restaurant was verlaten en ze hadden er van geprofiteerd om de belendende vergaderzaal volledig in te palmen. Het ondertussen dertien kaften tellende dossier inzake het Beest van de Molen was er op uitgestald en de zee van ruimte maakte het hen mogelijk om, tussen de duizenden pagina's, toch telkens datgene te vinden dat ze op dat ogenblik nodig hadden. De speurders waren tevreden, maar toch niet echt gelukkig met het bereikte resultaat.

Guido was een harde noot om te kraken, omgeven door een als het ware onaantastbaar schild dat hem immuun maakte voor elke emotie. Slechts bij mondjesmaat en alleen als hij geconfronteerd werd met spijkerharde bewijzen, had hij af en toe iets toegegeven, maar telkens de schuld van zich afschuivend, zijn daden minimaliserend voor de buitenwereld. De aanranding van Samantha, het feit dat ze vastgebonden en naakt op de tafel lag kon hij niet ontkennen. Maar hij had er een keiharde uitleg voor: zij was begonnen, zij had hem verleid en hem bijna gedwongen die handelingen te verrichten. Gelukkig had hij niet toegegeven aan haar dierlijke lusten en had hij zich beperkt tot het vastbinden op de tafel, met haar toestemming trouwens. Geconfronteerd met Lynn, die in hem de lafaard herkende die haar leven had vernield, ontkende Guido onmiddellijk het feit dat hij geweld had gebruikt. Neen, het was Lynn die hem voorstelde om eens intiem te worden, want ze wilde haar eerste ervaring met een oudere man delen. De havenarbeider had hij niet trachten te vermoorden. Er waren getuigen genoeg die konden zien dat die klootzak hem had aangevallen en uit pure zelfverdediging had hij naar de man gestoken, echter zonder de bedoeling hem te kwetsen. En zo ging elk relaas verder, telkens wanneer de speurders dachten Guido over de brug te trekken, kregen ze een onsamenhangend verhaal, een halve bekentenis, waarbij hij zichzelf in de slachtofferrol duwde en de anderen de schuld gaf. Bij het bestuderen van de videobeelden achteraf was één zaak opgevallen: telkens wanneer hij in het verhoor de bovenhand meende te krijgen, of als hij weer eens een antwoord had verzonnen dat een verklaring moest zijn voor zijn daden, verscheen er een monkelend lachje, als teken van overwinning.

De speurders vroegen zich al lang niet meer af waarom Guido een dergelijke reactie vertoonde. Ze wisten uit ervaring dat criminelen geregeld gebruik maken van verdedigingsmechanismen om hun daden te rationaliseren, om de schuld op iets of iemand anders te leggen en om hun misdrijven te minimaliseren. Hoewel daders niet openlijk deze methodes gebruiken, geven ze aanwijzingen wanneer de onderzoekers hen bijvoorbeeld vragen stellen over overtuigingen en waarden, achtergronden en attitudes. Luc en Steve wisten uit hun studie van recherche-verhoortechnieken dat de verdedigingsmechanismen die onbewust door die moordenaars en verkrachters werden gebruikt, kortweg R.P.M. heette. Rationalisatie, projectie en minimalisatie. Het was voor de crimineel een manier om zijn waardigheid te behouden of het gezicht te redden. Alleen aandachtig luisteren en steeds weer opnieuw met enorm veel geduld Guido benaderen, zou een mogelijkheid bieden hem ooit tot een bekentenis te laten overgaan. Maar ze wisten dat het moeilijk zou zijn. Waarom zou hij het laatste feit, de moord op Mireille ooit bekennen? Ze hoopten dat een bekentenis misschien opluchting zou brengen of dat hij door die bekentenis zelf de kans zou krijgen zijn verhaal volledig te kunnen doen en aldus zijn waardigheid te behouden.

Toch was de kans klein. Over enkele uren zouden ze het nog eens proberen, waarschijnlijk voor de laatste keer. Justitie wilde niet meer investeren in de zaak. Jaloersheid van collega's die het succes van het jonge team niet konden verdragen, had er voor gezorgd dat Frankie, de afdelingschef een akkoord had gesloten met de Onderzoeksrechter dat het dossier gesloten mocht worden. Voor Luc en Steve was het een bittere pil om te slikken geweest. Materiële bewijzen waren er genoeg in het dossier, maar beide speurders wilden nog één vraag oplossen:

waarom? Als een eerbetoon aan een prachtige vrouw die veel te vroeg was gestorven door onzinnig geweld. Uit respect voor de zus en de twee dochters die elk op hun eigen manier het enorme verdriet waar ze mee af te rekenen hadden, probeerden te verwerken. Hier zou geen slachtofferhulp of psycholoog enig soelaas kunnen brengen. Alleen hun eigen sterke wil, hun overlevingsdrang was in staat het ondraaglijke iets draaglijker te maken. Drie jonge vrouwen, omgeven door familie en vrienden en toch soms zo alleen op de wereld.

Het verhoor werd om 15.43 uur begonnen in de daartoe speciaal ingerichte verhoorkamer op de achtste verdieping. Geen camera's meer, geen opnames, alleen twee gedreven onderzoekers tegenover een Beest zonder enige emotie.

" Ik heb het al gezegd.... Ik heb niets met die moord op Mireille te maken. Nooit zal ik toegeven, waarom zou ik? Wat ik niet heb gedaan, zal ik jullie nooit verklaren. Mag een man zijn vrouw eens geen slag in het gezicht geven als ze zich weer eens opstelt? Jullie begrijpen niet in welke hel ik geleefd heb. Ja, we hebben die avond ruzie gehad en ja, ik ben er zelf achteraan gelopen tot halverwege de dorpsstraat. Maar is dat verboden misschien? Die buurvrouw heeft gelijk als ze zegt dat ze mij een minuut nadat Mireille was gepasseerd in dezelfde richting zag lopen. En dan? Maar heeft ze ook gezien dat ik honderd meter verder gestopt ben? Neen zeker. Meester Nix zei het zelf. In haar verklaring staat duidelijk dat ze toen is gaan slapen en niets meer heeft gehoord. Wat denkt dat pokkewijf wel?Ik heb niets met jullie verhaaltje te maken."

"Hoe komt er bloed in de wagen van Raul terecht?"

"Dat weet ik niet, vraag het hem zelf."

"Guido, we tonen U hierbij een laboratoriumverslag waaruit blijkt dat het DNA profiel van het bloed dat aangetroffen is in de wagen, voor honderd procent overeenstemt met dat van Mireille. Wat kan je hierop zeggen?"

"Wat weet ik hiervan, ik ben geen laborant. Weet je, Mireille en ik reden regelmatig met die auto en ik herinner me dat ze eens aan haar vinger had gesneden bij het openen van het kofferdeksel. Ze bloedde *hevig, dat moet enkele dagen voor mijn arrestatie zijn geweest. Ik sluit niet uit dat er op die manier enkele druppels zijn gevallen. Trouwens, kan jij bepalen hoe oud het bloed is dat daar gevonden is? Ik niet en volgens mij niemand. Bewijs dan maar dat het mijn schuld was."*

"Guido, het klopt inderdaad, dat kunnen wij niet bepalen."
"Wel, wat is dan het probleem, vraag het anders eens aan Raul, die was ook altijd gek van mijn vrouw. Hij zal het misschien weten."

"Guido, wij hebben met Raoul gepraat, steeds weer opnieuw. Gisteren heeft hij ons eindelijk de waarheid verteld. Jij hebt Mireille vermoord in de schaduw van de molen. Je was dronken, maar hebt uit haat een einde gemaakt aan haar leven. Je hebt Raoul getelefoneerd en hij is met de wagen gekomen om je te helpen het lijk te verplaatsen, naar een plaats enkele honderden meters verder."

"Raoul is een leugenaar."

"Oh ja? Waarom heeft hij dan je bebloede T-shirt meegenomen en onmiddellijk in de wasmachine gestopt? Waarom zou hij zichzelf beschuldigen? Heb je daar een verklaring voor?"

"Ik weet wat ik weet, ik weet wat ik gedaan heb en wat ik niet gedaan heb."

"Heb je dan echt geen gevoelens Guido? Of heb je genoten van het feit dat je sterke vingers rond haar slanke nek verstrengeld waren en dat je voelde hoe de laatste lucht langzaam maar zeker uit haar longen ontsnapte? De laatste weerbaarheid van een weerloos mens, jij als dominant figuur, voor één maal beschikkend over leven en dood. Hoe voelde dat Guido? Genoot je er van? De slag op het hoofd, was dat het afmaken van de daad of was het de ultieme wraak op een jonge vrouw die je nooit meer wilde zien? Wat waren je gedachten toen je haar dode lichaam nog een schop in de zij gaf? Was dit je offer, was dit je overwinning?"

Bij elk woord dat Steve zei, leek het alsof Guido ineenkromp, alsof hij striemende zweepslagen kreeg, één voor één, telkens opnieuw, één woord per slachtoffer dat hij had gemaakt. Hij had vele levens verwoest. Zijn slachtoffers hadden levenslang gekregen, één had het niet overleefd, maar zelfs nu leek hij zich bewust van zijn macht, de winnaar van het spel van leven en dood. Hij keek recht voor zich uit en zag op een denkbeeldig schaakbord dat hij schaakmat stond, dat niets of niemand hem nog kon redden. Tenzij, de Meester...

"Breng me weg. Ik heb niets meer te verklaren, hier niet, nu niet, later niet. Jullie begrijpen het niet. Ik ben het slachtoffer. Ik word miskend. Later zullen jullie de waarheid wel achterhalen. Mireille is niet belangrijk voor mij, is ze trouwens nooit geweest. Jullie hebben mijn offer verstoord, ik ben geen gevallen Engel, de Meester heeft me verstoten. Laat me gaan, naar mijn cel. Nooit zal ik nog met jullie spreken. Jullie zijn maar mensen, jullie begrijpen het niet."

Verslagen keken de beide speurders naar elkaar. De laatste troef was uitgespeeld, de barrière had standgehouden, het masker was niet gevallen. Morgen zou Justitie zijn ding doen. De administratieve molen die er voor zorgde dat het dossier definitief werd afgesloten, zou op gang komen. Guido zou niet meer verhoord worden. Haat en nijd hadden het weer gewonnen van gezond verstand. Niemand zou ooit de drijfveer kunnen begrijpen.

Die avond, omstreeks 21.30 uur lagen drie jonge vrouwen in elkaars armen te huilen, onmachtig, woedend omwille van zoveel onbegrip en onwil. Steve had hen de slechte tijding gebracht dat het dossier van 'hogerhand' werd afgesloten. Hij en Luc waren teruggefloten. Niemand steunde hen, toen ze zeiden dat alleen steeds opnieuw verhoren de enige mogelijkheid was om de barst te vinden in het harnas van Guido. Maar ze kregen nul op het rekwest. Hier telden geen emoties meer. Alleen de harde realiteit dat alles geld kostte en men niet meer wilde investeren. Waarom Guido het had gedaan interesseerde blijkbaar niemand. Die nacht gingen vijf mensen met een wrang gevoel slapen, wetende dat de oplossing dichtbij was, maar dat er vanaf nu geen strijd meer was...

Het proces

De assisenzaal in het Antwerpse justitiepaleis gelegen aan de Britse lei, zat afgeladen vol. Op de tien plaatsen voor de pers zaten zelfs veertien journalisten dicht bij elkaar, als sardienen in een blik. De eeuwenoude muurschilderijen straalden de macht uit van het gerecht dat nog altijd werkte volgens de Codex Napoleon. Voor de tegenstanders was een dergelijk volksproces niet meer van deze tijd, voor de anderen een must, als bewijs dat het gewone volk ook recht kon spreken. Beroeps-magistraten en advocaten voelden meer voor het Nederlandse systeem dat een snelle en correcte afhandeling waarborgde. De twaalf gezwore-nen waren aangevuld met zes reserve-juryleden. Een achtendertigjarige secretaresse onder hen was gekozen als hoofdvrouw. De groep volgde met aandacht de opvoering die ten tonele werd gebracht. Aan de ene kant een serene Assisenvoorzitter die waardigheid uitstraalde en alles in goede banen moest leiden. Hij werd bijgestaan door zijn trouwe griffier en een tweede rechter. De Procureur Generaal zelf had er bij uitzonde-ring voor gekozen om aanklager te zijn in wat al het proces van de eeuw werd genoemd. Aan de andere kant zat Guido, bijgestaan door zijn raadsman Meester Nix en een dom uitziend blondje dat hem in de rechtszaal moest bijstaan, maar waarschijnlijk alleen gekozen was omwille van haar welgevormde boezem.

De eerste dagen verliepen zonder noemenswaardige incidenten. Het samenstellen van de jury had bijna een volle dag geduurd, want zowel de Procureur Generaal als de verdediging hadden gretig gebruik gemaakt van de mogelijkheid om juryleden te weren. Tenslotte was er een beslissing gevallen. Zeven mannen en vijf vrouwen zaten in de banken, met als reserve vier vrouwen en twee mannen. De beroepen waren uiteenlopend, vier arbeiders, twee bediendes, een secretaresse, twee werklozen, een vertegenwoordiger en twee leerkrachten. Geen van hen had ooit in een jury gezeten, maar ze hadden ook geen excuses gezocht toen ze werden opgeroepen. Twaalf moedige Vlamingen die hun plicht met ere zouden vervullen. De tweede dag was als het ware nog saaier toen de Procureur Generaal de akte van beschuldiging voorlas, zoals bepaald was in de wet. Exact zes uur en vierendertig minuten, met daarbij nog twee pauzes van een half uur duurde de monotone voordracht, waarin alle misdrijven waren opgesomd waarvan Guido werd beschuldigd. Meester Nix luisterde aandachtig en maakte enkele aantekeningen. Journalisten smulden van de lezing en ze droomden al van de krantenkoppen die de lezer moest verleiden om het artikel te lezen over het beest van de molen. De tientallen nieuwsgierige toehoorders in de zaal onderbraken regelmatig de opsomming door een afkeurend gemompel te laten horen, waarna de statige voorzitter met kalme stem de rust liet weerkeren in de prestigieuze met bladgoud versierde zaal.

's Ochtends, voor aanvang van de derde dag, kopten de verschillende kranten over de zaak en werden de misdrijven van Guido breed uitgesmeerd. De inwoners van Berendrecht konden met moeite geloven wat er allemaal ten laste werd gelegd. In een draaikolk van nietsontziend geweld, een spiraal van agressie, had de arbeiderszoon zich in totaal negen maal vergrepen aan jonge meisjes. Het onderzoek dat na jaren was afgesloten, toonde aan dat eveneens twee pogingen tot moord en een ontvoering het werk leken van de man die alle menselijkheid had verloren, maar het hoogtepunt was de moord op Mireille geweest. Hier had de Procureur Generaal zijn betoog onderbroken en zuchtend aan de jury uitgelegd dat op dat punt geen enkele toegeving van de verdachte moest worden verwacht. In zijn eigen droomwereld had hij zich verschanst, van daaruit registreerde hij de woorden die zinnen werden, maar nooit was een spoor van emotie te zien geweest. De journalisten waren vrijgevig geweest op zoek naar hun lezerspubliek dat enige sensatie niet schuwde. "Satan in Antwerpen", "Het monster van de molen ook een kille moordenaar" en "In dienst van het kwade" waren maar enkele van de titels die de voorpagina's van verschillende dagbladen sierden. Guido zelf kreeg de kranten niet altijd te zien, het zou hem ook niet hebben geïnteresseerd. Hij was een Jinn, de Meester zou hem niet in de steek laten.

De derde en de vierde dag waren voorbehouden voor de getuigenissen van de onderzoeksrechter, de speurders en verschillende deskundigen. In hun sereen betoog, op zakelijke toon, werd een beeld geschetst van de opeenvolgende misdrijven die waren gepleegd. Toen het misbruik van Lynn ter sprake kwam, zag meester Nix de verontwaardiging die af te lezen was van de gezichten in het publiek. Men kon er nu een speld horen vallen. In een eenvoudig exposé troonde Steve de toehoorders mee in de leefwereld van Guido en langzaam maar zeker kregen de juryleden een totaalbeeld van twee en een half jaar verschrikkingen in en om het kleine polderdorp aan de Schelde. Het was duidelijk dat Guido van een gewone arbeiderszoon stilaan was veranderd in een perverse nietsnut, die maar één doel voor ogen had: een relatie met zijn stiefdochter. Op het einde van de derde dag deed Steve het relaas van de moord uit de doeken. In gedachten werden de juryleden en het hof meegenomen naar het nauwe pad op korte afstand van de molen, waar het ontzielde lichaam van Mireille was aangetroffen. Toen reeds was het duidelijk welke lijdensweg die moedige vrouw had moeten doorstaan, op zoek naar liefde en geborgenheid. Onverwacht, tegen de normale gang van zaken in, onderbrak de Voorzitter van het Assisenhof het betoog van de speurder. Hij keek met een doordringende blik naar Guido, die er al drie dagen apathisch bijzat, alsof alles aan hem voorbij-ging. Het publiek voelde hoe er een spanningsveld optrad. De voorzitter bracht in herinnering dat de moord op Mireille tot op die dag altijd was ontkend door Guido, ondanks de materiële bewijzen die er voorhanden waren. Zelfs de bekentenis van zijn broer dat ze samen het lichaam hadden verplaatst, konden hem niet overhalen de ware toedracht te onthullen. Met een vastberaden stem, waarbij elk woord weloverwogen was, sprak de voorzitter Guido toe.

"Mijnheer. Het verlies van een familielid, een zus of een broer, een moeder of een vader laat altijd sporen na bij diegene die overblijft. Echter is de onzekerheid over het waarom, een sluipend gif dat zij levenslang met zich meedragen. Mireille was een prachtvrouw en zij is niet meer. De familie blijft met de vragen, hun verdriet is eindeloos maar zij kunnen deze periode niet afsluiten. Guido, jij hebt de sleutel, jij hebt het antwoord, jij kan die mensen de gemoedsrust geven die ze verdienen, de mogelijkheid om alles te verwerken. Steek die sleutel in het slot, draai hem om en open die zware deur. Geef hen de kans een blik te gunnen in het verleden om de weg naar de toekomst in te kunnen slaan. Spreek."

Iedereen zat op het puntje van zijn stoel, wachtend op wat komen zou. Zelfs Steve die nog altijd in de getuigenbank zat, voelde hoe de voorzit-ter probeerde te bereiken wat de Federale Politie in al die maanden niet was gelukt. Weer was het de laatste kans op de ultieme waarheid die hem werd gegund. Het beest moest spreken...

Langzaam tilde Guido zijn hoofd op. Zijn ogen leken leeg, als een zombie wachtend op wat komen zou. Meester Nix keek toe hoe hij plaats nam achter de microfoon die er was opgesteld. De griffier was klaar om elk woord dat door hem was gezegd op te schrijven, opdat niets verloren zou gaan. De spanning was te snijden in de prachtige zaal van het justitiepaleis te Antwerpen. Met een doordringende blik monsterde de moordenaar zijn publiek. Langzaam opende hij zijn mond en haast onmerkbaar gingen de lippen vaneen. Vier woorden ontsnapten onhoorbaar aan zijn mond en slechts een liplezer zou de zekerheid hebben gehad. *"Ik heb het gedaan"*, zacht uitgesproken als ware het de laatste woorden van een stervende. Steve verstarde, de mond van de griffier opende zich en verschillende juryleden begonnen onder elkaar luidop te praten. De toeschouwers die achteraan de zaal hadden plaats genomen en de woorden niet hadden gehoord zagen de commotie die ontstond en voelden aan dat iets belangrijks was gebeurd. De voorzitter hamerde duchtig op de grote antieken tafel en probeerde de rust te herstellen. Alle ogen waren nu gericht op Guido. Als een zombie ging hij langzaam zitten in de beklaagdenbank, de blik op oneindig, de mond tot een smalle streep gesloten. De zitting werd voor een uur geschorst. Guido werd in een aparte spreekkamer gebracht, waar hij het gezelschap kreeg van meester Nix. Het hof ging zich beraden in de kleine vergaderzaal gelegen op de eerste verdieping aan de kant van de Britse lei. De jury en getuigen werden elk apart onder bewaking gesteld, om er zeker van te zijn dat ze geen contact met elkaar zouden hebben en om aldus procedurefouten te vermijden.

Het was al twintig voor zes in de vooravond van de derde dag toen de zitting werd heropend. De voorzitter bracht aan de gezworenen en de beklaagde verslag uit van het beraad dat ze in het voorbije uur hadden gehad.

"Dames en heren. Na een ernstig beraad, na overleg met de heer stafhouder en het ambt van de heer Procureur Generaal heeft het hof een beslissing genomen betreffende de gebeurtenissen die zich in deze rechtszaal hebben afgespeeld vlak voor de onderbreking. De taak van dit Hof en van de geachte dames en heren van de jury is op zoek te gaan naar de waarheid, naar gerechtigheid. Het rechtssysteem in België is één van de peilers van onze democratie en onderscheidt ons in die mate van een dictatuur. Het zoeken naar de waarheid verloopt al decennia lang volgens strikte regels en is een waarborg voor een

eerlijke rechtspleging, voor zowel de verdachte als de slachtoffers en de nabestaanden. Het Europese Verdrag van de Rechten van de Mens onderschrijft ons rechtssysteem en waarborgt iedereen deze eerlijkheid, want zelfs in geval van de ergste misdaden blijft elke verdachte onschuldig tot het tegendeel is bewezen. Het tegendeel is bewezen wanneer een vonnis is geveld en in kracht van gewijsde is gegaan. Daarstraks waren we getuige van mogelijks een scharniermoment in deze zaak. Hoewel het Hof ernstige vermoedens heeft van de inhoud van wat Guido verklaarde, moeten wij durven eerlijk zijn en stellen dat de zin, de enkele woorden die hij antwoordde op mijn vraag, onhoorbaar waren. Daarom heeft het Hof beslist dat deze passage geschrapt zal worden uit het verslag. De jury zal geen rekening houden met wat gebeurd is voor de onderbreking. Wij kunnen alleen vragen aan Guido een duidelijk antwoord te willen geven op mijn vraag of hij Mireille heeft vermoord."

De spanning was nu te snijden in de Assisenzaal van het Antwerpse gerechtshof. Alle ogen waren opnieuw gericht op Guido die star voor zich uitkeek. Langzaam stond hij op, star kijkend naar een onzichtbaar punt boven de hoofden van de jury. Iedereen voelde zich onbehaaglijk worden, niemand durfde nog adem te halen. In een beklemmende stilte sprak Guido één zin uit: *"ik heb het niet gedaan"*. Terwijl hij ging zitten op de beklaagdenbank brak een geroezemoes uit en enkelingen waagden het luidop hun afkeuring te laten horen voor de beslissing van het Hof en het daaropvolgende antwoord van Guido. De sereniteit was nu volledig verdwenen en met luide hamerslagen verdaagde de voorzitter de zitting tot de volgende dag. Toen de conciërge twee uren later de zaal binnenkwam zag hij een ineengekrompen gestalte zitten in de getuigenstoel in het midden van de Assisenzaal. Steve was zich niet bewust geweest van de naderende voetstappen en toen de zware hand van Jean, de plichtsbewuste bewaarder van het Justitiepaleis op zijn schouder rustte, schrok hij. De altijd goedlachse speurder zag er bezorgd uit. De afgelopen uren had hij zitten piekeren en zich duizenden vragen gesteld. Waarom had het Hof die beslissing genomen? Iedereen had duidelijk de bekentenis gehoord, iedereen kon er mee leven en nu... alweer die knagende onzekerheid. Langzaam stond Steve op, het was ondertussen kwart over acht geworden. Met langzame tred verliet hij de statige zaal. Misschien was alles niet tevergeefs geweest, morgen was er nog een dag.

De volgende dag schreeuwden de kranten het verhaal uit. *"Beest van de Molen bekent moord. Hof vernietigt de bekentenis"* en *"Blunder door Hof, monster bekent niet"*. De journalisten, belust op sensatie, brachten uitvoerig relaas van de gebeurtenissen van de vorige dag in het justitie-paleis te Antwerpen, in wat het proces van de eeuw werd genoemd. De commentaren waren eensgezind: de ongelukkige tussenkomst van de Voorzitter van het Hof van Assisen had er voor gezorgd dat Guido niet had bekend. Leden van allerhande slachtoff4erverenigingen bekritiseer-den de lamlendige aanpak van het Antwerpse gerecht en verwezen maar al te graag naar de tientallen fouten die in het verleden al waren ge-maakt door het Hof van Beroep in al hun ijver om ook politici tevreden te stellen. Een bekende Assisenpleiter, meester Verplast, van wie al lang geweten was dat hij een socialistisch lidmaatschap op zak had, voelde zich geroepen om als deskundige op te treden. Zijn commentaar was voorspelbaar, volledig in de lijn van wat de minister van Justitie in een dergelijk geval zou verklaren en betekende eerder een terechtwijzing van de publieke opinie. Het typeerde hem en verschillende andere pseudo-intellectuelen dat, wanneer zich een crisissituatie voordeed, ze hun eigen opinie verloochenden om toch maar in de gratie te kunnen komen van die politici die zij meenden gunstig te moeten stemmen. Maar ondertussen stelde zich niemand vragen hoe de nabestaanden van Mireille zich zouden voelen...

Het was twintig over negen toen Steve weer plaats nam in de getuigen-bank om het laatste deel van zijn betoog te houden. In heldere bewoor-dingen bracht hij de laatste elementen naar voor die moesten bewijzen dat Guido wel degelijk de koele moordenaar van Mireille was geweest. In zeventien verklaringen had de verdachte zijn versie gewijzigd. Ondanks de bewijzen ontkende hij aanvankelijk de zware ruzie die er zich eerst had afgespeeld in de lage bungalow te Berendrecht. Pas in een later stadium, met de rug tegen de muur, bekende hij dat er inderdaad iets was geweest. Het bloed dat was aangetroffen in de kofferbak van de wagen van Raoul bleek inderdaad het bloed van Mireille te zijn. Maar ondanks het feit dat Raoul toegaf geholpen te hebben met de verplaat-sing van het lijk, nadat hij door Guido die nacht was opgebeld, bleef deze laatste ontkennen. Zelfs het feit dat bloed was aangetroffen op zijn kledij en in de badkamer, bewogen de koele kikker er niet toe om enige zinnige verklaring te geven. Guido had er zich in zijn laatste verhoor toe beperkt te verklaren dat hij Mireille had gezocht en dood had aangetrof-fen in de nabijheid van de molen. In paniek had hij vervolgens Raoul gebeld met de bedoeling het lichaam naar een dokter te brengen. Bij nader inzien hadden ze het lijk gewoon verplaatst, omdat Guido schrik had gekregen moeilijkheden te hebben met het gerecht. Niemand geloofde echter het verhaal van de man die door de publieke opinie al lang als de moordenaar werd aanzien. Steve legde de jury de bewijzen voor van de hel waarin Mireille al die jaren had geleefd, maar niets kon de moordenaar uit Berendrecht uit zijn lood slaan. Aangestaard door tientallen ogen bleef de blik op oneindig, zonder enige emotie. Na verslag te hebben uitgebracht konden zowel het Openbaar Ministerie als de advocaat van de verdachte vragen stellen.

De eerste had één vraag: *"Mijnheer de hoofdinspecteur, is Guido volgens U de persoon die Mireille om het leven heeft gebracht?"*. Steve voelde hoe de spanning terugkeerde in de zaal en voelde de priemende blikken van de journalisten en de toeschouwers. Weloverwogen sprak hij het Hof toe: *"Mijnheer de Voorzitter, dames en heren van het Hof en de jury. Ik heb tientallen moordzaken onderzocht en ben door de jaren heen in contact gekomen met honderden verdachten. Eén zaak is ons bij de Federale Politie altijd aangeleerd: wees eerlijk. Als je iets niet kunt bewijzen, probeer dan opnieuw, maar gebruik nooit valse argumenten. Iedereen is immers onschuldig tot het tegendeel bewezen is. U stelt mij nu de vraag of Guido volgens mij Mireille om het leven heeft gebracht. Ik kijk nu recht in de ogen van de nabestaanden van Mireille, zij die levenslang hebben gekregen toen hun moeder, hun zus stierf. Op uw vraag antwoord ik JA. Nooit ben ik zo zeker geweest. Het onderzoek is goed gevoerd, ondanks de tegenwerking van magistraten en zelfs hogere officieren van de Federale Politie. Misschien had de moord vermeden kunnen worden, als iedereen zijn werk naar behoren had gedaan. Ik heb niet het recht om te praten in naam van iedereen, maar hier durf ik te stellen dat, ondanks alle goede resultaten, justitie heeft gefaald. Ik herinner me een geval van jaren geleden toen een vriend van mij voor de Kamer van Inbeschuldigingstelling verscheen. Zijn hoger beroep werd telkens opnieuw afgewezen omwille van de egotripperij van enkelingen, omwille van het feit dat een politicus gevraagd had om een zondebok te zoeken. In die periode werd die man nerveus, ziek en verloor hij vele vrienden. Zijn beste vriendin begreep niet dat hij leed onder de onrechtvaardigheid die hem werd aange-daan. Pas later zou het haar duidelijk worden. Mijnheer de Voorzitter, justitie heeft twee kanten. Daartussen ligt een grijze zone die meer misbruikt dan gebruikt wordt. Maar op de vraag of Guido schuldig is*

aan de moord op Mireille, kan ik alleen maar JA antwoorden. Ik was
in die grijze zone en zag de waarheid."

Enkele toeschouwers sprongen overeind en gaven een spontaan applaus. De journalisten grijnsden, want ze wisten dat de getuigenis meer
was dan zomaar een antwoord op een vraag. Hier was een politiek
statement gegeven, voer voor dagenlange discussies over de werking
van het gerecht, over de politieke beïnvloeding, maar vooral of de
moord op Mireille inderdaad vermeden had kunnen worden. Steve keek
recht voor zich uit en aan het verwrongen gezicht van de Raadsheren
zag hij dat zijn toespraak niet in goede aarde was gevallen. De voorzitter
van het Hof van Assisen zag asgrauw. Luidop hamerend probeerde hij
de orde te herstellen in de statige zaal. Parketwachters en geüniformeerde agenten schoten toe, maar tevergeefs. Het publiek, arbeiders en
bedienden, familieleden en nieuwsgierigen brulden luidop en toonden
hun afkeuring voor het Hof dat een symbool van rechtvaardigheid
moest zijn. In een waas hoorde Steve nog net hoe de zitting werd
verdaagd tot de daaropvolgende maandag. Hij wist dat hij verloren had,
dat zijn éénmansactie geen resultaat zou hebben. Maar zijn stem was
gehoord door het gewone volk. Indirect had hij zijn steun betuigd aan
de familieleden die voor hem meer waren geworden dan 'getuigen op
papier'. Fanny, Shana en Samantha zouden niet meer uit zijn leven
verdwijnen. Zij waren verbonden met hem. Steve wist dat hij de tol zou
moeten betalen. Verbanning van de afdeling moordzaken, in het
slechtste geval oneervol ontslag uit de dienst. Maar zijn gevoel voor
rechtvaardigheid had het gewonnen van het systeem. Guido was
schuldig en zou veroordeeld worden.

In zijn betonnen cel, eenzaam en verlaten, las Guido de verschillende
krantenberichten die hem waren toegestopt door zijn medegevange-
nen. Op het einde van de avond ging hij slapen met een brede grijns op
zijn gezicht. Ondertussen, in Berendrecht, in een middelgrote open
bebouwing met een prachtige tuin stond op de salontafel een foto van
een prachtige vrouw. Ze had blonde lokken en haar lach straalde altijd
vreugde en hoop uit. Vandaag was het anders. Gesnik weerklonk.
Fanny keek naar het portret van haar lieve zus en dacht na over de
toekomst zonder haar. Zij had gehoord wat Steve zei. De grijze zone.
Waarom had niemand die op tijd gezien? Wanneer zouden zij een
antwoord op hun vragen krijgen?

De maandag begon in alle rust. Er waren opmerkelijk minder toeschouwers dan de week ervoor en zelfs de journalisten hadden in het weekend vrijaf genomen, want de kranten berichtten slechts in het klein over het aan de gang zijnde proces. Geen schreeuwerige titels of pakkende verhalen, maar een nuchtere analyse van wat er allemaal gebeurd was en nog zou plaatsvinden. Maandag en dinsdag werd verder voorbehouden aan deskundigen en aan speurders, kortom aan iedereen die van dichtbij of van ver te maken had gehad met het onderzoek. De soms breedsprakerige experts konden oeverloos uitweiden over wat hun vaststellingen waren geweest en de al te technische uitleg ging aan de meeste toehoorders voorbij. Niemand was echt geïnteresseerd, maar zelfs het Hof wist dat de kelk tot op de bodem leeggedronken zou moeten worden. Op dinsdagmiddag werd reikhalzend uitgekeken naar de getuigenis van de Nederlandse professor Klomp, die aan de universiteit van Leiden meerdere malen had gesproken over het Satanisme en de gevolgen ervan voor onze Westerse maatschappij.

De docent begon zijn betoog met aan te tonen hoe gemakkelijk het was om met 'de broeders van de andere kant' in contact te komen. Geen verhalen over obscure groepjes die een ondergronds bestaan leiden, maar een weldoordachte redevoering die bewees dat zelfs een klein kind in contact kon komen met het duistere gedachtegoed. Iedereen die de beschikking had over Internet kon via de zoekmachines miljoenen pagina's downloaden door simpelweg het woord 'Satan' of 'Duivel' in te tikken. Binnen het uur kon je contacten leggen met 'gelijkgestemden' of hun avonturen lezen op de duizenden weblogs. Eenvoudige kosteloze registratie bracht je in contact met de Satanische clubjes en je kreeg onbeperkte toegang tot alle mogelijke informatie over de gevallen Engelen. Langzaam maar zeker kregen de juryleden een beeld over hoe een gewone man of vrouw met het satanisme in contact kon komen en tot hun afgrijzen moesten ze ervaren dat dit heel eenvoudig was. Professor Klomp was nu helemaal op dreef en overtuigde de jury er van dat labiele persoonlijkheden, zoals Guido was omschreven, vlug onder de invloed konden komen van Satanisten. Of.... hun nieuwe leer als excuus gebruikten om zichzelf boven hun misdrijven te stellen, om voorwendsels te hebben en zichzelf en hun daden te rechtvaardigen. Het hoge woord was eruit. Volgens de deskundige was Guido een ordinaire profiteur, een labiele nietsnut die zich verschuilde achter het Satanisme om zijn perverse ideeën ten uitvoer kunnen brengen.

Meester Nix protesteerde luid en probeerde met enkele vragen de expert uit zijn evenwicht te brengen, maar de welbespraakte Nederlandse getuige liet zich niet uit het lood slaan en bleef bij zijn stelling. De gerechtspsychiaters bevestigden de stelling en Guido werd aangezien als een luie egotripper, die geweld niet schuwde, geen spijt had van zijn daden en alleen zijn eigen ik belangrijk vond. Volgens het college dat was aangesteld door de Onderzoeksrechter, was hij volledig toerekeningsvatbaar en verschuilde hij zich uit lafheid achter zijn nieuwe geloof. Van het eerdere betoog van Meester Nix dat de verdachte uit onweerstaanbare dwang zou hebben gehandeld, bleef geen spaander meer over.

Dag negen van het proces van de eeuw kwam er aan. De zaal zat afgeladen vol, wachtend op wat komen zou. Vanaf nu zou alles in een sneltempo afgehandeld worden. Eerst kwamen de moraliteitsgetuigen van verdachte en slachtoffer aan het woord, later de hoofdinspecteurs die het onderzoek hadden gedaan, ter afronding, voor de pleidooien van start zouden gaan. Tientallen getuigen passeerden de revue en kenschetsten een portret van Guido. Werkmakkers vertelden, sommigen met tegenzin, hoe hij veranderd was van een goedlachse arbeider in een profiteur die liever lui dan moe was. Sociale diensten en leden van de vakbond konden alleen maar het minder fraaie beeld van deze egotripper bevestigen. Alleen de ouders van Guido konden zich iets goeds herinneren. Vader, met een krop in de keel, had het duidelijk heel moeilijk en probeerde de jury te overtuigen van het goede karakter van zijn zoon, maar vooral van de slechte invloed van Mireille. Maar niemand geloofde in de komedie die werd opgevoerd en in feite typerend was voor de ganse familie van Guido. Steeds weer de feiten minimaliserend, zichzelf in een goed daglicht proberen te zetten, zonder rekening te houden met de anderen in de maatschappij. Het beest van de molen bleef echter onbewogen voor zich uitstaren en geen greintje emotie vertoonde hij. Zelfs meester Nix zag in dat hij een verloren zaak zou moeten bepleiten.

Dag tien. Half elf in de morgen. Na een korte onderbreking kondigde de Voorzitter ven het Hof van Assisen aan dat de debatten zouden worden heropend met de eerste moraliteitsgetuige voor het slachtoffer. Statig als een koningin trad Fanny de overvolle zaal binnen, uiterlijk kalm, inwendig doodzenuwachtig. Na de eed te hebben afgelegd vertelde deze jonge vrouw over haar zus die ze had verloren. In een sereen maar diepzinnig betoog werden de toeschouwers meegesleurd in de wereld van Mireille. *"Ze was altijd haantje de voorste, mijnheer de voorzitter, maar een schat van een mens. Zelfs in de periode dat ze zelf met moeite het leven aankon, stond ze nog paraat voor iedereen die een woord, een gebaar van liefde of steun nodig zou kunnen hebben. Mireille was een engel op aarde. Door haar goedheid, soms haar naïviteit zag ze wellicht niet hoe sommigen, die beweerden haar lief te hebben, niet meer waren dan ordinaire profiteurs, egoïsten die alleen aan zichzelf dachten. Mijn zus was een beeldschone vrouw, door iedereen geliefd. In haar leven had ze maar twee doelen: Shana en Samantha. Niemand was in staat deze band van liefde te breken. Mireille heeft mij de echte waarden van het leven leren kennen. Ik sta hier vandaag als getuige om een beeld te scheppen van een vrouw die altijd mijn zus zal blijven, maar er nu niet meer is. Haar lach is verdwenen, maar haar geest blijft bij ons. Ik sta hier zonder haat of zonder wrok, want zij zou dat ook niet gewild hebben. In het begin dat ze ons had verlaten, was ik razend, verloren, niets had nog zin in mijn leven. Maar Mireille heeft me geleerd terug te vechten, door te gaan met het leven. Haar dood betekende voor ons een nieuwe periode in ons bestaan. Haar beschrijven in enkele woorden is onmogelijk, want het leven is niet te vatten in enkele regels. Toch kan je haar het best vergelijken met de mooiste bloem op aarde. Ze schitterde in het zonlicht en 's morgens gingen de blaadjes van de bloem open, zodat iedereen haar schoonheid kon bewonderen. Maar op een avond, totaal onverwacht, knakte de stengel en verdween het levenssap uit die bloem. Toch blijft iedereen de schoonheid van deze schepping van God bewonderen, in gedachten. Mireille is niet meer, maar haar beeld zal nooit vervagen. Ze heeft geen erfenis nagelaten, maar wel een grote schat, een levensles. Haar liefde voor ons is de leidraad in ons leven, onze herinnering aan haar is de band die niemand ooit zal door knippen. U vroeg me om haar te beschrijven, mijnheer de voorzitter. Wel dat is Mireille, een bloem die nooit zal verwelken, want zusterliefde blijft immer bestaan."*

Het was muisstil in de zaal. Niemand durfde nog te bewegen. De voorzitter schraapte zijn keel als om de spanning te breken en vroeg of iemand nog opmerkingen had. Zelfs meester Nix was aan de grond genageld en boog het hoofd. Iedereen begreep dat deze moedige getuigenis van Fanny meer was dan zomaar een verklaring. Het was het ongeschreven testament van Mireille, een vrouw die een zinloze dood was gestorven. Na enkele minuten, volgend op een stille beraadslaging door het Hof, werd de zaak verdaagd tot de daaropvolgende dag om negen uur. Iedereen begreep dat hier een onzichtbare grens was overschreden, dat door de verklaring van Fanny, Guido werd veroordeeld. Haar eerlijkheid, maar vooral haar uiting van intense zusterliefde liet niemand onberoerd. Iedereen, het Hof, de jury, de publieke opinie had de getuigenis verslonden, ze gezien als een charter, een oorkonde van liefde en genegenheid. Mireille was niet meer, maar herrees tussen de mensen, de dorpelingen van Berendrecht en de stijve magistraten allen wonend in de wijde omgeving rond Antwerpen. De mens was belangrijker geworden dan het papier.

Zwijgend wandelden Steve en Luc door de binnenstad van Antwerpen naar de Groenplaats, op weg naar hun vrienden in de taverne Karbonkel. Het Sint Andrieskwartier bood hen de nodige rust, een wijk gekenmerkt door een diversiteit van woningen en inwoners. Honderden malen hadden ze deze tocht al gemaakt, vanaf de voormalige Rijkswachtkazerne aan de Korte Vlierstraat, door het kwartier, via de Vrijdagmarkt tot bij Luk en Wim, hun boezemvrienden. De verklaring van Fanny had ook bij de twee ervaren speurders indruk gemaakt, want zelden maakten ze het mee dat familieleden van slachtoffers onbevreesd en zonder haatgevoelens konden praten. Wat de Federale Politie, afdeling Agressie in die lange tijd niet had gekund, was Fanny wel gelukt. De jury beschouwde Guido niet meer alleen als een serieverkrachter, maar nu ook als een moordenaar. Die avond in Berendrecht rolde de naam van Guido meermaals over de tongen. Eindelijk was gerechtigheid geschied. De moordenaar was gebrandmerkt.

De schone en het beest

Op de dertiende dag van het proces van de eeuw waren de verwachtingen hoog gespannen bij het opnieuw talrijk opgekomen publiek. Voor het eerst zouden Shana en Samantha op de voorgrond treden als moraliteitsgetuigen. De journalisten waren al vroeg op de rechtbank aangekomen, om zeker te zijn van een goede zitplaats, zodat ze ook elke emotie die de jonge meiden zouden tonen konden opvangen en later in een smeuïge taal beschrijven. Tussen de tientallen toeschouwers zaten de vaste klanten die steevast elke zaak volgden en zichzelf al specialisten waanden, maar eveneens vele Berendrechtenaren die elk hun eigen reden hadden om hier aanwezig te zijn. Om 09.47 uur werd de kleine eiken deur, links achter de leden van het Hof geopend en in een bijna onaardse stilte schreed Samantha statig naar voren, als een prinses uit één van de vele royaltyprogramma's die elke avond op de buis werden vertoond. Ze vertrok geen spier toen ze de eed aflegde en niets aan de jonge deerne liet vermoeden dat ze inwendig kookte van woede toen ze een glimp had opgevangen van Guido, de vermeende moordenaar van haar moeder. Voor het eerst in het proces vertoonde hij enige reactie. Samantha voelde hoe zijn donkere blik zich op haar rug had vastgezet en onbewust rilde ze. Ze had hem gekend als de partner van haar moeder, maar haar stiefvader was veranderd in een wezen dat ze haatte uit de grond van haar hart. Ze wist dat ze die gevoelens niet mocht laten blijken, zodat haar getuigenis kracht zou uitstralen, een eerbetoon aan Mireille.

"Mama is te vroeg heengegaan. Wij hebben Guido nooit gemogen, maar omdat mama hem graag zag mocht hij in ons leven komen. Wij hebben hem aanvaard, zagen in hem een nieuwe vader, een toekomst zonder zorgen. Maar het is anders geworden. Dag werd nacht, niet alleen mama is gestorven. Als U me vraagt, mijnheer de Voorzitter om mijn moeder te beschrijven, dan zou ik woorden te kort hebben. Geen enkele zin, geen enkel boek zal ooit kunnen uitleggen welke fantastische vrouw zij altijd is geweest. Ze werkte in Antwerpen, voor ons,

mijn zusje Shana en mijzelf, om ons de mogelijkheid te geven te studeren, verder te komen in het leven, om meer mens te worden. Nooit klaagde ze, zelfs niet als ze weer eens een pak rammel had gekregen van hem daar, Guido, die daar als een onschuldige op de bank zit. Ze heeft de beste jaren van haar leven gegeven, alleen ellende kreeg ze terug."

Het publiek hing aan de lippen van de mooie deerne die, gekleed in haar modieuze nauwsluitende jeansbroek en moderne T-shirt, er adembenemend uitzag. Haar blik richtte zich op Guido die ze monsterde en bekeek als een specimen dat ze voordien niet had opgemerkt. Onmerkbaar haalde de nimf eens diep adem, om haar pleidooi, haar woordenstorm te laten aangroeien tot een orkaan.

"Guido, ik haat je en je bent een klootzak. Je bent het niet waard verder te leven, maar ik hoop dat God je nog lang laat lijden, zoals jij mama elke dag opnieuw hebt doen lijden. Een hond heeft zijn nut, een creatuur zoals jij is minder waard dan een hond. Moest je niet de lafaard zijn die je altijd was, de gek die vrouwen slaat, dan zou je misschien de moed hebben om de waarheid te zeggen. Maar zelfs hier, oog in oog met mij en met de wereld, durf je het niet aan. Ik veracht jou en je familie en hoop dat je duizend doden mag sterven."

De voorzitter hamerde woedend er op los, terwijl het rumoer aanzwol. Geen afkeurend gemompel voor de woorden van Samantha, maar wel een groeiende volkswoede van een menigte die in staat was Guido elk moment te bespringen. Dienders van de wet sprongen onmiddellijk naar voren en vormden een beschermende haag voor de psychopaat die nog altijd als onschuldig werd aanzien, zolang hij niet was veroordeeld. Luid brulde de voorzitter van het Hof van Assisen om stilte en pas na enkele minuten verdween het rumoer. Al die tijd was Guido onbewogen blijven zitten, een flauwe glimlach op zijn gelaat. De voorzitter wendde zich onmiddellijk tot Samantha die doodstil in de getuigenbank was blijven zitten en haar blik had afgewend van de man die ze zo haatte.

"Mevrouw, dergelijke taal is ontoelaatbaar. Ik wens U er op te wijzen dat u hier als getuige bent gedagvaard om te spreken over de persoon van uw overleden moeder. Ik dien U er op te wijzen dat wanneer U dergelijke taal blijft gebruiken, U een veroordeling voor smaad aan het hof kan oplopen. Dames en Heren van de jury, wij verzoeken U de laatste zinnen van getuige te vergeten, daar die niet leiden tot het

beeld van de algemene waarheidsvorming. Mevrouw. Ik hoop dat deze waarschuwing door U is begrepen. Heeft U nog iets aan uw getuigenis toe te voegen?".

Het was ondertussen 11.13 uur geworden. Samantha stond onbevreesd in de getuigenbank en had de vlammende toespraak over zich laten heen gaan. Het werd ijzig stil in de Assisenzaal en iedereen was gespannen om de laatste woorden van deze belangrijke getuige op te vangen. Langzaam deed ze haar mond open en onbewust likte haar tong vlug over haar droge lippen.

"Ja, mijnheer de Voorzitter. Ik heb nog iets te zeggen. Die klootzak is minder waard dan een hond."

Spontaan applaus brak los vanuit de zaal en langzaam wandelde Samantha naar de uitgang, de leden van het hof verbouwereerd achter zich latend. Het was duidelijk voor meester Nix dat die laatste woorden zijn cliënt veel schade hadden toegebracht. Ze toonden de haat die de ganse gemeenschap voelde tegenover Guido, die algemeen beschouwd werd als een serieverkrachter, pedofiel en moordenaar. Hier was niets meer tegen opgewassen, de zaak was verloren. In een hels kabaal verdaagde de voorzitter de zitting naar de volgende dag. Steve en Luc die alles gevolgd hadden vanuit de achterste rijen van het publiek, moesten glimlachen toen ze Samantha uiterlijk kalm voorbij zagen schrijden. Steve besefte dat ze inwendig als een vulkaan zou borrelen, op de rand van de ontlading, maar vooral bewonderde hij haar om haar eenvoud. Daar, in de arena als het ware, had ze gezegd wat hij al lang had willen zeggen. Ze had onbewust ook zijn gevoelens vertaald naar de buitenwereld. Ze was een getuige, een vreemde voor hem, niet meer dan enkele bladzijden in een metersdik dossier, maar die voormiddag had ze hem de weg getoond. Er waren belangrijkere zaken in het leven dan constant op jacht te gaan naar criminelen. Hij was altijd een trouwe, nauwgezette speurder geweest, maar Fanny en Samantha, elk op hun eigen manier hadden hem getoond dat er nog andere zaken waren dan rechtvaardigheid of justitie. In elk dossier waren er gevoelens die niet vervat waren in de liters inkt op het papier, sentiment dat niet kon worden vertaald in één of meerdere kleurenfoto's. Achter elk slachtoffer schuilde niet alleen een gezicht, maar ook een familie, een vat vol herinneringen, een dam van emoties. Ook een speurder was een mens, maar Steve besefte dat hij moest proberen om in de toekomst zich meer mens te tonen. Hij keek naar Luc die altijd zijn mentor was geweest en in diens blik zag hij dat ze weer eens op dezelfde lijn zaten.

De volgende dag begon met een redevoering van de Voorzitter die een speciale inspanning vroeg aan het publiek, de getuigen en alle andere spelers in deze onwezenlijke opvoering, om de kalmte te bewaren en de sereniteit in het proces te behouden. Een uur daarvoor was er overleg geweest met meester Nix, de stafhouder, de Procureur Generaal, de leden van het Hof en de voltallige jury. Het incident met Samantha werd uitvoerig besproken, maar zelfs meester Nix wenste geen procedurefouten in te roepen omdat hij besefte dat die uitbarsting gestoeld was op emotionele gronden. Tot tevredenheid van iedereen verwierp de Voorzitter de gedachte om haar alsnog een boete op te leggen wegens smaad aan het Hof. Alle partijen waren gesust en iedereen was klaar voor één van de allerlaatste getuigenissen vooraleer de pleidooien van start konden gaan. De eindstreep kwam langzaam maar zeker in zicht.

Shana was onwennig toen ze de statige zaal binnentrad en ze was zich bewust van de honderden ogen die op haar gericht waren. Samantha had haar de vorige avond uitvoerig verteld over haar 'optreden' en die morgen hadden de schreeuwerige koppen in de verschillende kranten het bewijs geleverd van de impact die de getuigenis van haar oudere zus had. Terwijl ze naar binnenschreed merkte ze aan haar rechterkant de banken waarop de jury zat en links de bank waar Guido had plaatsgenomen, geflankeerd door meester Nix en zijn assistente. Onwillekeurig moest ze glimlachen toen ze de 'modepop' zag, zoals ze was omschreven door Samantha, een geval van 'much body, no brains'. Haar stiefvader, verdacht van een waslijst vol misdrijven met als hoogtepunt de moord op Mireille, zat opnieuw wezenloos voor zich uit te staren, alsof wat rondom hem gebeurde niet echt was.

Shana begon na de eedaflegging in heldere bewoordingen haar getuigenis. Net als Samantha, beschreef ze het leven van Mireille als een voortdurende spiraal van vallen en opstaan, van vreugde en verdriet, van goed en kwaad. Mireille droeg de broek in huis en sedert haar huwelijk met Guido was zij ook diegene die meestal de kostwinner was. Niemand kende Mireille zoals ze werkelijk was. Iedereen zag steeds weer de jonge, geblondeerde hupse vrouw die vrolijk en joviaal door het leven ging en fier was op haar twee dochters. De buren en vrienden kenden haar als de vrouw die veel plezier maakte, al eens durfde te flirten als ze een glas te veel op had en twee dagen kon verdwijnen in het uitgaansleven in Antwerpen. Maar niemand had ooit de moeite gedaan om achter de façade te kijken wat er zich werkelijk afspeelde. De roddeltantes van Berendrecht en omgeving, zelfs de journalisten die steeds weer probeerden uit te pakken met sensationele verhalen, steeg het schaamrood naar de wangen toen uit de getuigenis van Shana de ware calvarietocht bleek. Mireille kende maar één geluk: haar zus Fanny en haar dochters. De rest was nep, een afreageren, een poging om de dagelijkse ellende die ze door haar huwelijk te verwerken kreeg, te ontlopen. Ze was uit liefde met Guido getrouwd. Samen met de ring en huwelijksbeloftes had ze een mand vol narigheid en moeilijkheden gekregen. Kussen hadden plaats gemaakt voor slagen, vriendinnen voor deurwaarders. Op het laatst was niets meer overgebleven van het sprookjeshuwelijk. Guido was veranderd van een mens in een dier, voorspoed was ontij geworden. Iedereen hing aan de lippen van de tiener die te vroeg volwassen was geworden. Shana schraapte haar keel, tranen vulden haar ogen en ze stond recht. De voorzitter twijfelde. De wetsdienaars hielden zich klaar, maar niemand gebood het jonge veulen om weer plaats te nemen in de getuigenbank. Langzaam maar zeker draaide ze zich zestig graden naar rechts en ze keek naar Guido, een hart vervuld van haat, maar met de moed van een leeuw. Haar woorden sneden als dolken door de ijzige stilte en bezorgden velen een beklemmend gevoel.

"Mama. Ik had hier nooit mogen staan. Ik niet, Samantha niet, Fanny niet. Ik heb altijd van je gehouden en nu nog houden wij van jou. Wij hebben nooit begrepen waarom je Guido koos, maar we hebben altijd je wil gerespecteerd. Mama, zo groot als je liefde was voor ons, zo groot is ons verdriet nu. Wij hebben je gekend, zoals velen je miskend hebben. Wij hebben voor jou gehuild, terwijl velen om jou gelachen hebben. Toch heb jij aan ons de belangrijkste levenslessen gegeven: hou van elkaar, zoals je wilt dat de mensen van je houden. Guido, ik zag je ooit als een papa, een steun en toeverlaat. Maar je hebt alle beloftes verbroken. Je bent niet de papa geweest die ik ontbeerde, nooit de steun voor mama, nooit de kameraad voor de rest van de familie. Je hebt jezelf opgesloten in een ondoordringbaar harnas, in een cocon van zelfzucht en egoïsme. Zo graag als mama je zag de dag van je huwelijk, zoveel haat ik je nu en hier in deze zaal in Antwerpen. Maar één zaak mag je nooit vergeten: mama is niet dood. Ze leeft verder in onze harten, in onze ogen en zal er immer blijven bestaan. Jij

verdwijnt vanaf nu wel uit ons leven, Guido, uit ons hart en uit onze gedachten. Maar mama zal immer blijven bestaan."

Shana deed een stap naar voor, een tweede, een derde en verdween uit de zaal van het Hof van Assisen, alsof ze er nooit was geweest. Een beklemmende stilte hing als een donkere wolk boven de vele toeschouwers die begrepen dat die enkele woorden van een onvolgroeide tiener, hen een levensles hadden gegeven. Het was een stille aanklacht voor de vele roddelaars die Mireille niet hadden gekend zoals ze werkelijk was: een fijn, lief, gevoelig mens. De journalisten zaten onwennig op de persbanken, niet goed wetend wat ze aan moesten met deze situatie. Nog nooit hadden ze meegemaakt dat een getuige op dergelijke, striemende wijze een pleidooi had gehouden over liefde en haat, over begrip en onbegrip. Plotseling stond een man recht tussen de toeschouwers en langzaam klapte hij in de handen, monotoon maar luid. Eén, twee. Eén, twee. Eén, twee. Een vrouw die al lang met pensioen was, volgde zijn voorbeeld, een student veerde overeind samen met zijn vriendin. Drie arbeiders. Een onderwijzer. Steve en Luc. Een griffier van een kamer die toevallig passeerde. Twee wetsdienaars in uniform. De voorzitter zag hoe het eenzame handgeklap een oorverdovende storm was en toch een stil protest tegen de gang van zaken in deze maatschappij. Eén, twee. Eén, twee. Eén, twee. Journalisten sprongen van de persbanken en werden voor één keer mens. Eén, twee. Eén, twee. Eén, twee. Niemand zei een woord, het hof en de jury keek met ingehouden adem naar het spektakel, een ode aan Mireille, een vrouw die de honderden naamloze slachtoffers van gewelddelicten in deze maatschappij vertegenwoordigde. Langzaam stond Guido op en voor het eerst in bijna vier weken keek hij de omstanders recht in de ogen. Het protest verstomde en elke aanwezige voelde de spanning. Het Beest van de molen gaf stilzwijgend meester Nix een hand. Hij draaide zich talmend naar de voorzitter van het Hof van Assisen en sprak met luide, klare stem:

"Ik heb het gedaan."

Epiloog

De zware, ijzeren deur viel met een harde klap achter hem dicht. Hij was alleen met zijn gedachten, op de kleine zwarte spin in de hoek van de eetzaal na, als een getuige van wat komen zou. De enorme sleutelbos van de norse bewaker maakte een rammelend geluid bij elke stap die hij zette in de verlaten gang en langzaam verdween het lawaai, zoals het licht van de zon die achter de bergkim gaat schuilen. Zeshonderd zesenzestig dagen waren voorbijgegaan na die fatale nacht waar hij één werd met Shaitan. Onwillekeurig moest hij glimlachen: 666, het getal van de Antichrist, het getal van de Beest. Hij had alles grondig bestudeerd en wist wat er in de geschriften, in het Boek der Openbaringen stond genoteerd: *"En het eest uit de aarde maakt, dat aan allen, de kleinen en de groten, de rijken en de armen, de vrijen en de slaven, een merkteken gegeven wordt op hun rechterhand of op hun voorhoofd en dat niemand kan kopen of verkopen, dan wie het merkteken, de naam van het beest, of het getal van zijn naam heeft. Hier is de wijsheid: wie verstand heeft, bereken het getal van het beest, want het is een getal van een mens en zijn getal is zeshonderd zesenzestig.'* (Openb. 13:16-18). Het Beest werd al van oudsher vereenzelvigd met de Antichrist, die het einde der tijden zou inluiden. Hij was een Jinn geworden en zou net als de meester onsterfelijk zijn. Hij had de straf van de wereldse rechter gedwee aanvaard, wetende dat dit een noodzakelijk kwaad was, een overgang naar het eeuwige leven. Spijt kende hij niet, gevoelens waren aan hem niet besteed, hij was almachtig en voelde zich verheven boven de medemensen.

Eén zaak verontrustte hem wel, in zijn gedwongen verblijfplaats, een burcht van staal en beton, waar tralies en mat glas elkaar willekeurig afwisselden. Al enkele weken ervoer hij een veranderde stemming bij de andere bewoners. Hij werd uitgespuwd, als was hij het grootste vuil dat er ooit had rondgelopen. Hij wist wel dat vrouwenmoordenaars, pedofielen en verkrachters soms een 'aparte' behandeling kregen, maar tot op heden was niets gebeurd. De bewakers deden hun werk en de weinige rondjes die hij in open lucht rondliep, was hij alleen, eenzaam en verlaten in gedachten verzonken, maar dikwijls met een kleine grijns op zijn gezicht. Vrienden had hij al lang niet meer en het laatste bezoek dat hij had ontvangen, herinnerde hij zich zelfs niet meer. Guido was letterlijk in een vergeetput beland, een betonnen kamer van twee bij drie meter, met alleen een stalen brits en een gammele stoel als enig comfort.

Hij keek de zaal, waar hij elke dag een half uur al etend doorbracht, rond. Zes maal zes tafels met een versleten houten blad, stonden op kaarsrechte lijnen te wachten op de volgende maaltijd, de enige verpozing die hij zich per dag gunde in het bijzijn van de anderen. Het eten, of wat er voor door moest gaan, werd opgediend door drie gevangenen die zwijgend elke gevangene monsterden, voor zij het dienblad met een kwak neergooiden. Meermaals gebeurde het dat zijn bord veel te hete soep, per toeval, over zijn broek werd omgekieperd of dat de saus ontbrak. Maar de norse, weerbarstige blikken van de cipiers die elke beweging in de gaten hielden, moedigden hem zeker niet aan om zijn beklag te doen en hij slikte de vernederingen. Hij was blij als de maaltijd afgelopen was en de tafels afgeruimd, want vanaf dan had hij één uur de tijd om alles proper te maken, de vloer te dweilen, de stoelen weer te schikken. Het uur corvee beschouwde hij als een zegen, een mogelijkheid om alleen te zijn met zijn gedachten, ver weg van de harde realiteit van de cel.

De eetzaal had drie grote ramen, met daarvoor vuistdikke ijzeren staven, die elke ontsnapping onmogelijk maakten. Ongeveer tien minuten had hij nog, voor de bewaker zou terugkomen om hem weer te begeleiden naar zijn privé slaapkamer, zoals zijn vuile, kale cel spottend werd genoemd. Guido wist dat hij geen medelijden moest verwachten, maar dat elke dag opnieuw weer een strijd was om te overleven in de jungle van geweld en onbegrip. Mijmerend keek hij door het middelste raam naar buiten en in de verte meende hij nog de top te zien van één van de vele kerken van de studentenstad Leuven, zijn nieuwe gedwongen verblijfplaats. De spitse toren deed hem denken aan de toren van het kleine kerkje te Berendrecht en onbewust verplaatsten zijn gedachten zich naar de polderdorpen en de omgeving ervan, waar hij tientallen jaren had gewoond tot op de dag van zijn aanhouding. Hij haatte de mensen die rondom hem hadden geleefd, een diepgeworteld gevoel dat de enige verklaring was geweest voor zijn perverse, gruwelijke daden.

Alleen de kracht van de Boze hadden hem in staat gesteld zijn werk te volbrengen. De prijs die hij er voor moest betalen deerde hem niet, hij was een Jinn.

Guido was zo diep in gedachten verzonken, dat hij niet hoorde hoe de stalen deur langzaam werd geopend. Hij merkte niet dat over de centrale gevangenis een onwezenlijke stilte was gevallen, een hels voorteken van wat zou gebeuren. Nergens was er nog geroep of getier van wanhopige gevangenen, die elk uur van de dag telden in hun nieuwe keurslijf van regels en reglementen. De sleutelbossen van de tientallen cipiers maakten niet meer het lawaai zoals normaal, het strafoord leek verlaten. Met een schok keerde hij terug tot de realiteit en hij besefte plotseling dat er iets aan de hand was. Zijn blik werd wezenloos en bleef star gericht op de kerktoren. Een stalen vuist van diepgewortelde angst omklemde zijn keel en ternauwernood durfde hij nog adem te halen. Kaarsrecht, stil als een espenblad, zonder zich ook maar te verroeren, luisterde hij intens naar de stilte, de voorbode van wat komen zou. Plots, bijna onmerkbaar, maar vlug als een bliksemschicht naderden drie donkere figuren met schuifelende voeten de armoedzaaier die zoveel ellende over de hoofden van tientallen families had gestort. Vanuit zijn ooghoek zag hij nog hoe een ijzeren staaf zijn voorhoofd beroerde en toen was er niets meer. Hij viel in een oneindig, donker, zwart gat en voelde de handelingen niet die gebeurden.

Guido kwam langzaam bij bewustzijn en besefte dat hij in een nachtmerrie verzeild was geraakt. Hij kon niet meer bewegen en voelde een helse pijn aan de armen en de benen. Langzaam maar zeker kon hij zijn hoofd enkele centimeters oprichten en overzag hij de situatie. Hij keek recht in het gezicht van zijn drie beulen die gewacht hadden op een teken van leven om hun handelingen te starten. De veroordeelde bewoner uit Berendrecht merkte tot zijn afgrijzen dat hij naakt, op zijn buik op één van de tafels lag, in de eetzaal die hij elke dag opnieuw schoonmaakte. Zijn voeten rusten op de vloer en waren elk apart aan een tafelpoot gebonden, zodat hij in spreidstand voor zijn belagers stond. Zijn armen waren eveneens gespreid en waren met lange touwen vastgemaakt, één aan de rechtertralies, één aan de linkertralies, op een zodanige manier dat zijn buik en hoofd op de lange tafel rustten. De touwen sneden als messen door zijn armen en hij wist dat ontsnappen onmogelijk was geworden. Hij kon zich niet meer bewegen en leek in die stand op een levend kruis, een toekomstig offer voor de wandaden die hij op aarde had gedaan. Hij kende zijn belagers, drie struisgebouw-de, gespierde mannen, waarvan één al veroordeeld was voor drievoudige moord en de andere voor verschillende gewapende overvallen.

Een schorre schreeuw ontsnapte uit zijn keel, maar ontlokte alleen maar hoongelach bij zijn belagers. Hier was geen hulp meer mogelijk, iedereen, zelfs de Boze had hem verlaten. Hij hoorde het gehijg van de mannen, niet wetend wat er te gebeuren stond. Plots voelde hij een helse pijn doordat de ijzeren, loodzware staaf, met niets ontziend geweld neerkwam op zijn rechterarm. Het breken van het bot was duidelijk hoorbaar en bijna viel hij in zwijm. De drang tot overleven gaf hem echter de kracht om te gillen, maar behalve een gesnuif van zijn beulen, hoorde hij geen andere geluiden. Alles leek doods, uitgestorven, zelfs de Meester had hem verlaten. Een tweede slag verbrijzelde met één klap zijn linkerhand en wederom verloor hij bijna het bewustzijn. Tranen bengelden over zijn wangen en hij proefde de zilte smaak ervan.

Eén van de beulen trok zijn hoofd recht en spuwde in zijn gezicht. *"Luister, luister goed"* schreeuwde hij Guido toe in gebroken Neder-lands. *"Wij verachten individuen zoals jij. Ik heb een dochter, wij hebben allemaal dochters en zusters en wij houden niet van pedofielen. Wij haten hen die onze vrouwen aanranden. Jij zult een voorbeeld zijn. Wij zijn geen rechters maar brengen rechtvaardigheid. Nooit zal je nog een meisje benaderen. Je zult de dag vervloeken dat je ooit bent geboren, je zult bidden om te mogen sterven, maar wij zullen er voor zorgen dat je blijft leven, als een hond, als een dier."*

De korte toespraak werd gevolgd door een nieuwe slag die zijn linker-kaak verbrijzelde. Het was duidelijk dat, als hij het er levend af zou brengen, hij jaren nodig zou hebben om te herstellen. Plots werden zijn handen klam van het zweet. De drie rechters, beulen, die beslisten over leven en dood, waren achter hem komen staan. Hij zag een schittering van iets metaalachtigs, in het flauwe zonlicht dat door de ramen scheen en besefte dat het een langwerpig mes was. Hij voelde hoe het koude, stalen lemmet, langzaam maar zeker tegen de binnenkant van zijn linkerbil werd gedrukt en millimeter per millimeter naar boven schoof. Plotseling, totaal onverwacht, gebeurde het en de helse pijn werd vergezeld van een dierlijke, haast onaardse schreeuw, waarna hij in een diep zwart gat viel. Het vonnis was voltrokken, de maatschappij was gewroken. De gevallen engel had de strijd verloren.

Zes maanden later verbleef Guido nog altijd verbitterd in de zieken-
boeg van de gevangenis. Wat zich had afgespeeld in de eetzaal, was
niet in de kranten verschenen. Hij wist alleen nog dat hij het bewust-
zijn had verloren en dat een bewaker hem had gevonden, vastgebon-
den op tafel, hevig bloedend ter hoogte van zijn mannelijkheid. Alleen
een direct ingrijpen van medisch personeel en het overbrengen naar
het Universitair Ziekenhuis hadden zijn leven gered. Maar nooit zou
hij nog een man zijn. Hij was als een beest, zonder verdoving, gecas-
treerd, ter uitvoering van het niet geschreven vonnis dat was geveld.
De rest van zijn leven zou hij met krukken lopen, tengevolge van de
gecompliceerde breuken, zijn linkerhand hing als een vodje papier aan
zijn arm. Het uitgevoerde onderzoek in de gevangenis leverde niets op.
Niemand had iets gehoord, niemand had iets gezien. De directeur van
de strafinstelling ging met vervroegd pensioen en niemand bekom-
merde zich nog om de man uit Berendrecht die in een dier was veran-
derd. De daders werden nooit gepakt, want zelfs in de ziekenboeg
ervoer Guido dat zwijgen goud waard was. Langzaam maar zeker
herstelde de orde zich weer in Leuven Centraal en het voorval werd
vergeten. Ondertussen zijn er jammer genoeg nog altijd Doc en
Sloompies aan het werk bij de verschillende federale overheidsdiensten
in België. Meer en meer vormen ze de uitzondering en worden ze
vervangen door gemotiveerde krachten die bereid zijn hun leven ten
dienste van de maatschappij te stellen. Slachtofferhulp, bejegening van
slachtoffers, is geen verboden terrein meer en tientallen, misschien
honderden in Vlaanderen doen goed werk. Helaas zijn de budgetten te
klein en niet altijd ziet de 'Doc van dienst' de noodzaak om hen in te
zetten. Nog altijd zijn er magistraten die 'politieke' beslissingen nemen
en op die manier in feite hun ware roeping verloochenen. Maar aan de
horizon rijst de zon, als teken van een nieuwe hoop, als voorbode van
een andere wereld. Of schijnt de zon alleen boven Utopia?

Rond de molen van Berendrecht vliegt een kraai nog altijd zijn rond-
jes, als teken van de eeuwige strijd tussen Leven en Dood.

De auteur

Stefaan Van Bossele, 44 jaar oud, debuteerde in 2004 met de misdaad-roman 'Anna Avrath' (uitgegeven door Boekenplan Nederland), waarin door middel van een moordverhaal dat zich afspeelt in Antwerpen, werd aangetoond dat het integratiemodel in België mislukt is. Het is de geschiedenis van de botsing tussen de moslims en de Assyrische Christenen, de strijd tussen traditionele waarden en de westerse maatschappij. Het boek nam deel aan de 'Knack Hercule Poirotprijs 2005' en 'De Diamanten kogel 2005'. In juni 2005 kwam een tweede druk op de markt.

De auteur, bestuurslid van de Gelderse Schrijvers Kring gaat geen onderwerp uit de weg en steeds weer is in zijn werk de voorliefde voor zijn mooie Vlaanderen terug te vinden, maar eveneens de bewondering voor andere en vreemde culturen.

Een tweede werk van deze auteur werd ondertussen uitgegeven, op-nieuw door Uitgeverij Boekenplan Nederland. In zijn bundel korte verhalen, dat verscheen onder de titel 'De klokkenluider' in september 2006, maken we een reis door verschillende landen en worden diverse actuele problemen aangekaart op een sobere maar realistische wijze. Ze moeten de lezer een blik gunnen in soms minder bekende facetten van onze hedendaagse maatschappij. Sommige verhalen, zoals gedwongen huwelijken, zijn een aanklacht en stemmen tot nadenken. 'Teranga', één van de verhalen in dit boek werd in april 2005 door de Uitgeverij Vleermuis genomineerd voor de J. Strellusprijs en dit verhaal verscheen in november 2005 eveneens in het boek 'Koralen'. In april 2007 ver-scheen het boek "Woord en gedachten over de grenzen heen", een bundeling van korte verhalen en gedichten van verschillende auteurs van de Gelderse Schrijvers Kring.